Lewis Morris

Golygydd Cyffredinol: Brynley F. Roberts

Hen gwestiwn mewn beirniadaeth lenyddol yw mater annibyniaeth y gwaith a ddarllenir; ai creadigaeth unigryw yw cerdd neu ysgrif neu nofel, i'w dehongli o'r newydd gan bob darllenydd; neu i ba raddau mae'n gynnyrch awdur unigol ar adeg arbennig yn ei fywyd ac yn aelod o'r gymdeithas y mae'n byw ynddi? Yn y pen draw diau fod gweithiau llenyddol yn sefyll neu'n cwympo yn ôl yr hyn a gaiff darllenwyr unigol ohonynt, ond aelodau o'u cymdeithas ac o'u hoes yw'r darllenwyr hwythau, a'r gweithiau a brisir uchaf yw'r rheini y gellir ymateb iddynt a thynnu maeth ohonynt ymhob cenhedlaeth gyfnewidiol am fod yr oes yn clywed ei llais ynddynt. Ni all y darllenydd na'r awdur ymryddhau'n llwyr o amgylchiadau'r dydd. Yn y gyfres hon o fywgraffiadau llenyddol yr hyn a geisir yw cyflwyno ymdriniaeth feirniadol o waith awdur nid yn unig o fewn fframwaith cronolegol ond gan ystyried yn arbennig ei bersonoliaeth, ei yrfa a hynt a helynt ei fywyd a'i ymateb i'r byd o'i gwmpas. Y bwriad, felly, yw dyfnhau dealltwriaeth y darllenydd o amgylchiadau creu gwaith llenyddol heb ymhonni fod hynny'n agos at ei esbonio'n llwyr.

Dyma'r ddegfed gyfrol yn y gyfres.

DAWN DWEUD

Lewis Morris

gan
Alun R. Jones

GWASG PRIFYSGOL CYMRU
CAERDYDD
2004

ISBN   0–7083–1922–X

Mae cofnod catalogio'r gyfrol hon ar gael gan y Llyfrgell Brydeinig.

Hoffai'r cyhoeddwyr gydnabod cymorth ariannol Cyngor Cyllido Addysg Uwch Cymru tuag at gyhoeddi'r llyfr hwn.

Datganwyd gan Alun R. Jones ei hawl foesol i gael ei gydnabod yn awdur y gwaith hwn yn unol ag adrannau 77 a 78 o Ddeddf Hawlfraint, Dyluniadau a Phatentau 1988.

Gwnaethpwyd pob ymdrech i ddod o hyd i berchenogion hawlfraint deunydd a ddefnyddir yn y gyfrol hon, ond yn achos ymholiad dylid cysylltu â'r cyhoeddwyr.

Cynllun gwreiddiol y clawr gan Chris Neale
Argraffwyd yng Nghymru gan Wasg Dinefwr, Llandybïe

I'm rhieni

Cynnwys

Rhagair

Roeddwn newydd gwblhau traethawd D.Phil ar weithiau llenyddol Lewis Morris pan dderbyniais wahoddiad caredig yr Athro Brynley F. Roberts i gyfrannu cyfrol i'r gyfres *Dawn Dweud*. Meddyliais fy mod wedi ymgymryd â'r ymchwil angenrheidiol eisoes, bod y defnyddiau gennyf wrth law ac felly mai gwaith cymharol hawdd fyddai ysgrifennu bywgraffiad llenyddol ohono.

Buan y sylweddolais fod angen lledu fy adenydd gryn dipyn er mwyn troi traethawd a oedd yn ymdriniaeth feirniadol a thestunol yn fywgraffiad llenyddol a anelai at leoli'r awdur yn ei amser a'i le, yn bortread llawn o'i amryw ddoniau a'i gyd-destun cymdeithasol/ diwylliannol a'r dylanwadau arno. Yn yr hafaliad hefyd yr oedd y mater bach o ennill fy mara menyn a chyfnodau o alltudiaeth wrth fy modd ym Mhrâg, Madrid a Brwsel.

At ei gilydd, credaf fod y broses o droi thesis yn llyfr yn ddisgyblaeth ragorol, ac yn sicr y mae'n fwy pleserus i ysgrifennu ar gyfer darllenwyr diwylliedig cyffredinol nag ar gyfer arholwyr. Gobeithiaf fod y dyfyniadau o lythyrau Lewis Morris yn rhoi ffresni a bywyd i'r tudalennau, ac yn dod â'r cymeriad yn fyw. *Byw*graffiad oedd y nod. *Dawn Dweud* yw thema'r gyfres a hyderaf y cytuna pawb fod hynny o ddawn gan y gwrthrych mewn helaethrwydd.

Roedd y flwyddyn newydd yn dechrau ar 25 Mawrth yng Nghymru a Lloegr cyn 1752 pan y'i newidiwyd i 1 Ionawr. Am rai blynyddoedd cyn 1752 roedd yn arfer cyffredin i ysgrifennu'r ddwy flynedd mewn dyddiadau yn cynnwys mis Ionawr, y mis bach a mis Mawrth. Er hwylustod i'r darllenydd, penderfynais y byddai'n well arfer ein cyfrif ni heddiw ar gyfer y dyddiadau yn y gyfrol hon. Felly nodir, er enghraifft, mai ar 27 Chwefror 1701 y ganwyd Lewis Morris yn hytrach nag ar 27 Chwefror 1700/01. Ac wrth ei ddyfynnu ef a'i gyfoeswyr, cysonwyd yr atalnodi a safonwyd rywfaint ar orgraff, gan gynnwys y defnydd mympwyol o'r briflythyren, heb amharu ar flas arbennig y testun.

Mae'n dda gennyf gydnabod fy nyled fawr i gyfarwyddwyr fy nhraethawd ymchwil yn Rhydychen, sef yr Athro D. Ellis Evans am y rhan fwyaf o'r daith a'r Athro Thomas Charles-Edwards a lywiodd y gwaith i'w derfyn. Rwy'n ddiolchgar i'r ddau arholwr, yr Athro R. Geraint Gruffydd a'r Athro Prys Morgan, am eu hanogaeth a'u cyngor ynghylch troi'r deunydd yn gyfrol. Dr Medwin Hughes a ddarlithiai ar lên y ddeunawfed ganrif tra oeddwn yn fyfyriwr yn Adran y Gymraeg, Prifysgol Cymru, Caerdydd, ac rwy'n ddiolchgar iddo am ennyn fy niddordeb yn y maes. Elwais ar drafodaethau â'r Parchedig Philip Wyn Davies, Dr Tom G. Davies a Mr Erwyd Howells, a chefais gyngor caredig gan Dr Cynfael Lake a Dr Enid P. Roberts. Cefais hefyd gymorth parod sawl aelod o staff y Llyfrgell Genedlaethol.

Treuliais benwythnos yng Ngorffennaf 1994 yn ymweld â lleoedd allweddol ym mywyd gwrthrych y cofiant hwn ym Môn a Cheredigion, ac rwy'n ddiolchgar i'r Dr Maredudd ap Huw am fy nhywys ar daith drwy ardal mebyd Lewis Morris, gan gynnwys tyddyn Pentre-eiriannell ac eglwys blwyf Penrhosllugwy. Cefais fudd mawr o ddarllen manwl-weithiau awdurdodol y Parchedig Dafydd Wyn Wiliam ar y Morrisiaid ac rwy'n ddiolchgar iawn iddo am ddarllen y deipysgrif drwyddi draw cyn ei chyhoeddi ac am lawer o sylwadau buddiol. Rwy'n dra dyledus i Olygydd Cyffredinol y gyfres hon, yr Athro Brynley F. Roberts, am ei gyngor parod a'i gyfarwyddyd trwyadl. Dymunaf ddiolch i Wasg Prifysgol Cymru am ymgymryd â'r cyhoeddi ac i'r argraffwyr am eu gwaith cymen. Diolch hefyd i Nicky Roper am drefnu'r lluniau, i Elin Lewis am ei gofal gyda'r proflenni ac i Nia Peris am lywio'r gyfrol yn ddeheuig drwy'r wasg.

Pan oeddwn wrthi'n gweithio ar y traethawd doethurol bu'n rhaid imi dreulio dyddiau bwygilydd yn gwneud gwaith caib a rhaw ymhlith llawysgrifau'r Morrisiaid yn y Llyfrgell Brydeinig, a bûm yn ffodus i fedru aros gyda fy modryb, Bethan, yn ei chartref yn Hornsey, gogledd Llundain, ac rwy'n ddiolchgar iddi am ei hanogaeth a'i diddordeb yn y gwaith. Achubaf ar y cyfle hefyd i ddiolch i'm brawd, Rhodri, am sawl cymwynas gyfrifiadurol.

Bu fy rhieni, yn ôl eu harfer, yn hynod gefnogol, ac iddynt hwy y cyflwynir y gyfrol.

Alun R. Jones
Caerdydd
Awst 2004

Lluniau

Rhwng tudalennau 132 ac 133.

1. Y gofgolofn deilwng i'r Morrisiaid a godwyd yn 1910 ar dir Pentre-eiriannell.

2. Eglwys blwyf Penrhosllugwy, lle claddwyd Marged Morris, mam Lewis.

3. Tyddyn Galltfadog, lle bu Lewis yn byw o 1746 hyd 1757.

4. Y gofeb ar dyddyn Galltfadog. Y symud o Alltfadog i Benbryn a esgorodd ar y gerdd 'Gallt y Gofal'.

5. Wyneb-ddalen *Tlysau yr Hen Oesoedd*, y cylchgrawn a sefydlodd Lewis yn 1735. (Drwy ganiatâd Llyfrgell Prifysgol Cymru, Bangor)

6. Tudalen o lawysgrif LlGC 604D yn dangos llun o bysgodyn a dynnwyd gan Lewis. (Drwy ganiatâd Llyfrgell Genedlaethol Cymru)

7. Tudalen o lawysgrif BL Add. 14949 yn llaw Lewis Morris. (Drwy ganiatâd y Llyfrgell Brydeinig)

8. Wyneb-ddalen *Plans of Harbours, Bars, Bays and Roads in St George's Channel* (1748). (Drwy ganiatâd Llyfrgell Genedlaethol Cymru)

9. Siart o gyfrol Lewis, *Plans of Harbours, Bars, Bays and Roads in St George's Channel* (1748). (Drwy ganiatâd Llyfrgell Genedlaethol Cymru)

10. Penbryn, Goginan. Yn ei lythyrau, darluniodd Lewis Benbryn fel paradwys digymysg.

11. Llechen i goffáu'r Morrisiaid a osodwyd gan Gymdeithas y Cymmrodorion yn 1944 ar ymyl y ffordd ym mhlwyf Penrhosllugwy, Môn.

Diolchir am ganiatâd caredig Mr Arwyn Roberts a'i deulu i gynnwys y llun o Benbryn.

1 ∞ 'Gwaith prydydd da'i awenydd', 1701–1722

Gyda balchder yr ysgrifennodd William Morris, brawd Lewis, am blwyf Llanfihangel Tre'r-beirdd:

Os daw gofyn ymhle y ganed Gwilym Ddu, attebwch mai yn yr un plwyf ag y ganwyd . . . Morris Prisiart Morus, Marged Morys, Lewis Morys a Rhisiart Morys y beirdd, sef yw'r plwyf hwnnw Llan Fihangel Tre'r Bardd neu'r Beirdd. O fynydd Bodafon y cawsoch oll y rhinweddau a berthyn i chwi. Rhos Fawr a roddes gerdd i Oronwy. Ni thâl pobol nag anifeiliaid y tir rhywiog ddim yn y byd mewn cyffelybiaeth i'r rhai a gair o'r tir garw mynyddig.[1]

Ie, mewn plwyf ac iddo'r enw prydferth a hynod addas, Llanfihangel Tre'r-beirdd, yng ngogledd-ddwyrain Môn, y ganed Lewis Morris, plentyn cyntaf Morris ap Richard Morris (1674–1763) neu Morris Prichard fel y gelwid ef yn gyffredin, a Marged Morris (1671–1752), a hynny ar 27 Chwefror 1701. Ychydig yn llai na naw mis ynghynt, ar 5 Mehefin 1700, y priodwyd ei rieni, y tad yn 26 oed ac yn fab i wraig weddw gymharol dlawd a'r fam yn 29 oed ac yn ferch i denantiaid fferm fawr Bodafon-y-glyn a thiroedd eraill. Naill ai yn Nhyddyn Melys gerllaw eglwys blwyf Llanfihangel Tre'r-beirdd, neu yn nhyddyn y Fferam, y ganed Lewis Morris, ac yn sicr yn y Fferam y cymerodd ei frodyr Richard (1703–1779) a William (1705–1763) yr 'anadl gysefin'.[2] Y Sul canlynol, 2 Mawrth, y bedyddiwyd Lewis a derbyniodd ef a Richard ei frawd 'fedydd esgob' yn eglwys Llannerch-y-medd tua 1711. Felly dwy flwydd oed oedd Lewis pan aned Richard a dwy flynedd ar ôl hynny y gwelodd William olau dydd. Erbyn diwedd 1705 felly roedd gan y ddau riant, y fam-gu o Dyddyn Melys a'r tad-cu a'r fam-gu o Fodafon-y-glyn – a oedd i gyd yn byw ym mhlwyf Llanfihangel Tre'r-beirdd – tri ŵyr a oedd yn fyw ac yn iach. Ganed dau blentyn arall i Morris Prichard a

Marged Morris yn Llanfihangel Tre'r-beirdd, sef Marged yn 1704 a David yn 1707, ond bu farw'r ddau yn eu babandod.

Maged mam Lewis, Marged, ar fferm Bodafon-y-glyn a amaethwyd gan ei rhieni, Morris Owen a Catrin Williams, a thrwyddi hi yr oedd ei wreiddiau ef yn ddwfn yn nhir Llanfihangel Tre'r-beirdd a'r plwyfi cyffiniol. Perthynai'r fferm i stad teulu Bulkeley, Baron Hill, Biwmares. Mae'n debyg i Morris Prichard gael ei eni yn Nhyddyn Melys, yn un o bump o blant Marged Humphrey a Richard, hwsmon a thyddynnwr. Cowperiaeth oedd prif grefft Morris Prichard trwy gydol ei oes faith, yn ogystal â bod yn amaethwr, yn saer ac yn fasnachwr coed a grawn. Wrth feddwl am ddeheurwydd Lewis yn ddiweddarach mewn bywyd, mae'n sicr iddo dreulio oriau yn gwylio ac yn cynorthwyo'i dad i wneud a thrwsio offer fferm a dodrefn tŷ.

Ymddiddorai Lewis yn fawr yn ei berthnasau a'i hynafiaid. Ceisiodd ddangos fod ei fam-gu Marged Humphrey, drwy ei mam Elizabeth Bulkeley, yn perthyn i deuluoedd bonheddig Baron Hill, Bodewryd a Phorthamal. Honnodd fod ei rieni ill dau yn perthyn i fam William Jones (1674–1749), y mathemategwr o fri a aned yn Llanfihangel Tre'r-beirdd, a hefyd fod ei dad-cu ar ochr ei fam, Morris Owen (1640–1708), yn hanu o deulu Henblas, Llangristiolus. Ond tyddynwyr yn crafu byw-oliaeth o'r tir oedd hynafiaid Lewis Morris yn yr ail ganrif ar bymtheg. Un ohonynt yn unig a ddaliai diroedd mawr, sef Morris Owen, a gododd fel seren wib i ddod yn ffermwr hynod lwyddiannus, am gyfnod o leiaf.

Gyda rhieni cymharol ariannog yn gefn iddi, cyflogodd Marged Morris forwyn i estyn cymorth â'r gwaith tŷ, a mamaeth i roi help llaw wrth ofalu am y plant, drwy gydol y cyfnod a dreuliwyd yn y Fferam ac roeddynt yn gaffaeliad sylweddol iddi. Gras Williams oedd morwyn y Fferam ym more oes Lewis; y famaeth oedd Siân Parry, merch ddiwylliedig o blwyf Llandyfrydog a briododd Owen Gronw yn Chwefror 1710 ac a ddaeth, yn ei thro, yn fam i Goronwy Owen y bardd. Dywedodd William Morris amdani: 'Nid allai fod ddynes gwrteisiach, ie, a diniweitiach.'[3] Mewn llythyr at Lewis ar 9 Gorffennaf 1753, nododd Goronwy Owen amdani: 'I never knew a mother, nor even a master, more careful to correct an uncouth, inelegant phrase or vicious pronounciation than her; and that, I must own, has been of infinite service to me.'[4] Diau iddi fod o wasanaeth cyffelyb i Lewis hefyd. Braint y dosbarth canol a'r cyfoethog oedd cael mamaeth i gynorthwyo gyda'r plant, a sicrhawyd y fraint honno gan rieni Lewis. Ond nid oedd ganddynt gyfle i laesu dwylo, gyda'r tad wrthi yn gweithio â deg ewin a'r fam yn arolygu a chyd-weithio gyda'r famaeth a'r forwyn. Dioddefai Lewis o frest wan, a oedd yn wendid yn ei dad hefyd. Gormesid Morris Prichard gan beswch a diffyg anadl ac, ysywaeth, etifeddwyd y rhain gan ei feibion. Y fygfa fyddai prif afiechyd Lewis, a byddai'n cwyno am yr aflwydd hwn yn aml yn ei lythyrau dros y blynyddoedd.

Yn sgil eu llwyddiant wrth amaethu ym mhlwyf Llanfihangel Tre'r-beirdd, penderfynwyd ffarwelio â'r Fferam a chymryd tenantiaeth fferm deirgwaith yn fwy yn y plwyf nesaf ar ochr arall mynydd Bodafon. Yn 1707, mudodd y teulu tua chwta ddwy filltir i dyddyn o'r enw Pentre-eiriannell uwchlaw traeth Dulas ym mhlwyf Penrhosllugwy ac roedd Lewis mewn oedran i gofio'r mudo. Ym Mhentre-eiriannell y ganed ei chwaer, Elin, yn 1709 a'r cyw melyn olaf, John, yn 1713.[5] Roedd y fam, felly, tua 42 oed pan ddaeth John, ei holaf-anedig, i'r byd ac roedd bwlch o dros 12 mlynedd rhwng Lewis a'i frawd ieuaf. Hapus dyrfa, mae'n siŵr, gyda glannau traeth Dulas yn gefndir tawel i'w bywydau. Cawn flas o fywyd y plant mewn atgof a gofnododd Richard Morris flynyddoedd yn ddiweddarach. Yn 1760 adroddodd Lewis hanes ei feibion ifanc, a oedd i gyd o dan ddeg oed, wrth ei frawd gan arwain Richard i weld tebyg-rwydd rhwng eu gweithgareddau a'u rhai hwythau erstalwm:

Digrif ddigon ydyw'r llangciau Pentrerianell yna; mae'n debyg y byddant yn ddigon mynych yn gofyn cennad i fynd i ardd Lligwy i fwyta gwsberrins etc., ac i gneua hyd y bryniau yna, a Thwm Rolant y Gof yn gwneud gefail gnau braf i bob un ohonynt![6]

Pan oedd Lewis yn ŵr ifanc, lluniodd fap o'i fro enedigol fel yr oedd yn ystod ei blentyndod. Nododd arno lawer o wybodaeth ddiddorol, megis rhai o'r tai a'r bythynnod, enwau rhai o'r trigolion, lleoliad eglwys y plwyf, rhai o'r olion hynafiaethol – megis y gromlech Goeten Arthur, y Carneddi ar fferm ei dad-cu Morris Owen ym Modafon-y-glyn, Ffos Golmon a Ffynhonnau Clorach – a hefyd rai o'r llwybrau a'r ffyrdd yn rhan ogleddol Llanfihangel Tre'r-beirdd a rhan fechan o blwyf Penrhos-llugwy. Goroesodd tri map arall a wnaeth o'i fro, un ohonynt o'r rhan helaethaf o blwyf Penrhosllugwy ac ychydig o blwyfi eraill, a dau o draeth llydan Dulas y treuliodd ef a'i frodyr oriau bwygilydd yn chwarae arno yn ystod eu plentynod. Cofiodd William Morris am eu harfer yn ystod eu plentyndod o bledu ei gilydd â 'sêr y môr', ac atgof melys arall oedd y

diddanwch a fyddem yn ei gael pan oeddym blantos yn chwilio am deganau o gwmpas y Darren, Porth Fôr, Traeth yr Ora ond nefol bleser ydoedd rheini, oni bai fod meibion y cawr yn ein lluchio â cherrig, ac ofn cael drwg am wlychu traed, ac aros yn hwyr.[7]

Fe'u maged gyda gorwelion eang, wrth i ddiwylliant y tir a'r môr ill dau dyfu'n rhan o gyfansoddiadau'r plant. Mae'r mapiau a luniodd Lewis yn brawf o'i sylwgarwch manwl ac o'r ffaith fod ganddo amryw ddiddordebau y tu hwnt i 'ddiwylliant' yn unig. Dysgodd yn ifanc am gyfrinion y môr, am bysgod a physgotwyr, am welyau wystrys, am slwpiau a llongau, a myrdd o bethau eraill. Ni wyddai bryd hynny, wrth wylio'r llanw yn gorchuddio'r traeth ddwywaith y dydd, mor ganolog y byddai'r môr yn ei fywyd – drwy forio, drwy fesur tiroedd a ffiniai â'r môr, drwy wneud ei arolwg morwrol gorchestol a thrwy weithio fel swyddog tollau mewn porthladdoedd. Er mai 'digon anghysurus' i William Morris flynyddoedd yn ddiweddarach oedd 'dwyn ar gof yr anhwsmonaeth a wnaethom o ddyddiau ein hieuenctyd', gwyddai bod plant Pentre-eiriannell gynt 'fal hogiau eraill yn ddigon diriaid'.[8] Pan gyfarfu William â rhai o hen drigolion bro ei febyd, crisialodd ei deimladau ef a theimladau ei frodyr ynghylch eu plentyndod: 'Mae golwg ar y rhain yn dwyn i'r cof y diniweidrwydd a'r llawenydd gynt pan oeddym ymharadwys'.[9]

Ochr yn ochr â chyffro'r mudo a newyddion da o lawenydd mawr y genedigaethau, cafodd y teulu amryw siomedigaethau. Roedd 'Angau Gawr' yn hollbresennol yng Nghymru'r ddeunawfed ganrif, a bu'n rhaid i Lewis ymgyfarwyddo â galar a'r ing o golli anwyliaid a chydnabod yn gynnar iawn yn ei fywyd. Ar 9 Mehefin 1706 claddwyd ei ewythr (brawd ei fam), a oedd hefyd â'r enw Lewis Morris, yn eglwys Llanfihangel Tre'r-beirdd, gan adael ei weddw Lowri Edward i ofalu am Margaret (Pegi) ddwy flwydd oed. Bu farw ei fam-gu a'i dad-cu o Fodafon-y-glyn, Catrin Williams a Morris Owen, o fewn llai na phythefnos i'w gilydd yn 1708 ac felly ni chafodd gyfle i'w hadnabod yn dda.

Ym mhlwyf PenrhoslÌugwy y treuliodd Lewis y rhan fwyaf o'i amser hyd at ei briodas yn 1729. Gan fod Pentre-eiriannell yn fferm gymysg 187 erw, daeth Morris Prichard yn un o ffermwyr mwyaf plwyf Penrhoslugwy ac yr oedd yn anochel y byddai Lewis a'i frodyr yn ymgyfarwyddo â chaledwaith a chrefft amaethu, gan gynnwys magu anifeiliaid a thrin y tir. Aeth Lewis lawer tro i'r ffeiriau yn Llannerch-ymedd, mae'n siŵr, gan gynorthwyo'i dad i gerdded anifeiliaid yno i'w gwerthu, ac o bryd i'w gilydd yn hebrwng ambell anifail a brynwyd yno i Bentre-eiriannell. Treuliodd amser hefyd yng nghwmni'r gweision a gyflogid gan ei dad. Trigai rhai o'r gweision yn y tai a'r bythynnod a berthynai i'r fferm. Byddai Lewis wedi dysgu marchogaeth yn blentyn a chofiodd unwaith am 'rywogaeth yr hen gaseg ddu o Bentrerianell a fyddant yn diangc adref o bob man. One of them ran away from me in the Isle of Walney and swam an arm of the sea *yn ei lyffethair*'.[10] Rheidrwydd iddo oedd dysgu'n ifanc nod clustiau defaid Pentre-eiriannell a sut i farnu cyflwr gwartheg ei dad. Yn ogystal â phorfa, gwelai rawn, maip a thatws yn tyfu ar y fferm. Ond er gwaethaf 'prentisiaeth' deuluaidd y meibion, sylweddolodd Morris Prichard gyda threigl y blynyddoedd nad oedd yr un o'i blant am ymroi i amaethu. Fel ffermwr lled gefnog yr oedd gan Morris Prichard yr hawl i fwrw pleidlais mewn etholiadau, ond disgwylid iddo, yn ôl arfer y cyfnod, bleidleisio i bwy bynnag a gefnogid gan ei feistr tir.

Mae marwnad Goronwy Owen i Marged Morris yn tystio i'w farn bendant iddi drosglwyddo nifer o ddoniau pwysig i'w phlant. Cofiai Goronwy yn glir fel y bu hi yn ei gymell yntau 'i ddysgu fy llyfr yn dda'[11], ac nid oes ddwywaith na dderbyniodd y Morrisiaid ifainc yr un anogaeth gref gan y fam dalentog a thrugarog hon a oedd yn gallu darllen ond heb fedru ysgrifennu. Difyr yw atgof Goronwy yn fachgen bach yn cael brechdan fêl ganddi, a 'papir i wneud fy nhasg'. Bu tad Lewis yn un o'r llanciau ffodus hynny a ymwelai â chartref y cowper Siôn Edward, yr unig blwyfolyn llythrennog ymhlith y bobl gyffredin, er mwyn dysgu darllen cyhoeddiadau Thomas Jones yr almanaciwr enwog a fu farw yn 1713 pan oedd Lewis yn 12 oed. Nododd William Morris, 'Pwy a ŵyr na bu'sech chwi a minneu yn anllythrennog oni buasai i'r hen gorphyn o Glorach . . . addyscu i 'nhad, ag felly rhoddi cychwyn i'r dawn bendigaid hwnnw.'[12] Tystiodd William fod ei dad yn chwedleuwr talentog a maged y plant mewn awyrgylch o hanesion, chwedleuon a dywediadau. Roedd Marged Morris yn dal i 'ganu penhillion' i'w hŵyr pedair oed ar aelwyd Pentre-eiriannell ar drothwy ei phen blwydd yn 80 oed.[13] Roedd cof da yn gaffaeliad enfawr mewn oes pan oedd cryn bwyslais ar drosglwyddo gwybodaeth ar dafod-leferydd. Testun edmygedd i William oedd cof ei dad, hyd yn oed pan oedd hwnnw mewn gwth o oedran: 'Mae yn debygol nad oes yn fyw ym Môn a rydd gystal cyfrif o'i thrigolion etc., a rhyfedd ei glywed yn rhoddi hanes o gannoedd o bethau o'i febyd hyd yr awron.'[14] Mae'n debyg mai Morris Prichard, a fedrai ysgrifennu'n lled dda ac a wnâi hynny mewn llythyrau achlysurol at ei blant ac eraill, a gododd ymwybyddiaeth yn y brodyr am bwysigrwydd darllen ac ysgrifennu llythyrau diddan, llawn gwybodaeth, y naill i'r llall. Wrth i Lewis dyfu, llifai'r Gymraeg yn naturiol oddi ar wefusau'r bobl o'i gwmpas yn ei fro, yn ffermwyr, seiri coed a maen, cryddion, gwehyddion, gofaint, melinyddion, panwyr a theilwriaid ymysg eraill. Atgyfnerthwyd a gloywyd ei afael yntau ar yr iaith drwy ddarllen a thrwy wrando yng ngwasanaethau'r eglwys. Wrth sôn am y Gymraeg flynyddoedd yn ddiweddarach, meddai: 'I was brought up in *Anglesey* where it is spoken in great perfection & admired by the natives, and where Welsh poetry and antiquities are in great vogue.'[15]

Ychydig a wyddys am yr addysg a dderbyniodd Lewis yn ei fachgendod a thawedog yw ef ei hun ar y pwnc. Mewn llythyr at yr hynafiaethydd dysgedig o Sais Samuel Pegge, cyfrannwr cyson i'r *Gentleman's Magazine*, ar 11 Chwefror 1761, dywedodd yn ffuantus mai coed masarn ac ynn fu ei feistri ieithyddol, gan gyfleu'r argraff ei fod yn gwbl hunanaddysgedig ac mai trwy ei ymdrechion a'i ddyfalbárhad ei hun yn unig y dysgodd yr hyn a fedrai o ieithoedd eraill ar wahân i'r Gymraeg.[16] Ond gwyddys iddo ef a'i frodyr a'i chwaer fynychu ysgol ym mhlwyf Penrhosllugwy, a hynny ar gost nid bychan i'w rhieni. 'Owain Parry'r crupl' oedd athro bore oes plant Pentre-eiriannell, a thystia William Morris fel y bu'r ysgolfeistr yn ceisio dysgu'r iaith Ladin iddo, neu yn hytrach yn ei churo i'w ben.[17] Teflir rhagor o oleuni ar yr addysg a dderbyniodd Lewis yn y pennill hunangofiannol hwn o'i gerdd 'Y Dyn Anesmwyth' a ddyfynnodd mewn llythyr ym mis Mawrth 1739:

> Bûm yn'r ysgol yn ŵr llon,
> Nad oeddwn ymron deuddeg,
> Ni chês yn hon na dysg na dawn,
> Gwae fi na chawn ychwaneg.
>
> (*Llên Cymru*, x (1968), 14)

Awgrymwyd yn *Trysorfa Gwybodaeth* (1807) fod Lewis wedi mynychu'r ysgol ramadeg yn nhref fwyaf y sir, Biwmares, am gyfnod, a chan i Lewis ei hun roi awgrym clir iddo dreulio rhan o'i fachgendod ym Miwmares, gellir derbyn iddo fod yn yr ysgol honno hefyd am flwyddyn neu ddwy.[18] Bid a fo am hynny, mae'n siŵr mai ychydig o addysg ffurfiol a dderbyniodd. Dysgodd Gymraeg a Saesneg ar yr aelwyd, lle y rhoed pwys ar iaith a chwedleua a cherdd a chanu, ac unwaith iddo ddysgu darllen ac ysgrifennu a rhifo, aeth ati ohono'i hun i fodloni ei awch am ddysg a'i nwyd lenyddol. Yn sicr, roedd y brodyr yn eu cyfrif eu hunain yn ddysgwyr cyflym. Pan sylwodd William Morris fod plant ei chwaer Elin a'i frawd-yng-nghyfraith Owen Davies 'yn dysgu yn rhyfeddol' yn 1743, ni allai ymwrthod â'r demtasiwn i ychwanegu 'ail i blant Pentrerianell ers talwm'.[19] A phan ysgrifennodd Lewis at ei frawd

Richard yn 1760, dywedod am ei ddau fab: 'Mae'r ddau yn pwnio Lladin yn rhyfeddol, ac ni chlywodd eu mam erioed y fath eiriau a'r *Indicative Mood, Passive Voice*, etc. Ni welsoch 'i blant erioed tebyccach i langciau Pentre'rianell.'[20] Er ei fod yn ifanc, fe ddrachtiodd Lewis yn helaeth o gwpan diwylliant ei wlad. Ni chredaf fod honiad a wnaeth yn 1761, ei fod wedi darllen 'the ancient poets' er pan oedd tua deg oed, yn anhygoel.[21] Wedi'r cyfan, dechreuodd ei frawd Richard gopïo cerddi yn 1716 pan oedd yn 13 oed ac roedd Lewis yn gyfarwydd â'r cerddi a gofnodwyd gan ei frawd iau a bu'n gymorth i Richard wrth hel cerddi ynghyd.[22] Mae'n ddigon posibl bod Lewis yntau wedi llunio'i gasgliad ei hun o gerddi amrywiol ychydig flynyddoedd ynghynt. Cyrhaeddai llyfrau, almanac blynyddol a baledi Cymraeg a Saesneg aelwyd Pentre-eiriannell yn aml. Argraffwyd mwyfwy o faledi gan feirdd Môn wrth i'r ganrif fynd rhagddi. Diau y bu chwarae anterliwtiau, gyda'u digrifwch bras, ym Môn pan oedd Lewis yn fachgen. Daeth yn fwyfwy hoff o'r penillion a'r rhigymau cyfoethog a adroddid ar lafar gwlad, a glynodd yn ei gof lawer o'r penillion a ddysgodd pan oedd yn ifanc. Un ohonynt oedd yr hen bennill hwn:

> Cysur mawr i druan gwael
> Lle bo anghaffael arno,
> Yw bod arall yn y byd
> Mewn gofid gydag efô.[23]

Roedd y pennill hwn yn dal i fod ar flaen ei fysedd ac yntau dros ei hanner cant, pan aeth ati bryd hynny i lunio pennill newydd ar yr un patrwm:

> Cysur mawr i wreigan wan
> A fyddo dan ei ch'ledi,
> Cael cymdoges o wraig fwyn
> I ddweud ei hachwyn wrthi.

Yn llawysgrif enwog ei frawd iau Richard Morris nodir geiriau carolau gwasael, dyrïau, caniadau, englynion ac ati – cynnyrch y traddodiad gwerinol a oedd yn ganolog i fagwraeth ddiwylliedig y Morrisiaid.[24] Mabwysiadodd Lewis y llawysgrif ar ôl i Richard ei gadael ar aelwyd Pentre-eiriannell pan symudodd i Lundain i fyw yn 1722. Ceir sawl pennill yn y dull carolaidd gan Lewis yn y llawysgrif. Mae tair cerdd wirod a luniodd ef yn 1717 yn dilyn ei gilydd yng nghasgliad Richard, yn dwyn y teitlau 'Carol Gwirod ar "Ffarwel Trefaldwyn"', 'Cwlwm i'w roi ar ben Carol Gwirod ar "Colier's Daughter"' a 'Pennill Gwirod ar "Let Burgundy Flow"', cerddi i'w canu ar geinciau penodol y gallai Richard Morris eu canu ar y ffidil.[25] Cyfeiria'r termau 'canu gwirod' a 'canu yn drws' at amryw ffurfiau o wasaela neu wirota, gyda'r prif bwyslais ar gystadleuaeth rhwng gloddestwyr (a oedd wedi galw ar dŷ cymydog yn cludo llestr addurnedig ac ynddo gymysgwch o ddiod) y tu allan a phenteulu y tŷ oddi mewn. Gwyddai Lewis o'r gorau am y gweithgarwch hwn ers dyddiau'i blentyndod pan glywai gantorion yn ymgynnull yn flynyddol y tu allan i'r Fferam, ac yn ddiweddarach y tu allan i Bentreeiriannell, ar Ŵyl Fair, sef 2 Chwefror, cyn gadael yn eu huchel hwyliau ar ôl cael bwyd a diod ar yr aelwyd. Ceid canu cerddi gwirod hefyd adeg y Nadolig ym Môn.[26] I gerddi gwasael yn rhannol y mae'r diolch am ennyn diddordeb Lewis mewn barddoniaeth, mae'n siŵr. Yn ei dro, daeth yn effro i arwyddocâd y traddodiad o ganu gwasael ymhlith arferion gwerin Cymru ac yn arbennig ymhlith arferion ei ardal. Trwy gyfrwng ei gerddi ei hun a'i ddefnydd o ymadroddion stoc, cyfrannodd at gadw'n fyw y canu hwn a'i nodweddion cynhenid, ac o ganlyniad ymgeleddodd y diwylliant gwerinol a'r traddodiad barddol fel ei gilydd. Er iddo ddod i deimlo 'cywilydd ei gweled na'i chlywed' ynghylch y 'Carol Gwirod ar "Ffarwel Trefaldwyn"', y mae'n gerdd aeddfed gan fachgen 16 oed. Dyma'r pennill cyntaf o dri:

> Chwi'r holl bobl sy' yn yr annedd,
> Gwrandewch yn g'wiredd hyn o gân
> A luniasom i'ch difyrru,
> Y glân gwmpeini sy' wrth y tân,
> Ni gerddasom fryniau a bronnydd,
> Ry'm ni i'n gweled eto heb gywilydd,
> Am hynny 'rwy'n cwynfannu
> Am gaffael ganthoch lety,
> Y glân gwmpeini, heini, hael;
> Pan gaffom ni trwy'ch cennad
> Agoryd drwy bur gariad
> Ein deisyfiad ni ydi cael.

Defod gymdeithasol oedd y cymhelliad wrth wraidd y prydyddu hwn, oherwydd bwriadwyd y gerdd i'w chanu ar drothwy aelwyd gan obeithio cael mynediad. Cyfeiria ato'i hun ar ddechrau'r ail bennill ac yna datgela'n glir obaith yr ugain o wasaelwyr:

Ac yno cenwn ichwi ganiad
Difyr dyfiad, clymiad clir,
O waith prydydd da'i awenydd
Sydd ar gynnydd yn ddi-gur,
Mae yma ohonom well nag ugain
A phawb â'i fryd ar gael, heb amgen,
Gwrw a bir a bragod.
O gariad am ein gwirod
Gwnewch yn barod hwnnw yn bur,
Pasteiod a chwstardia'
A choleps a chrampoga'
O'r deunydd gora o fewn y sir.

Felly ar ôl wynebu rhwystrau megis caledi'r tywydd a'r 'bryniau a bronnydd', roedd y gwasaelwyr yn gobeithio cael gwledd o fwyd a diod a phwysleisir 'cariad' neu barch y gwasaelwyr at y wasael, y ddiod. Ceir patrwm odlau cyson drwy'r gerdd, sy'n nodwedd ganmoladwy, a cheir ambell linell gyflawn o gynghanedd. Efallai iddo nyddu'r geiriau i gyfateb i'r dôn 'ffarwel Trefaldwyn' neu iddo gymryd y patrwm cymharol gymhleth hwn o gerdd debyg.

Mae'r ail gerdd, 'Cwlwm i'w roi ar ben Carol Gwirod ar "Colier's Daughter"', yn symlach. Dechreuir gyda chyfarchiad stoc i'r 'teulu glân' sydd unwaith yn rhagor 'wrth y tân':

Y teulu glân sy wrth y tân heb gynnen i gyd,
Eich cennad a fynnwn heb gynnwr' na llid,
Mae ein hewyllys diwegi i ganu i chwi yn gu,
Ar ôl hyn yn ddiwad gael dŵad i'ch tŷ.

Ymddengys fod y bardd yn herio'r teulu ar ddiwedd y gerdd un pennill gan ddeisyfu ateb 'os medrwch': 'Ein hateb os medrwch na theriwch yn hir.'

Unwaith eto yn y 'Pennill Gwirod ar "Let Burgundy Flow"', mae bwriad Lewis a'i gyd-wasaelwyr yn glir:

Mae ein hewyllys a'n bwriad o ddweud y gwir yn ffri, o ddweud
   y gwir yn ffri,
Goel diwael, gael dŵad drwy eich cennad â chaniad i chwi,
Dymuno ar eich mawredd yn rhodd y teulu glân, yn rhodd y teulu
   glân,
Agoryd eich annedd neu ein hateb ni ar gyson gân.

Ailadroddir ymadroddion fel pe baent yn gytgan, a chyferchir y 'teulu glân' gan chwennych ateb ar 'gyson gân'. Yn 1717 hefyd y cofnodwyd yn y llawysgrif sydd dan sylw gerdd arall ganddo, 'Carol Gwirod yn Drws ar "Ddau Fesur"' (mesur triban heblaw am y pennill olaf sydd ar fesur tri thrawiad), sy'n dechrau:

> Y cwmni graddol, moddol, mwyn,
> Mae gen i achwyn uchel,
> Fo ddaeth deuddyn ar ryw hynt
> Drwy law a gwynt ag oerfel.[27]

Ceir odl fewnol yn y llinell gyntaf yn ogystal â'r tinc cynganeddol. Yn yr ail gwpled, cawn wybod mai dau yn unig oedd nifer y gwasaelwyr a defnyddir confensiwn y rhwystrau a ddeuai i ran y gwasaelwyr ar eu taith, sef caledi'r tywydd y tro hwn. Defnyddir y cyfarchiad stoc o alw'r teulu oddi mewn yn 'gwmni glân' a gofynnir am ateb i'r garol ar fyrder (nodwedd gyson arall mewn canu gwasael) neu bydd y gwasaelwyr yn ymadael:

> Ac oni atebwch ni yn glau
> Ni chenwn ni'n dau ond hynny.

Pe digwyddai hynny, byddai anlwc yn siŵr o ddod i'r aelwyd ddi-hwyl. Gwadodd y bardd mai oherwydd 'chwant eich medd na'ch bir' yr oeddynt yno (ond mae'r cyfeiriad hwn at y wasael yn dystiolaeth bellach fod yr arfer o ofyn a derbyn diod yn dal yn fyw), a dywedodd mai yn enw Duw y traethai'r garol. Er mwyn cael llewyrch ac er mwyn cynnal hen draddodiad, anogir y teulu ar ddiwedd y gerdd i dderbyn y wirod:

> Na fyddwch amharod i dderbyn ein gwirod
> Rhag anghlod i'r cyfnod sy yn canlyn.

Mae'r cerddi gwirod diniwed hyn yn dystiolaeth fod Lewis yn dra ifanc wedi sicrhau gafael ar odlau, gwahanol fesurau ac ambell gynghanedd, sef rhai o brif agweddau crefft cerdd dafod. Sylweddolodd hefyd briod-oldeb arddull uniongyrchol, storïol. Yn ystod yr un cyfnod ymaflodd yn ei gwilsyn er mwyn llunio'r pennill canlynol:

> Os torrir gwydyr ag un garreg,
> Pam raid dwy at lodes landeg?

Er a geloch o'ch meddyliau,
Pwrpas pob merch wen yw gwra.[28]

Yn dilyn y pennill yn y llawysgrif ceir y geiriau 'L. Morris a'i cant. Canu gwirion.' Ni fyddwn yn dadlau â'r gosodiad hwnnw! Mae ei weithiau barddonol cynnar yn sicr yn anwastad o ran ansawdd ac, wrth gwrs, heb fod cystal â'i weithiau diweddarach. Wrth aeddfedu, a datblygu syniadau mwy aruchel o'i waith ei hun, cywilyddiodd at rai o'i brentisweithiau gan deimlo nad oedd am eu harddel. (Roedd Goronwy Owen hefyd yn llawdrwm wrth feirniadu ei weithiau cynnar ei hun, gan farnu eu bod yn brin o gelfyddyd.[29]) O dipyn i beth, ac yn anochel, fe wellodd crefft Lewis a choethwyd ei feistrolaeth ar yr iaith ac ar fesur, ac mae'r cerddi diweddarach o ganlyniad yn arddangos mwy o sicrwydd yn eu cyffyrddiad. Maent yn fwy tyn ac yn fwy disgybledig heb y geiriau a'r ymadroddion llanw. Er hynny, mae'r gweithiau cynnar gwerinol hyn o ddiddordeb am sawl rheswm. Yn gyntaf, chwilfrydedd syml. Pan â rhywun ymlaen i fod yn ffigwr llenyddol o bwys, mae'n naturiol ei bod yn ddiddorol gweld beth a oedd ganddo i'w ddweud yn ei weithiau cynnar. Yn ail, gallwn olrhain ei ddatblygiad o fardd ifanc afieithus i awdur ymwybodol a chydwybodol. Wrth iddo aeddfedu fel bardd ac wrth i'w agwedd ddirmygus a ffroenuchel tuag at ganu gwerinol dyfu yn ei gyfansoddiad meddyliol, nid anghofiodd yn llwyr am arferion diwylliannol bore oes ac fe'u hadlewyrchir yn bennaf yn y mesurau a ddefnyddiodd yn ei gerddi rhydd toreithiog. Crybwyllodd geinciau yng nghyd-destun rhai o'i gerddi, ond er ei fod yn gallu darllen cerddoriaeth ac er bod y Morrisiaid yn deulu cerddorol, rhywbeth i'w ddarllen yn bennaf oedd barddoniaeth iddo ef a'i frodyr.

Fel y nodwyd eisoes, roedd penteulu Pentre-eiriannell, fferm a ffiniai ar draeth Dulas, yn fasnachwr. Roedd yn berchen, am gyfnod o leiaf, ar long fechan a hwylusai ac a hyrwyddai ei fasnach (mewn coed a grawn yn bennaf). Yn ystod y cyfnod pan oedd yn cynorthwyo'i dad yn ei fasnach, rywbryd cyn 1723, y lluniodd Lewis gerdd rydd yn sôn am gytundeb afresymol o ddoniol a wnaed rhwng Morris Prichard ac Isaac Thomas, masnachwr tybaco. Llwyddodd y gerdd yn ei nod o argyhoeddi Isaac Thomas iddo fod yn fyrbwyll yn derbyn telerau ei gyd-fasnachwr. Mae'n amlwg mai prentis ifanc o fardd sy'n canu:

Cytundeb mwyneiddlan a syrthiodd allan
Rhwng Isaac a Morys, dau ŵr o Fôn ynys,
Fod yn rhaid i Isaac druan fynd i Lerpwl yn fuan
A rhoi ei hoedl mewn hasart yn llong Morys Prisiart,

Heb ddim cyflog am ei boen ond gwisgo ei glos croen,
A hefyd cario'i fwyd mewn cwd lliain brychlwyd.[30]

Mae'n bur debyg i'r Lewis ifanc dreulio sawl blwyddyn yn cynorthwyo'i dad amryddawn. Diau fod Morris Prichard yn ymhyfrydu yn y ffaith fod ganddo fab mor dalentog i fod yn gefn iddo. Byddai Lewis yn morio o bryd i'w gilydd yn ystod y cyfnod hwn. Ac yntau a'i gyd-forwyr wedi codi angor yng Nghaernarfon ar 9 Chwefror 1720 gyda'r bwriad o hwylio i'r Iwerddon, lluniodd y pennill hwn:

Dyma fyd anhwylus gerth,
Ni gawsom anferth dosfa,
Ni fuon prin yn gweled Môn
Yn mynd i'r 'Werddon gynna,
I'r gorllewin troes y gwynt –
Waeth inni fynd tuag adra.[31]

Dengys y pennill hwn fel yr oedd Morris Prichard a Lewis yn masnachu cyn belled â phorthladd Dulyn. Felly tra'n hyrwyddo masnach ei dad, cafodd Lewis gyfle i forio ac i gwrdd â masnachwyr a chapteiniaid llongau; ar y pryd trigai gartref ym Mhentre-eiriannell.

Taniwyd ei ddiddordebau llenyddol yn ystod ei ieuenctid, a dylanwad hynod bwysig arno ar y pryd oedd beirdd Môn y bu'n anadlu'r un aer diwylliannol â hwy. Safai dau fardd ben ac ysgwydd uwchlaw'r lleill, sef Siôn Tomos Owen (1679–1734), y gwehydd a'r clochydd o Fodedern, a John Prichard Prys (1675–1724) o blwyf Penrhosllugwy. Roedd Prys yn perthyn i Lewis, ac felly fe'i hadwaenai ers pan oedd yn blentyn. Teiliwr ydoedd, a syfrdanwyd Lewis pan glywodd am ei lofruddiaeth yn Aberystwyth. Gydag amser daeth Lewis i adnabod holl feirdd Môn, hen ac ifanc, a rhai o Arfon: Michael Prichard o Lanllyfni a fu farw yn 24 oed yn 1733, Hugh Hughes y ffarmwr o Landyfrydog, yr ysgolfeistr Richard Parry, Wiliam Siôn Robert y gwehydd, Robert Prichard y saer llongau, sawl offeiriad megis Richard Bulkeley, Thomas Owen, Evan Jones, Wiliam Morgan, David Jones a Lewis Owen. Prydyddion llai eu dawn oedd Owen Gruffudd y ffarmwr o Lansadwrn, Gronw Owen a'i fab Owen Gronw yr eurychiaid, y naill yn dad-cu a'r llall yn dad i Goronwy Owen, Michael Huws o Lanbedr-goch, Gruffydd Tomos o Amlwch, Siôn Periman a oedd yn trin y tir yn Llanwenllwyfo, Wiliam Peters y gwydrwr, David Williams o blwyf Llanfechell, Richard Davies o Gaergybi a Richard Roberts a oedd yn glochydd Llanddeusant. Y rhain, gwerinwyr yn gweithio wrth eu crefft yn ddyddiol, oedd etifeddion yr hyn a oedd yn weddill o'r traddodiad barddol ym Môn yn gynnar yn y ddeunawfed ganrif. Yn fuan byddai'r beirdd hyn yn cydnabod rhagoriaeth Lewis ac yn troi ato am gyngor a beirniadaeth gan ei ystyried yn athro barddol iddynt. Cyn hir, gydag ef yn brif symbylydd, cafwyd adnewyddiad mewn cerdd dafod ym Môn. Ond er cymaint bywiogrwydd bywyd llenyddol Môn yng nghyfnod llencyndod Lewis Morris, roedd perygl mai harddwch machlud fyddai. Drwy ei ymwneud â'r beirdd hyn y daeth i sylweddoli ei fod yn unfed awr ar ddeg ar yr hen draddodiad barddol yng Nghymru. Ar ddechrau'r ddeunawfed ganrif, wrth weld diddordeb uchelwyr a gwŷr dosbarth canol yn niwylliant Cymru yn crebachu, roedd llawer yn ofni fod y rhuddin cymdeithasol a oedd yn fêr i'r iaith yn gwanio. Adlewyrchir hyn yng ngeiriau John Prichard Prys, a oedd bellach yn byw yn Llangadwaladr, Môn, yn rhagymadrodd y gyfrol fechan o gerddi rhydd crefyddol *Difyrrwch Crefyddol* (Amwythig, 1721): 'Celfyddyd barddoniaeth, yr hon yn ddiweddar o oesoedd aeth yn ddiystyr gan lawer o Gymru genedigol, yn enwedig ei phenaethiaid' (sylwer ar y defnydd o'r gair 'Cymru' i gyfeirio at y bobl yn ogystal â'r wlad). O dan ei lach fe ddaw'r uchelwyr 'a farnasant y gelfyddyd hon yn beth ofer diddefnydd ac aflesol, nes llwfrhau a diflannu o'r athrawon penceirddiaidd, heb ado ar eu hôl yn lle discyblion ond ychydig hen scrifennadau' (t. A3ᵛ).

Er bod mwyafrif sylweddol o boblogaeth yn Gymry uniaith, roedd y Cymry meddylgar a diwylliedig yn isel eu pabwyr wrth feddwl am gyflwr iaith eu mamau. Nid oedd amheuaeth nad yn nwylo uchelwyr ac aelodau'r dosbarth canol, yn arbennig y to newydd a oedd yn codi, yr oedd gwaredigaeth o safbwynt tynged yr iaith, llên a dysg; hwy yn unig a welid yn y fantolen ariannol, ond roeddynt yn ymseisnigo'n gyflym. Ni chredai'r ychydig diwylliedig fod gan y werin helaeth o daeogion anllythrennog fawr o ddylanwad ar ragolygon y Gymraeg. Gan mai prin oedd eu hymwybyddiaeth hwy o ddiwylliant, a chan nad oedd diwylliant mor hawdd ei gael â gwlychu yn y glaw, nid oeddynt yn allweddol o ran gwarchod dysg a diwylliant. Gwlad o drefi bychain a phentrefi oedd Cymru, â phoblogaeth o tua hanner miliwn, heb na chanolfan lywodraethol na chymdeithas ddinesig lleoedd megis Llundain, Paris, Dulyn a Chaeredin. At hyn, nid oedd yng Nghymru na phrifysgol genedlaethol na llyfrgell genedlaethol na gwasg genedlaethol na chyhoeddwyr cenedlaethol, nac amgueddfa genedlaethol nac ysgol gerddoriaeth genedlaethol nac eisteddfod genedlaethol. Llyfrgelloedd preifat oedd ceidwaid dysg.

Ni feddai aelwyd Pentre-eiriannell ar foethusrwydd llyfrgell nodedig o helaeth, er bod ynddi lawer o lyfrau, llawysgrifau, almanaciau a baledi. Roedd copi o eiriadur Dr John Davies, Mallwyd (a gyhoeddwyd yn 1632) ar yr aelwyd, cyfrol a ymgorfforai gyfran o ddysg a diwylliant Cymru. Torrodd y brodyr eu llofnodion ynddi, tystiolaeth eu bod o leiaf yn deall ei harwyddocâd. Tua 1721, dechreuodd Lewis gasglu geiriau nad oedd yn y geiriadur, a pharhaodd i wneud hynny hyd ddiwedd ei oes. Erbyn mis Ionawr 1747 hawliodd William Morris mai 'gan y brawd Llewelyn y mae'r casgliad goreu o eiriau ag sydd',[32] a chafodd y Llew (Lewis), gyda chefnogaeth ei frodyr, yr awydd i gyhoeddi argraffiad newydd o'r geiriadur yn cynnwys ychwanegiadau, ond gostegwyd y tân yn ei fol pan gyhoeddwyd geiriadur Thomas Richards yn 1753.

Pan oedd Richard Morris yn 13 oed yn 1716 ysgrifennodd y gair 'Englynion' uwchben casgliad ohonynt a gopïwyd ganddo, tystiolaeth iddo ymgyfarwyddo â'r mesur hwn yn ifanc. Gellir hyderu fod yr un peth yn wir yn achos Lewis, er mai yn 1722 y gwelwn ei enw wrth englyn am y tro cyntaf. Rhaid nodi na cheir englyn o'i waith ar ddechrau *Difyrrwch Crefyddol* (1721). Casgliad o gerddi o waith John Prichard Prys ydyw, ond ni chafodd Lewis yr un gwahoddiad â Richard Parry ac Evan Jones i lunio englynion o glod i'r gyfrol. Roedd y ffaith fod bardd wedi gweld casgliad o'i waith yn cael ei gyhoeddi yn gwneud y gyfrol hon yn eithriadol iawn, ond ni cheir enw Lewis ychwaith ymhlith y ddau gant a hanner o danysgrifwyr.

Ceir enw Lewis wrth saith englyn yn 1722: cyfres o bedwar o eng-lynion duwiol, dau englyn yn rhoi cyngor i Richard ei frawd a oedd newydd fynd i'r ddinas fawr ger afon Tafwys, ac un englyn o glod i'r delyn. Maent i gyd yn gywir eu crefft ac yn arddangos meistrolaeth o'r gynghanedd, chwe blynedd cyn cyhoeddi cyfarwyddlyfr Siôn Rhydderch, *Grammadeg Cymraeg* (Yr Amwythig, 1728). Dyma'r cynghorion a anfon-odd o Fôn i'w frawd Richard a oedd wedi hel ei bac i Lundain yn 19 oed:

Da cei, os da gwnei, ac yn wych – beunydd,
    Ar ddibenion edrych;
    Cofia dalu lle dylych
    'Nrhydedd i'r gwiwradd a'r gwych.

Bydd barod â thafod iaith ddifiog – iach
    'Thi gei wychfyd enwog,
    Cofia gyngor y llwynog,
    Bydd union o galon y gog.[33]

Ar ôl cyrraedd Llundain yn Awst 1722, lle yr arhosodd am weddill ei oes heb fyth ddychwelyd i Fôn, llafuriodd Richard â'i ddwylo yn ystod ei flynyddoedd cyntaf, efallai fel saer neu gowper. Wedi hynny, cafodd yrfa amrywiol fel athro llongwriaeth a chlerc i fasnachwr cyfoethog, cyn troi'n fasnachwr ei hun drwy werthu yn Llundain, ymhlith pethau eraill, geirch a anfonid o Fôn gan ei dad. Dychwelodd i waith mwy cyfarwydd iddo, sef clercio, cyn iddo wynebu'r drychineb bersonol o gael ei garcharu ym Mehefin 1735, ac yntau'n 32 oed, am fod yn fechnïwr dros rywun a fethodd dalu ei ddyledion. Ar ôl blwyddyn ym mudreddi'r carchar, crafodd fywoliaeth am ddwy flynedd cyn cael swydd fel ysgrifennydd i'r Senedd am dri mis ac yna gweithiodd am flynyddoedd fel gwas i amryw foneddigion. Y goron ar ei yrfa oedd ymuno â Swyddfa'r Llynges lle bu am 27 mlynedd, yn glerc o 1748 hyd 1755 ac yna'n Brif Glerc Cyfrifon Tramor.[34] Cyrchodd Lewis yntau i ddinas bellennig Llundain ar 7 Mai 1723 ac mae'n sicr iddo achub ar y cyfle i gwrdd â'i frawd yno.

Ar ddechrau casgliad o ryddiaith a barddoniaeth a wnaeth yn 1722 ceir y nodyn: 'Dechreuwyd ysgrifennu cynhwysiad y llyfr hwn ynghylch y flwyddyn 1722 genifi Lewis Morris philomath o blwy Penrhos Lligwy yn Sir Fôn pan oeddwn yn 21 mlwydd oedran ac yn ddigon diwybodaeth.'[35] Roedd 'philomath' yn un o eiriau mawr y ddeunawfed ganrif, gair a ddiffinnir fel 'carwr dysg, yn enwedig gwybodaeth fathemategol'. Byddai'n haeddu'r disgrifiad hwnnw fwyfwy gyda threigl y blynyddoedd.[36] Gallai'r term 'philomath' gwmpasu holl feysydd dysg, ond câi mathemateg le anrhydeddus. Mae ein diffiniad ninnau heddiw o fathemateg gryn dipyn yn fwy cul na diffiniad y ddeunawfed ganrif. Bryd hynny, cynhwysai astronomeg, daearyddiaeth, ffiseg, morwriaeth, peirianneg a thirfesuraeth ymysg pethau eraill; hynny yw, yr elfennau cyfrifo ac enrhifo. Dros y blynyddoedd byddai Lewis yn fathemategydd wrth ei grefft, wrth iddo ymgymryd â chyfrifoldebau yn ymwneud â mapio tir a môr, a mwyngloddio. Drwy gyfuno ei ddiddordeb dwfn yn y maes â'i weithgarwch ymarferol, daeth i fod yn fathemategydd proffesiynol yn ystyr y ddeunawfed ganrif ac, ar sawl cyfrif, yn un arloesol.

2 ❧ 'Lewis o Fôn a gâr pob celfyddyd', 1723–1728

W edi blynyddoedd o fod yn gynorthwywr i'w dad, daeth sicrwydd cynhaliaeth i ran Lewis yn 1723 pan benodwyd ef gan ysgwïer Bodorgan, Owen Meyrick (1682–1760), i fesur ei diroedd ym Môn – clamp o orchwyl a olygai fesur miloedd o erwau yn ymestyn dros 30 plwyf. Arolygai'r uchelwr ei stad ym Môn gyda llygad barcud a cheisiodd yn llwyddiannus ei hehangu. Ymestynnai ei ddylanwad a'i awdurdod hyd ddosbarth llywodraethol Llundain, nid lleiaf am iddo fod yn gyn-siryf Môn ac yn aelod seneddol yr ynys rhwng 1715 a 1722. Lluniodd Lewis bennill 'I Geidwad Tŷ Owen Meyrig yswain' ar ôl bod ym Modorgan yn 1723, ac ymweld â'r uchelwr i drefnu'r dasg oedd diben ei daith i Lundain, a gychwynnodd ar 7 Mai 1723. Erys yn rhyfeddod sut y dysgodd Lewis grefft tirfesureg, ond yn sicr bu ei gopi o gyfrol William Leybourn, *The Compleat Surveyor; Or, the Whole Art of Surveying of Land* (Llundain, pumed argraffiad, 1722), yn gryn gymorth.[1] Ni châi anhawster gyda rhifyddeg a meintoniaeth. Yn fuan ar ôl iddo ddechrau ar y gwaith o fesur stad Bodorgan yn 1723, cynghorodd ef ei frawd Richard, 'Myfyria yn y celfyddydau cain', sef cerddoriaeth, meintoniaeth a rhifyddeg. Pan gyrhaeddodd William 18 oed yn 1723, ysgrifennodd Lewis bennill 'At Risiart ynghylch ei frawd Gwilym' yn canmol y brawd Gwil am ei wybodaeth am feintoniaeth. Nid annog Richard ar fympwy yr oedd, oherwydd flwyddyn yn ddiweddarach fe'i cynghorodd ar ffurf englynion 'I Risiart Myfyriwr y Celfyddydau' i feistroli meintoniaeth, megis y gwnaeth ef ei hun:

> Geometria, treiddia trwyddi, – a chwilia
> Ei choludd o ddifri,
> Na ad yn ôl, nes er holi,
> Un gornel heb ei hel hi.[2]

Roedd gan Owen Meyrick ei hun afael dda ar y grefft o fesur tir, a diau iddo fod yn barod iawn ei gyngor a'i gymorth wrth i Lewis ddechrau ar ei waith. Bu gan Lewis hefyd, er pan oedd yn ifanc, dipyn o ddawn yr arlunydd a'r awydd i gofnodi drwy gyfrwng lluniau neu eiriau yr hyn a welai o'i gwmpas. Tra oedd wrthi'n gwneud yr arolwg o stad Bodorgan, gwnaeth lu o luniau bychain o bentrefi, eglwysi, tai, beudai a stablau ymysg eraill, a'u nodi ar y mapiau.[3]

Bu hwn yn gyfnod o ehangu gorwelion iddo. Am y tair blynedd nesaf a mwy, bu'n holi am lawysgrifau wrth grwydro'r priffyrdd a'r caeau tra'n cyflawni'r gwaith hwnnw. Nid oedd prinder llawysgrifau ym Môn yn y cyfnod, fel y tystia'r rhestr ddadlennol o berchenogion llawysgrifau a luniodd tua 1745. Roedd cryn nifer ohonynt o Fôn, a llwyddodd Lewis i fenthyg a chopïo amryw hen lawysgrifau. Am weddill ei fywyd, byddai'n lloffa'n dra helaeth mewn pob math o lawysgrifau. Gan fod y rhan fwyaf o waith yr hen feirdd yn anghyhoeddedig yn y ddeunawfed ganrif, ni allai neb ddod yn hyddysg yn hanes llenyddiaeth Cymru heb fod yn berchen casgliad o lawysgrifau, neu os na cheid cyfle i ym-gynghori â'r fath gasgliadau. Cafodd Lewis groeso ym mhlastai Môn a'u silffoedd llyfrau trymlwythog, megis plastai Bodewryd, Bryndddu, Dronwy a Llanddyfnan. Pan oedd yn ei ugeiniau, prynodd a benthyc-iodd lawer o lawysgrifau, derbyniodd ambell un yn rhodd, a threuliodd oriau bwygilydd yn eu copïo a'u darllen. Roedd sefydlogrwydd a heddwch cymharol y ddeunawfed ganrif yn gydnaws â difyrrwch gwareiddiedig megis casglu llyfrau ac roedd y llyfrgelloedd a ffurfiwyd yn fodd i ddiogelu treftadaeth lenyddol Cymru ac i feithrin twf llenyddiaeth gyfoes y cyfnod. Yn ystod ei ugeiniau cynnar lluniodd Lewis ei gasgliadau ei hun o gywyddau ac areithiau. 'Trysor-gell barddoniaeth, neu gynhulliad o ddisgleiriaf waith yr hyglod feirdd Cymreig, yr hwn yn gywir a ellir ei alw Lepor Museus, h.y., Melysdra Barddoniaeth' yw ei deitl ar un o'r casgliadau hyn y dechreuodd ei grynhoi yn 1724, 'yn ieuanc ac yn ddigon diwybodaeth' chwedl ef ei hun flynyddoedd yn ddiweddarach. Cynhwysa'r casgliad gerddi gan nifer o gewri'r traddodiad barddol, megis Taliesin, Dafydd ap Gwilym, Iolo Goch, Siôn Cent, Lewys Glyn Cothi, Guto'r Glyn, Tudur Aled a Wiliam Cynwal. Roedd bywyd ysgol-haig o Gymro yn golygu copïo diderfyn.

Rhaid oedd iddo ymgyfarwyddo â rhwysg a rhodres Owen Meyrick a'i deulu a oedd â'r fath safle a chyfoeth. Roedd gan Lewis sefyllfa amwys mewn cymdeithas, yn gymharol werinol ond eto yn medru ymrwbio o bell yn nheuluoedd megis Bodorgan. Mae'n bosibl bod y trahauster a'r hunanoldeb a arddangosai o bryd i'w gilydd yn ystod ei fywyd yn deillio o ansicrwydd sylfaenol y paradocs ei fod yn ddringwr cymdeithasol rhonc mewn cyfnod o fraint sefydledig. Yn anochel, câi lond bol ar y lle ar adegau, ond aeth dros ben llestri yn fwriadol wrth ddatgan mewn penillion a anfonodd at Richard ei frawd yn Llundain:

> Bodorgan a'i byd oergas,
> Bywyd wall oerfyd a'm llas;
> Byd anial yw bod yno,
> Bywyd i gi, a byd o'i go'.[4]

At ei gilydd, serch hynny, câi flas ar fywyd ym mhlasty Bodorgan a chyfoethogwyd ei fywyd mewn sawl ffordd. Achubodd ar y cyfle i wledda wrth fwrdd ei noddwr gan sgwrsio a dod i adnabod aelodau'r teulu gan gynnwys y mab hynaf Owen a oedd yn fyfyriwr yng Ngholeg y Drindod, Caergrawnt. Yn ogystal â mwynhau pob twll a chornel o lawntiau a gerddi'r plas, daeth i adnabod Môn yn ei chyfanrwydd – ei thraddodiadau a'i hynafiaethau, ei ffermydd a'i hafonydd ac, uwchlaw popeth, ei thrigolion, gan gynnwys beirdd a cherddorion a phobl â diwylliant ym mêr eu hesgyrn. Wrth wneud yr arolwg o dir Bodorgan tua 1724, daeth i wybod am stad Tŷ Wridyn ym mhlwyf Rhoscolyn, ac am y ferch ifanc a fyddai'n etifeddu'r lle yn 1734 pan gyrhaeddai 21 oed, sef Elisabeth Griffith, 'yr hon a briodawdd gwedyn'. Daeth i ben â'r dasg o fesur tiroedd stad Bodorgan yn 1727. At ei gilydd bu'n ddi-waith am y ddwy flynedd nesaf, ond ymhell o fod yn segur gan wneud rhyw-faint yn rhagor o waith mesur tir, cynorthwyo'i dad yn ei waith ef ac ymhyfrydu yn ei amryfal ddiddordebau, gan gynnwys darllen llaw-ysgrifau. Dros y blynyddoedd, byddai'n ymroi o bryd i'w gilydd i gyn-orthwyo rhai o foneddigion eraill gogledd Cymru i wneud mapiau o'u tiroedd.

Profiad gwerthfawr iddo oedd cyfeillachu â rhai o gynheiliaid y traddodiad barddol. Un o'r rhain oedd Owen Gruffudd o Lansadwrn. Derbyniodd Lewis, ac yntau'n 24 oed, englynion annerch gan y prydydd. Atebodd gydag englynion a llythyr ym mis Medi 1725 ac ynddo arddull ffurfiol, areithiol: 'Eich englynion anherchfawr a dderbyniais (drwy ddwylo Gwilym Peder), am y rhai yr wyf yn dra ddiolchgar i chwi.'[5] Ymfalchïodd Lewis fod un mor ddiwylliedig yn byw 'o fewn y cyfryw wlad ddi-ddysg ag anwybodol ag yw Sir Fôn yn y dyddie hyn; di-ddysg meddaf er pan gollodd ei thri philer ardderchog, Mr H. Rowlands, Mr E. Jones o Niwbwrch, a Siôn Prisiart Prys y digymar fardd'. Mor gynnar â hyn yn ei yrfa, gwelai wrthwynebwyr a gelynion o'i amgylch: 'Gellir tebygu ein gwlad i derfysgdy di reol, ni wna'r sawl a fedro, ac ni chaiff y sawl a ewyllysio wneuthur daioni, na fydd Zoilus a Momus yn codi eu pennau ac yn cyfarth.'

Daeth Lewis i gysylltiad â'r llengar Richard Bulkeley (1680–1757), rheithor Llanfechell, mor gynnar â 1725. Hawliodd William Morris mai Richard Bulkeley oedd y 'Cymroaegydd goreu mae'n debyg ym Môn', ac efallai iddo ddylanwadu ar ddatblygiad diddordeb Lewis mewn llawysgrifau Cymraeg.[6] Yn 1726 derbyniodd yr ysgwïer a'r dyddiadurwr William Bulkeley (1691–1760) o'r Brynddu, Llanfechell, gyfres o englynion a luniwyd gan Lewis o glod i'r delyn, ynghyd â thannau telyn er mwyn hyrwyddo celfyddyd cerdd dant. Dadleuir yn y cyntaf o'r pum englyn fod sain telyn gryn dipyn yn well na sain ffidil:

> Nid yw llais ffidil 'n lleisiaw
> Wrth hwn ond fal byrdwn baw.[7]

Roedd William Bulkeley yn ŵr bonheddig diwylliedig, a chanddo ddiddordeb mewn llenyddiaeth Gymraeg a Saesneg, a bu'n copïo llawysgrifau Cymraeg. Gan ei fod yn gyfarwydd â diwylliant cyfoes Lloegr, tebyg iddo godi ymwybyddiaeth Lewis fod pynciau fel hynafiaethau ac anianyddiaeth yn ffasiynol ymhlith rhai o foneddigion Lloegr yn y cyfnod. Gofidia Lewis yn y pedwerydd englyn am y rhwyg diwylliannol a welwyd ym myd cerddoriaeth Cymru, gyda thraddodiad y canrifoedd fwy neu lai wedi diflannu:

> Nid oes 'nawr (dirfawr darfu!) na maswedd
> na miwsig yng Nghymru;
> A diau oedd fod dydd a fu
> Telyn gan bob pen teulu.[8]

Mae'r ymadrodd cryno 'dirfawr darfu' yn drawiadol. Mae'r pennill yn mynegi pwynt difrifol, un a ddwyseir gan y cyferbyniad rhwng y dirywiad yn y traddodiad cerddorol a'r ffaith fod y pwynt yn cael ei gyfleu trwy gyfrwng hen fesur yr englyn, gyda'r englyn ei hun yn cyfoethogi ac yn parhau'r hen draddodiad barddol. Tua'r cyfnod hwn hefyd y cafodd ei ddwylo ar lawysgrif gerddoriaeth ryfeddol y telynor a'r bardd Robert ap Huw o Fôn (1580–1665), ac ef oedd y cyntaf o olyniaeth hir o ysgolheigion i astudio'r llawysgrif a mwynhau bodio'i thudalennau. Roedd yn eiddgar i ddeall cynnwys cerddorol y llawysgrif, a ddaeth yn un o drysorau ei gasgliad, ond roedd hefyd yn awyddus i'w lleoli o fewn hanes Cymru fel dogfen â statws unigryw a dystiai i

orffennol diwylliannol arwrol.[9] Rhwng 1725 a 1731 bu'r cefnder Siôn
Salbri o Lanwddan yn destun degau o englynion o waith Lewis a Richard
Morris.

Yn 1727, lluniodd englyn:

> Lewis o Fôn dirion doraeth – wyfi,
>   a fu fyw mewn trwblaeth,
> Gŵr eres a gâr araeth
> Pob celfyddyd a phryd ffraeth.[10]

Gallai 'Lewis o Fôn . . . a gâr . . . pob celfyddyd' fod yn feddargraff iddo.
Yn y cyfnod hwn, mathemateg oedd un o'i ddiddordebau mawr,
celfyddyd a welai fel yr allwedd i ddeall y byd. Mewn llythyr at ei frawd
Richard yn 1726 dangosodd fod y gelfyddyd yn rhoi maeth i'w
ddychymyg yn ogystal:

> The mathematicks are my atmosphere
> In which medium when I'm only there
> It makes me think that I move everywhere.[11]

Ar y llaw arall, pan roddodd Richard sylw i wleidyddiaeth mewn rhan
o'i lythyr at Lewis yn 1726, atebodd:

> Thy letter's sweet, except the 'ffairs of State,
> With those I never trouble my dull pate.

Drwy'r blynyddoedd wrth i'r brodyr 'sgrafellu' at ei gilydd, ceir aml
sylw yn cael hwyl ar gorn y Saeson. Er enghraifft, cyfeiriodd William a
Lewis atynt, yn fendigedig o ddigywilydd, fel 'plant Alis y biswail', epil
dichellgar Alis Rhonwen a dwyllodd Wrtheyrn yn drychinebus.[12] Yn
1727 lluniodd Lewis gerdd fyrlymus a diniwed 'I Helwyr Caer Ludd' (sef
Llundain, hoff ddinas Lludd, mab hynaf y brenin Beli Mawr, yn ôl un
o'r hen chwedlau a ddeilliodd o waith Sieffre o Fynwy):

> Tri o Saeson Seisnig o wŷr bonheddig glân
> O Lundain aeth i hela, a hela'n wych a wnân,
> A'u milgwn a'u ffyn hirion o linon hardd o lun,
> Ffuredau a phâr o rwydau a'u gynnau bod ag un.

A nhwy'n hela rhyd y rhych, caent lyffant brych mewn braw,
Mewn crinwellt yn ymgreinio a throi oddi yno a thraw,
Fe ddoede un mai petris oedd, fe ddoede'r ail nad e,
Fe ddoede'r llall mai carw oedd ond bod ei gyrn yn dre.[13]

Cafwyd o leiaf 11 ymryson ymhlith beirdd Môn, a rhyngddynt hwy a beirdd o siroedd eraill yng Nghymru rhwng 1701 a 1734, ac roedd bys Lewis ym mrywes pum ymryson byrlymus a fu ym Môn rhwng 1728 a 1734.[14] Roedd y cyntaf, a gychwynnwyd ganddo yn haf 1728, yn glamp o ymryson difyr rhwng beirdd Môn a beirdd Arfon, y mwyaf o'i fath yn y ddeunawfed ganrif ym Môn.[15] Mewn llythyr at y clochydd a'r gwehydd Siôn Tomos Owen o Fodedern ym mis Awst 1728, datgelodd Lewis mai ef ei hun a ddechreuodd y cynnwrf drwy adrodd englyn ym Miwmares yn rhoi teyrnged i Fôn, gyda'r enw 'mam Cymru' yn ennyn cenfigen ac yn rhoi cychwyn ar y cellwair. Ychwanegodd yn ddoeth, 'nid oes niwaid er cael ohonom ychydig hogi ar ein cerdd'.[16] Oblegid dyna oedd ym-ryson, fel eisteddfod – cyfle i hogi cerdd. Amgaeodd Lewis hefyd chwe englyn o anogaeth i'r 'hen ryfelwr', gan ddechrau fel hyn:

> Siôn Tomas, urddas eurddoeth – naturiol,
>   Yn taro sain tradoeth,
> Plethiawdr a chlochiawdr chwidrddoeth
> A gweuedydd dedwydd, doeth.[17]

Cyfaddefodd Lewis ei fod ef ei hun yn cynhesu i'r ysgarmes:

> 'Rwyf yn llawn, myn grawn y grog,
> O gân ddiriaid gynddeiriog.

A dywedodd ymhellach: 'Myfi a fenthyciaf hen ysbryd Dafydd ab Gwilym ac a ganaf iddynt gida'r fath egni hyd na syrthio eu mân fynyddoedd hwynt am eu pennau i'r pentydd.' Wedi'r alwad gan Lewis i brofi rhagoriaeth Môn, ysbardunwyd Siôn Tomos Owen i anfon llythyr byr ynghyd ag wyth englyn celfydd at ei ffrind iau, 'F'annwyl gydwladwr a'm brawd hynaf yn y gelfyddyd o farddoniaeth – Lewis Morris', yn mynnu na ddylid ar unrhyw gyfrif ildio 'rhagorfraint' Môn. Wedi cynhyrfu'r dyfroedd fel hyn, anfonodd Lewis 'anferth o lythyr at feirdd Arfon, Meirion, Dinbych a Fflint, mewn eithaf gwawd a choegni.' Yn anffodus, ni chadwyd copi o'r llythyr, nac ychwaith o'r chwe englyn a ddaeth o Sir Gaernarfon yn ymateb i sylwadau Lewis a Siôn Tomos

Owen. Nesaf, daeth 'Ateb i chwe englyn o waith rhyw offeiriad o
Lŷn yn erbyn beirdd Môn' gydag enw Lewis wedi ei led-ddileu wrth
droed yr unig gopi o'r pedwar englyn sydd wedi goroesi. Hwn yw'r
englyn cyntaf:

> Cachion, piberion pob araith – c'wilydd
>   Colyn angau diffaith,
>   Chwydiad fwriad oferwaith,
>   Budr yw dy gân, bwdr wan waith.[18]

Defnyddir iaith gref a cheisir codi gwrychyn a phrocio ymhellach drwy
ddefnyddio enwau carlamus i ddisgrifio'r offeiriad:

> Gwillgi ag wyneb gwallgo',
>   Cachgi, mynci, llymgi, llo.

Lluniodd Siôn Tomos Owen ei ateb ei hun i englynion yr offeiriad o
Lŷn. Yna, nyddodd Michael Prichard o Lanllyfni bedwar englyn 'Patrwm
i Feirdd Sir Fôn', a atebwyd gan Lewis, 'Daeth o Lŷn eilun a elwid –
patrwm . . .', a chan y bardd o Fodedern. Roedd effaith pelen eira yr
ymryson yn denu mwyfwy o feirdd Môn gan gynnwys Siôn Rhydderch,
Hugh Hughes a Richard Davies wrth i'r ffrae hwyliog fynd o nerth i
nerth. Siôn Tomos Owen a groesodd gleddyfau barddol yn bennaf
ar ran Môn a Michael Prichard oedd prif ymladdwr Sir Gaernarfon.
Ciliodd Lewis i'r cefndir gan ganolbwyntio ar annog yr ymrysonwyr a
chywiro'r cerddi. Dewiswyd y cywydd a'r englyn fel cyfryngau y dadlau
a chafwyd cyfres ardderchog gan y ddwy ochr. Michael Prichard a
gafodd y gair olaf tua blwyddyn ar ôl i'r ffrae gynhyrchiol ddechrau
gyda chywydd ymddiddan hir rhwng y bardd ac Eryri. Yn ystod y twrw,
hogwyd nid ychydig ar gerdd dafod ym Môn ac Arfon gydag o leiaf 53 o
englynion, 762 llinell ym mesur y cywydd, un hir-a-thoddaid heb sôn am
benillion a llythyrau yn deillio o'r ymryson, a diau i Lewis ymhyfrydu yn
y ffaith mai ei bryfocio ef a oedd wrth wraidd y cyfan. Roedd ymryson
o'r fath â beirdd gwlad ym mro ei febyd yn rhan bwysig o'i fagwraeth
lenyddol. Dengys le blaenllaw y Lewis Morris ifanc yn y frawdoliaeth,
ymhlith y beirdd hŷn, ac mae'n amlwg ei fod wedi arfer ymgyfeillachu â
hwy. Tua 1732, yng nghanol ymryson barddol yn erbyn siroedd Dinbych
a'r Fflint, anfonodd Michael Prichard lythyr at Lewis yng Nghaergybi,
'Y mwyn-bêr awenydd-fardd cywrain-ddoeth, a gwir ymgeleddwr yr iaith
Gymraeg', ynghyd â chywydd maith yn dwrdio prydyddion Sir y Fflint.[19]

Yn y llythyr ceir enghraifft o fardd ifanc yn gofyn am gymorth Lewis cyn anelu am faes y gad:

> Mae arnaf eisiau cael gafael ar waith gwŷr y Fflint gennych y tro yma os ydych heb ei golli fo, fel y caffwyf ddangos bai pob englyn ar ei ben iddynt neu yntau codwch chwi y beiau a gyrrwch hwy imi, chwi fedrwch yn well nag y medraf fi, os oes cyfle gennych.

Er i Lewis ddatblygu erbyn canol oed i fod yn arweinydd cylch llenyddol mwy uchel-ael a dethol gan gefnu ar feirdd gwerinol, ni chollodd erioed ei chwaeth at lenyddiaeth hwyliog a masweddus.

I raddau, yr un ymgais i 'hogi' a oedd i'r ffrae farddol ag i'w cefnog-aeth i'r argraffydd amryddawn, y bardd, y gramadegydd a'r almanaciwr arloesol Siôn Rhydderch (1673–1735), a bu'r ddau yn gyfeillion agos o 1725 hyd tua 1732. Brodor o Gemaes yn Sir Drefaldwyn ydoedd ac ystyriodd Rhydderch ei ramadeg a gyhoeddwyd yn 1728, fel y gwnaeth Thomas Jones o'i flaen yn achos ei eiriadur yntau, fel estyniad a pharhad o waith geiriadurwyr y Dadeni Dysg. O ganlyniad i'w waith ar y *Grammadeg Cymraeg*, disgrifiodd Lewis ef fel 'Brenin y Gyng-hanedd'. Lluniodd Lewis gyfres o englynion i'w hargraffu ar ddechrau'r gyfrol 'eithr a rwystrwyd yn y llythyrdy'. Mae'r englynion yn cymell 'Gwŷr Gwynedd' i bori yn y llyfr ac yn diolch i'r awdur am ei waith:

> Barddoneg o bur ddeunydd gwiw ydyw
> a geidw iaith gwledydd,
> E' gae un ag awenydd,
> A fae' gaeth gynt, rwyddhynt rydd . . .
>
> Eraill fu'n gyrru araith i faethu
> rhyw foethus estroniaith;
> A thithe yrraist iaithwaith,
> Yn rhan ini'n yr hen iaith . . .
>
> Trefnaist a gyrraist ragorol eirlyfrau
> aurhoewfraint i'r bobol,
> Yn awr y gyrri'n wrol,
> I'r iaith ramadeg ar ôl.[20]

Ni rwystrwyd Lewis yn y llythyrdy rhag cyhoeddi, ar wahoddiad Siôn Rhydderch, gywydd ar ddechrau'r gramadeg, a hwnnw'n gywydd

atyniadol o dan y teitl 'Annerch i'r Prif-Fardd Cymreig, Siôn Rhydderch'.
Egyr y gerdd:

> Gŵr i'ch annerch a'ch perchi,
> Lewis (o Fôn lwys) wyf fi,
> Aethus, gwael ym mysg eithin,
> Fal tarw blwydd ar fol tir blin,
> A barus na chawn bori
> Tir rhywiog 'n chwannog fal chwi,
> A myned i lawr maenol
> I bori dawn a berw dôl.[21]

Rhoddodd Rhydderch sylw yn ei ramadeg, a seiliwyd ar y Pum Llyfr
Cerddwriaeth a gramadeg Siôn Dafydd Rhys, i'r drefn y dylid ei dilyn
mewn eisteddfod. 'Nid mewn dyri, carol neu ryw wael gerddi y rhai na
fu wiw gan y prif feirdd gynt gymaint a'u crybwyll o herwydd nad oes
rheolau perthynasol iddynt' y dylid ymryson mewn eisteddfod, ond yn
hytrach 'naill ai mewn englynion unodl union, cywydd neu ryw un o'r
pedwar mesur ar hugain' (*Grammadeg Cymraeg*, t. 189). Roedd yn gryf
o'r farn mai eisteddfod prydyddion oedd un o'r ffyrdd mwyaf effeithiol
o 'ail edfryd' yr iaith a'r diwylliant 'i'w cyflawn oruchafiaeth' ac o'r
herwydd bu wrthi'n ddiwyd yn cymell a chalonogi i gynnal eisteddfod-
au. Siôn Rhydderch oedd prif symbylydd eisteddfodau'r almanaciau ar
ddechrau'r ddeunawfed ganrif. Nid oes tystiolaeth yn unman i Lewis
ymwneud â'r eisteddfodau, ond tra oedd yn byw ym Môn gwnaeth ei
orau glas i ysgogi diddordeb mewn ymrysonau barddol tebyg. Yn y
'Cywydd Mawl' a luniodd Lewis i Siôn Rhydderch yn 1728, mynegodd
awydd i fod mor fedrus ag ef:

> Ond mynnwn fod rhag tylodi
> Yn ôl y tir yn ail i ti,
> A chael awr uchel eiriau,
> 'Wenydd yn y 'mennydd mau,
> A medru iawn ymadrodd,
> O ran f'iaith yn yr iawn fodd.[22]

Eir ymlaen i alaru ynghylch dirywiad y traddodiad barddol ym Môn,
fel y gwnaeth John Prichard Prys yn 1721 yn ei ragair i'r gyfrol
Difyrrwch Crefyddol. Hawliodd Lewis, 'Nid oes gwaelach glythach
gwlad' na'r Fôn a oedd ohoni, gyda 'rhimynwyr' yn unig yno. Gofynnir i
Siôn Rhydderch 'hogi' beirdd Môn:

Di ellit ŵr da ollawl
(Aur yw dy fin) er d[y] fawl
Ein hogi: ('mgegi gwiwgerdd:)
Main yw ein co'n minio'n cerdd!
Ag fo' allai i gyfeillion
I feirdd, godi draw o Fôn,
A'r glod a geiriau'r gwledydd
I ti'n ôl fythol a fydd.

Roedd cyfran helaeth o ganu serch ymhlith y toreth o benillion y daeth Lewis ar eu traws yn ystod ei ieuenctid, gan gynnwys y rheiny yng nghasgliad nodedig Richard ei frawd. Mae'n drawiadol cynifer o gerddi serch a luniodd Lewis yn 1728, ac mae'n siŵr fod cyswllt rhwng hynny a'r ffaith iddo briodi ar 29 Chwefror 1729. Roedd saethau Ciwpid wedi brathu ei galon, ac Elisabeth Griffith o Roscolyn yn ardal Caergybi oedd merch-yng-nghyfraith gyntaf Morris Prichard a Marged Morris. Yn un o'r cerddi serch i'w ddarpar wraig, cerdd pedwar pennill yn null yr hen benillion telyn y ceir tri chopi ohoni, defnyddir thema'r rhwystrau gyda throsiad o'i gariad fel perllan a'i thad fel ceidwad milain:

Mae gennyf berllan ym Môn ynys
A'i choed yn deg a'i ffrwyth yn felys,
Ni chaf i gan ei cheidwad milain
Brofi dim o ffrwyth fy mherllan . . .

Fy mherllan ydyw meinir dirion
A'i mwyn gusanau ydyw'r aeron,
A'i thad milain yw ei cheidwad
Sy i'm rhwystro rhag cael cwmni 'nghariad.[23]

Ymhen amser, cywilyddiodd Lewis ynghylch y gerdd hon, ond y mae'n ymgais well na'r penillion a luniodd yn ystod ei arddegau y cyfeiriwyd atynt yn y bennod gyntaf. Cyfleir grym serch mewn cerdd arall yr anfonir ynddi neges frys at 'Beti':

D'weded ef neu d'wedwch chwi
Mewn caled fodd mai claf ydwyf fi,
Ac oni ystyr gwen mewn amser
Hyllt fy nghalon yn ddwy hanner.

D'wedwch hefyd wrth liw'r hinon
Y modd yr ydwyf, mewn breuddwydion,
Yn y nef o fewn ei breichiau;
Gwedi deffro mynd i'r poenau.[24]

Yn 1728 hefyd y lluniodd dri phennill 'I fronnau merch ifanc'. Dyma'r
ddau bennill cyntaf:

Tra cawn i roddi pwys fy mhen
Rhwng bronnau gwen felenbleth,
A dwylo bun yn dal y bardd,
Dianardd a da eneth,
Can mil esmwythach bron gwawr gu
Na gwely manblu meinbleth!

Mae cur i'm pen am feinir wen,
Ireiddwen, groenwen, gryno,
Ni 'rhosai'n hwy heb help i'm clwy'
Ond tynnu 'rwy at honno,
Er maint y cur fo esmwythâ
Rhwng gwynion fronna Gwenno![25]

Gyda'i briodas bellach ar y gorwel, lluniodd y gerdd 17 pennill
'Disgrifiad o Orffwylledd Serch' yn 1728. Anerchir Ciwpid ar ddechrau'r
gerdd fel a wneir yn aml mewn penillion telyn yn ymwneud â serch, ac
awgrymir nad yw 'Gwen lliw'r hinon' yn rhannu teimladau'r bardd.
Gofynnir i 'Ciwpid gibddall' iacháu ei 'glwyfedig galon' ef neu i wneud
calon y ferch yn 'friwedig o'r un dolur'. Ceir ailadrodd nodweddiadol o
ganu gwerinol a phwysleisir prydferthwch ei gariad o'i chymharu â
merched eraill:

Ni bu neb erioed gan laned,
Ni bu neb erioed gan fwyned,
Ni bu neb o ferched dynion
Nes na hon i dorri 'nghalon.

Nid yw corff fy mun synhwyrgall
O'r un deunydd â chorff arall,
O wydr clir y gwnaed ei dwyfron
A'r lleill i gyd fel llestri priddion.

> Pe dôi angel ar y ddaear
> I ddewis corff oedd deg a hawddgar,
> Fe ddewisai gorff f'anwylyd
> O flaen un sy'n rhodio'r hollfyd.[26]

Ddeng mlynedd yn ddiweddarach, cynhwysodd y pennill 'Ni bu neb erioed gan laned . . .', gyda mân newidiadau, yn ei draethawd Saesneg yn dangos rhinweddau penillion telyn a gyflwynodd i Owen Meyrick.[27]

Ym marn y bardd John Denham (1615–69), roedd cyfieithu o un iaith i un arall yn gyfatebol i'r weithred greadigol o drosglwyddo meddyliau i eiriau. Nid oedd barn Denham ynghylch y cyfieithydd barddoniaeth, sef ei fod yn fardd o'r iawn ryw, yn un radical yn yr ail ganrif ar bymtheg ac mae'n adlewyrchu'r farn gyffredinol yn y ddeunawfed ganrif. Roedd Lewis yn gyfieithydd barddoniaeth (i'r Gymraeg) galluog, ac neilltuodd dipyn o amser yn 1728 i gyfieithu. Mae pump o'i gyfieithiadau o'r Saesneg yn dilyn ei gilydd yn un o'i lawysgrifau.[28] Dyma'r pennill cyntaf o'i gyfieithiad o 'an English song composed by Mr N. Lannear' a welodd yng ngwaith John Playford, *The Musical Companion*:

> Er nad wy' ond ieuangc a gwirion o ferch,
> Mi glowais sôn finne am Giwpid a serch,
> Gwn hefyd amcanion feibion y byd,
> Pan fon't yn cusanu pa beth fydd ei bryd.

Mae'n darllen yn glir, yn rhwydd ac fe allai yn hawdd fod yn gyf-ansoddiad annibynnol. Eto mae hefyd yn drosiad ffyddlon o'r gwreiddiol:

> Young & simple though I am
> I have heard of Cupid's name,
> Guess I can what thing it is
> Men desire when they do kiss.

Mae ei fedrusrwydd wrth drosi o'r Saesneg i'r Gymraeg hefyd i'w weld yn eglur yn y cyfieithiad a luniodd yn 1728 o gerdd Matthew Prior, 'The Despairing Shepherd'. Ni phallodd ei ddiddordeb yng ngwaith Prior, a blynyddoedd yn ddiweddarach roedd 'Prior's Poems 1741' ymhlith y llyfrau a oedd yn ei lyfrgell. Roedd ganddo barch mawr at Prior, ac fe'i disgrifiodd fel un o feirdd mawr cyfnod y Frenhines Anne. Credai Lewis y dylai cyfieithwyr barddoniaeth gael y rhyddid i gyflwyno newidiadau, yn yr achos hwn 'changing ye persons represented; a shepherd being too mean a character for a lover in our country'. Mae cerdd Lewis yn llwyddo i adlewyrchu'r cyfuniad o ysgafnder cyffyrddiad a ffug-ddifrifoldeb a geir yn y gwreiddiol:

Alexis shun'd his fellow swains,	Gronw a adawai'r fedel faith,
Their rural sports & jocund strains,	Yng nghanol pwys a gwres ei gwaith,
(Heaven guard us all from Cupid's bow),	(Ymgroesed pawb rhag saethau serch),
He lost his crook, he left his flocks,	Fe dafle 'i gryman draw'n y ffos,
And wandering through the lonely rocks,	Ni weithia'r dydd ni chysga'r nos,
He nourish'd endless woe.	Ond nychu'n achos merch.

Bonws yn y cyfieithiad yw'r cyflythreniad sy'n addurno'r dweud. Cerdd arall a gyfieithwyd ganddo yn 1728 oedd un gan Nicholas Rowe: 'Colin's Complaint . . . a copy of verses composed by Mr Rowe to the Countess of Warwick who was married afterwards to Mr Addison, then Secretary of State, Mr Rowe being Poet Laureate'. Mae Samuel Johnson yn cadarnhau gosodiad Lewis fod y gerdd wedi ei hysgrifennu am Joseph Addison ac Iarlles Warwick, a briododd ym mis Awst 1716.[29] 'Cwynfan Siencyn' oedd ei gyfieithiad o'r teitl 'Colin's Complaint'. Dyma bennill cyntaf y cyfieithiad:

Despairing besides a clear stream	Rhyw landdyn yn dilyn ei daith
A shepherd forsaken was laid,	A orwedda 'min afon, mewn oed,
And whilst a false nymph was his theam	Ac achwyn ar ferch oedd ei waith
A willow supported his head,	A'i ben oedd ar gollen o'r coed.
The wind that blew over the plain	Y gwynt oedd yn chwythu ar y fron
To his sighs with a sigh did reply,	Yn ateb ei ochneidion yn ôl,
The brook in regard to his pain	Y ffrwd wrth frys redeg ger bron
Ran mournfully murmuring by.	Yn bruddaidd a swnia drwy'r ddôl.

Unwaith eto, mae'n ffyddlon i gnewyllyn y gwreiddiol, ond yn caniatáu rhyddid iddo'i hun er mwyn sicrhau fod y cyfieithiad yn darllen yn rhwydd. Mae'n amrywio o'r gwreiddiol wrth odli diwedd yr ail a'r bedwaredd linell. Ymhlith y cerddi serch eraill a luniodd yn 1728 ceir un yn Saesneg i'r butain enwog Polly Peachum. Yn yr un flwyddyn cipiodd Polly arall ei fryd a lluniodd saith pennill iddi gan derfynu pob pennill â'i henw:

When absent from her half a day
I care for neither work nor play,
I range the fields in wild despair,
I see no flowers half so fair;
To poetry I run for fame,
Music I call to cool my flame,
These scenes but feed my melancholy,
For what are pleasures without Polly.[30]

Y ddeunawfed ganrif oedd oes aur llythyru yn Lloegr. Mae enwau Alexander Pope, Horace Walpole, Thomas Gray, William Shenstone, Philip Chesterfield, William Cowper, Samuel Johnson a Mary Wortley Montagu yn fflachio fel sêr, a ffynnodd llythyrau fel *genre* penodol. Mae'n dra thebygol y byddai Lewis Morris yn gwybod am y traddodiad hir y tu ôl i gelfyddyd llythyru ac yn ymwybodol o weithiau Cicero, Plini yr Ieuaf a Seneca ymhlith y Rhufeinwyr ac ymarferwyr Ffrengig cynnar y gelfyddyd megis Voiture a Madame de Sévigné. Nid yw Lewis yn unman yn ei lythyrau yn diffinio'r llythyr nac yn sôn am ei briodoleddau. Nid yw'n cyfeirio at sylwadau ar gelfyddyd ysgrifennu llythyrau a wnaed gan eraill, ac ni wnaeth ychwaith drafod addasrwydd neu anaddasrwydd arddull. Rhoddodd Samuel Johnson, a neilltuodd gyfrol 152 o'r *Rambler* i ystyried llythyrau, ddull digon syml, 'strict conformity to nature'. Mae'r llythyr yn ffurf ar fynegiant llenyddol ar wahân, wedi'i addasu yn benodol i gadw cydbwysedd gwastad rhwng yr awdur, yr achlysur a'r derbynnydd. Nid oedd angen patrwm ar Lewis Morris, ac yr oedd mor brysur yn ymarfer y grefft o ysgrifennu llythyrau fel nad oedd ganddo amser nac awydd i drafod damcaniaethau.

Dechreuodd lythyru o ddifrif ym Môn yn y 1720au a pharhaodd trwy gydol ei fywyd. Rhaid oedd wrth gyswllt pin ar bapur ar ôl i'w frodyr droi'n alltud – aeth Richard i Lundain yn 1722 fel y gwelwyd, ac aeth William i Lerpwl yn 1726 lle treuliodd ddeng mlynedd. Roedd Cymraeg Lewis yn rymus a miniog ac roedd ganddo ddychymyg bywiocach na'i frodyr. Troai bopeth bron yn ddŵr i'w felin. Llanwyd ei lythyrau gydag atgofion am yr hyn a fu a'r gobeithion am yr hyn a fyddai, yn cyfuno'r cyffredinol a'r penodol, y bras hanesyddol a'r personol. Mae rhai o'i lythyrau yn arbennig o werthfawr am eu darnau cwmpasog a chrwydrol; rhai am eu straeon; rhai am eu cyfeiriadau at bobl y cyfarfu â hwy, pobl a garwyd ac a ffieiddiwyd ganddo; rhai am y goleuni a daflant ar ei weithiau llenyddol eraill; rhai am eu cynghorion llenyddol neu feirniadaeth; rhai am eu bod yn datgelu ei gymeriad; rhai am eu bod yn arddangos syniadau toreithiog a luniwyd a chynlluniau nas gwireddwyd; rhai am y Gymraeg gref a graenus; rhai am yr hyfrydwch pur o'u darllen. Cariad, galar, crefydd, gwladgarwch, edmygedd, dirmyg, cyfeill-garwch, trueni, hiraeth; mewn gair, ceir ynddynt lawenydd a thristwch a phopeth y gellid ei restru rhwng y ddau eithaf.

Yng Nghymru mae llawer cylch neu gymdeithas wedi dod ynghyd i drafod llenyddiaeth. Cylch y Morrisiaid yw'r enghraifft enwocaf, ac mae'r cylch hwn yn hynod am mai llythyrau oedd cyfrwng y trafod. Y tu allan i Gymru bu dadlau ar lafar yn nodwedd o'r salon llenyddol yn Ffrainc, tra yn Lloegr bu'r tai coffi yn gyrchfannau poblogaidd yn yr ail ganrif ar bymtheg a'r ddeunawfed ganrif i'r sawl a gâi flas ar drafod-aethau llenyddol, gan gynnwys cymdeithasau Cymraeg Llundain. Mewn sgyrsiau a thrafodaethau y bu cyfran sylweddol o feirniadaeth lenyddol y dydd, yn hytrach nag ar ddudalennau llyfrau neu gylchgronau. Llyth-yrau oedd cyfrwng cyfathrebu Cylch y Morrisiaid, am mai dyna oedd yr unig gyfrwng ymarferol i gynnal bywyd y meddwl. Nid oedd aelodau'r Cylch yn cael y pleser o gwmni ei gilydd yn aml. Roeddynt yn byw mewn rhannau gwahanol o Gymru a Lloegr ac yr oedd teithio yn anodd iawn mewn oes o heolydd gwael a cherbydau araf. Roedd Cymru yn arbennig o anodd i'w thramwyo, gyda'i mynyddoedd uchel a'i gweunydd llaith. Absenoldeb yw achos sylfaenol y llythyrau. Angen yw mam pob dyfais, ac roedd llythyrau yn cymryd lle sgwrs, a phob un yn ei fyfyrgell yn anelu at ymgyrraedd at ganhwyllau a oedd yn olau ym myfyrgelloedd y naill a'r llall.

Ni ddefnyddiwyd y term 'Cylch y Morrisiaid' gan yr aelodau eu hunain – a gynhwysai, ymhlith eraill dros y blynyddoedd, y brodyr eu hunain, Evan Evans (Lewis a fathodd yr enw Ieuan Brydydd Hir ar ei gyfer, cyfeiriad annwyl at ei daldra anghyffredin), Goronwy Owen, Edward Richard, Hugh Hughes, William Wynne, Dr Richard Evans, Dr Edward Wynne a William Bulkeley – ond roedd ganddynt ym-wybyddiaeth o berthyn i gylch. Ni phetrusai Lewis am eiliad rhag ceryddu ei ohebwyr pe bai eu llythyrau yn eu siomi mewn rhyw ffordd. Roedd peidio ag ateb llythyr yn bechod mawr. Anfonodd gywydd byr at ei frawd Richard yn 1728 yn ei geryddu 'am na fase'n ateb' ei lythyrau ac yn ei rybuddio o'r canlyniadau pe bai hyn yn parhau:

> Gyrraf ac ergydiaf gant
> O gywyddau, da gweddant,
> Ac englynion o Fôn fawr
> A dyrr greiglfa dur gruglfawr,

Ac ar unwaith a grynant
Eglwysau, ei phlasau a'i phlant.[31]

Yn ffodus, roedd y brodyr yn llythyrwyr toreithiog. Cadwyd tua mil o lythyrau'r Morrisiaid, gan gynnwys rhyw 450 o eiddo Lewis. Mae'r llythyrau hyn ymysg y gweithiau mwyaf dyfynadwy yn y Gymraeg.[32]

3 ∽ 'Yr argraffwasg yw cannwyll y byd a rhyddid plant Prydain', 1729–1735

Roedd 1729 yn flwyddyn newid stad mewn mwy nag un ystyr i Lewis Morris, oherwydd hon oedd blwyddyn ei briodas ac, ychydig fisoedd yn ddiweddarach, ei benodiad yn swyddog y doll yng Nghaergybi. Ar 29 Chwefror 1729 priododd Elisabeth Griffith, nad oedd ond deufis dros 15 oed ac a oedd yn weddol gefnog gan ei bod yn aeres stad fechan Tŷ Wridyn, Rhoscolyn yn ardal Caergybi a thiroedd eraill ym Môn. Nid oes gennym gofnod o ymateb rhieni'r priodfab 28 oed i'r bartneriaeth newydd, ond mae'n sicr i Elisabeth Griffith briodi, a hithau mor ifanc, yn groes i ewyllys ei mam weddw a'i mam-gu, Elin Edwards, ac efallai i'r ddau briodi yn ddirgel.[1] Pan ysgrifennodd Richard Morris at Lewis dair wythnos yn ddiweddarach, nid oedd yn siŵr a oedd y briodas wedi digwydd: 'If 'tis over, I pray God to bless you both.'[2] Lluniodd Lewis bennill ar y testun 'Am Fod Newydd Briodi':

> Fe ddarfu'r awen lawen lon,
> Ni chair gan hon un pennill,
> A darfu'r tafod a fu ffraeth,
> Yn ddistaw f'aeth yn ddistill.[3]

A defnyddio un o ymadroddion y Morrisiaid, magodd Elisabeth fân esgyrn yn fuan a ganed eu plentyn cyntaf, sef Lewis, ar 29 Rhagfyr 1729. Bu farw ef dri mis a hanner yn ddiweddarach ar 10 Ebrill 1730. Ganed Marged ar 30 Ionawr 1731 ac Elin flwyddyn union yn ddiweddarach. Ganed y pedwerydd plentyn, William, ar 26 Chwefror 1733 ond bu farw yntau yn ei fabandod. Daeth marwolaeth annhymig i ran Elisabeth Griffith hithau yn 1733, heb iddi gyrraedd ugain oed.

Pan fu farw William Owen, swyddog tollau Caergybi, ar 27 Mehefin 1729, ymgeisiodd Lewis yn llwyddiannus am ei swydd. Penodwyd ef yn was i'r brenin ym mis Gorffennaf 1729 ar gyflog o £20 y flwyddyn ynghyd â thâl yr archwiliwr, hynny ychydig fisoedd yn unig ar ôl iddo briodi a chartrefu yng Nghaergybi. Yn sicr, roedd ganddo'r cymwysterau angenrheidiol ar gyfer y gwaith, ond chwaraeodd Owen Meyrick o Fodorgan ran allweddol yn y penodiad, fel y tystiodd Lewis flynyddoedd yn ddiweddarach: 'Mr Meyrick is yᵉ person that got me yᵉ place.'⁴ Felly ffeiriodd gefn gwlad cymharol ddiddigwydd yng nghraidd Môn Gymreig – er nad oedd y fro yn ddiarffordd – am dref fywiog, gosmopolitaidd Caergybi, ar gyflog oedd dros ddwywaith yn uwch na'r hyn a enillai llafurwr cyffredin. Gweithiai Saeson, Gwyddelod ac Albanwyr ymysg eraill yn y porthladd ac ymdoddodd ef yn hawdd yn y pair lliwgar, rhyngwladol hwn. Y tu allan i oriau gwaith, treuliai gryn amser yn cymdeithasu â chyd-swyddogion, capteiniaid llongau a theithwyr. I drigolion Caergybi roedd Dulyn, yr 'Irish Metropolis' chwedl William Morris, gryn dipyn yn nes na Lerpwl, ac roedd papurau newydd Dulyn yn rhan o fywyd ym Môn. Yn Nulyn y cyhoeddwyd nifer o'r llyfrau a ymgartrefodd ar y silffoedd yn llyfrgell Lewis, gan gynnwys arolwg enwog Henry Rowlands ar hynafiaethau Môn, *Mona Antiqua Restaurata* (1723), a thrwy Ddulyn gallai Lewis gryfhau ei gysylltiad â'r byd llenyddol Saesneg. Tystir i'w gynefindra â'r byd hwnnw gan iddo lunio yn 1729 epigramau Cymraeg yn fuan ar ôl marwolaethau Richard Steele a William Congreve. Er enghraifft:

> Aeth Wil Congref i'r nefoedd;
> E' mynnai Duw 'ran mwyned oedd.⁵

Tollty porthladd Caergybi fyddai ei weithle am y 13 blynedd nesaf, o 1729 hyd nes iddo adael Môn yn 1742. Cawn ganddo ddisgrifiad chwareus o Gaergybi a'i thrigolion mewn 'traethiad', sef y gair a ddefnyddiai i ddisgrifio'i ddarnau rhyddiaith llenyddol, a luniodd yn 1735, 'A true description of a Welsh Christening':

Mae'r dref yn gorwedd ar fin y môr a'i hwyneb at godiad haul, ac yn cynnwys un ficar a'i glochydd, dwy fydwraig, tri thŷ i lettyfa dieithriaid, ac ynghylch 40 o fân gyttiau cyfeddach, un brandi house. Ynghylch 12 o swyddogion tollfa'r Brenin i gadw'r trigolion yn lled onest; un seismon, dau gwnstabl, un sgrifennydd i wneud llythyrau cymmun y dref, a *noted* o gyttundeb, un ffidler, un surgeon-barber dysgedig, ag un perwigwr. Tri gof, un chwarelwr, un cowper, tri seinar, wmbreth o wragedd gweddwon, un hen golector gwedi droi heibio am ei ddaioni, dwy sgowl ragorol, ugain pysgodwr heb ddim i wneuthur. Tair siopwraig, dau bedlar, 27 o longwyr gwedi eu rhwymo wrth dinau eu gwragedd, un glasiwr, un crydd, un gwehydd, rhai lladron, un teiliwr a dau ŵr bonheddig a darn. Tair geneth landeg, 6 o hen wrachod hyllion, 8 o logwyr ceffylau, a gwragedd i'r rhain, rhai teg, rhai hagr, rhai glân, rhai budron, rhai union, rhai ceimion, rhai sobron a rhai'n feddwon, llawer o foch a mwy o gŵn a chathod. Ynghylch dwsin o ddefaid a gwartheg (ag ieir) wrth raffau. Dwy ysgol i ddysgu i blant dyngu a rhegi yn esgus darllen.[6]

Hanfod ei swydd fel arolygwr, porthwyliwr ac archwiliwr tollau Caergybi oedd sicrhau fod y Goron yn derbyn y tollau dyledus ar nwyddau a allforid o'r porthladd a'r nwyddau a fewnforid iddo. Nodwyd uchod iddo dderbyn tâl yr archwiliwr ar ben ei gyflog o £20 y flwyddyn. 'Gwobr' oedd hon pan feddiennid nwyddau na thalwyd y doll arnynt – câi'r archwiliwr ganran o werth y nwyddau anghyfreithlon, ac fe allai hyn fod yn gryn swm. Does dim dwywaith iddo dderbyn y tâl ychwanegol hwn lawer tro. Er enghraifft, lluniodd Richard ei frawd englyn iddo tua 1731 â'r teitl 'I Lewis Morris y Swyddog, am iddo ddwyn sebon y smuglers':

> Lewys, ŵr cofus, ai cyfion – iti
> Atal da'r tylodion?
> Syber yw'r lleidr sebon,
> Nythu mae yn eitha Môn.[7]

Atebodd drwy gyfiawnhau ei waith mewn pedwar englyn gan bwysleisio mai er budd y gymdeithas drwyddi draw y gweithredai; hwn yw'r englyn cyntaf:

> Addas i bawb ei eiddo – a gweddus,
> Gwyddoch, gyfraith Cymro,
> Teilwng yw a atalio
> Gogiwr blin brenin a bro.

Fel hyn y disgrifiodd ei waith yn 1731, o dan y teitl, 'Iddo'i hun Surveyor Caergybi':

> Certhiau drafferthion, trafferthion certhiau,
> Certhiau drafferthion, dŵr a phorthwyr,
> Hedeg wrth redeg, wrth redeg hedeg,
> Hedeg wrth redeg, rhyw athrodwyr.[8]

Roedd yn ffigwr llenyddol diwyd ac ysgrifennai gydag hwylustod nodedig, fel y dywedodd ei frawd Richard wrtho mewn llythyr dyddiedig 20 Mawrth 1729: 'I admire thy awen which is so ready to gingle rimes upon all occasions.'[9] Roedd hefyd yn llenor 'parod', chwedl ei frawd, ar bob adeg. Iddo ef difyrrwch oedd barddoni, mynegiant o gwmnïaeth lenyddol ac o hynt a helynt bywyd personol. Yn ddiweddarach dôi'n gyfrwng mwy o ddifrif iddo. Ond roedd ei ymwneud â'r llawysgrifau a hynafiaeth y diwylliant barddonol, ynghyd â'i weithgarwch a'i ddiddordeb mathemategol, eisoes yn ei arwain i ystyried hanes dysg ac yn peri iddo feddwl ar lefel ddyfnach. Un o'i ysgrifeniadau cynnar oedd rhaglith at ei gydwladwyr a luniodd ym mis Mehefin 1729, ac yntau'n 28 oed: 'The following treatise is a preface to a book composed by me, L.M. entitlu'd *Ysulediad byr o'r holl gelfyddydau a gwybodaethau enwogcaf yn y byd.*'[10] Ddeng mlynedd ar hugain yn ddiweddarach ychwanegodd nodyn ar ymyl y dudalen: 'A poor preface indeed, says L.M. 1759.' Serch hynny, mae'n ddogfen dra diddorol i'r sawl sy'n ceisio deall meddylfryd yr awdur. Egyr y rhaglith gydag arwydd sicr o'i ymagweddu fod ei ddoniau ymhell uwchlaw'r werin bobl: 'Attochwi y rhai sy'n deall nattur y byd, sef philosophyddion, yr anrhegaf fy llyfr, ag nid at gyffredin werinos y wlad. Oblegid ni bydde hynny namyn taflu porthiant dan draed anifeiliaid anllywodraethus.' Eir ymlaen i ganmol 'cyfeillion . . . o ddiledryw waed Cymru' am helaethrwydd eu dysg:

> Ond hyn a ddywedaf, ag a brofaf o flaen y byd os bydd achos, fod rhai o'r cyfeillion rhag-ddywededig yn fyw heddyw, ag o ddiledryw waed Cymru, na welsant braidd ei cyffelyb erioed am y ddysgeidiaeth y bont yn broffesu – megis philosophyddiaeth a'i rhannau, peroriaeth, physygwriaeth, meddyginiaeth, llongwriaeth, a'r rhannau eraill o'r mathematicaidd gelfyddydau.

Mae'n sôn hefyd am ysblander y Gymraeg ac am urddas ei thras hynafol, a'i falchder ynghylch rhagoriaeth y Gymraeg dros ieithoedd eraill, yn arbennig y Saesneg. Mae'n hallt ei feirniadaeth o'r boneddigion am eu dibristod o'r Gymraeg, a cheir llawer o gyfeiriadau clasurol ac at ddysgedigion o Gymry. Roedd y themâu hyn yn nodweddiadol o'r dyneiddwyr, ac nid oes amheuaeth nad oedd ef wedi derbyn cryn dipyn gan feddylfryd ac arddull John Davies, Richard Davies, Edmwnd Prys, Gruffydd Robert, Siôn Dafydd Rhys, William Salesbury ac eraill y mae'n eu henwi. Dygir i gof eiriau enwog William Salesbury, 'Mynnwch ddysg yn eich iaith', yn *Oll Synnwyr Pen Kembero Ygyd* (1547), gan yr apêl hon a wnaeth Lewis i'r bobl gyffredin geisio addysg: 'Wrthit tithe y gwerin gwladaidd y dwedaf bellach, os oes genit ewyllys, ag os medri ddarllen, tyred yn nes a dysg. Ag oni fedri, cais ddysgu darllen gynta y galloch.' Yn wir, mae rhaglith Lewis yn efelychu rhagymadroddion ffurfiol dyneiddwyr Cymraeg yr unfed ganrif ar bymtheg.

Ystyriai Lewis *An Essay Concerning Human Understanding* John Locke, a gyhoeddwyd gyntaf yn 1690, yn un o drysorau ei lyfrgell.[11] Yn y rhaglith, cymhwysodd rai o syniadau Locke (1632–1704) at y Gymraeg. Wrth i Locke archwilio galluoedd amgyffrediad y meddwl dynol, ystyriodd yn ddwys bwnc priodoldeb geiriau at eu pwrpas. Cwynodd am ddiffyg geiriaduron a gwyddoniaduron, gan mai geiriau oedd yn cyfleu meddyliau deallusion, cwyn a rennid gan feddylwyr yng Nghymru a Lloegr fel ei gilydd, gan gynnwys Lewis Morris. Disgrifiodd Locke wrthrychau amgyffrediad fel 'cysyniadau', a allai fod yn 'syml' neu'n 'gyfansawdd'. Honnodd Lewis yn y rhaglith fod gan y Gymraeg fwy o eiriau na'r Saesneg a oedd yn cyfleu cysyniadau cyfansawdd ac felly ei bod yn rhagorach iaith:

> a phe i mynnwn, mi a ddangoswn eglurdeb ddigon o ragoroldeb ein iaith ni uwchlaw Saesonaeg, ar sylfaen a phrif bynciau Mr Lock[e] ei hun, megis yn y cyfansoddedig ddelwau hynny a eilw ef Complex Ideas; y cyfryw ag Enllyn, Pentyr, Cnawd, a llawer o'r cyffelyb, y rhai y mae ar y Saeson eisiau enwau iddynt.

Ysgogwyd Lewis gan y trin a'r trafod ar addasrwydd geiriau o ran troi cysyniad ffisegol (seiniau) yn gysyniad yn y meddwl i fyfyrio ar yr hyn a welai fel agwedd gyfoethog ar y Gymraeg nad oedd neb wedi sylwi arni o'r blaen:

> bod y Gymraeg yn llawn o eiriau cyfansoddedig yn y modd y dwedais uchod; sef â'r sŵn yn attebol i nattur y gwraidd-beth, megis pan arwyddoceir rhyw beth ffiaidd, budur, aflan, neu anghytunol; chwi gewch eiriau a'r lythyren *ch* ynddynt yn aml iawn.

Nododd enghreifftiau o'r fath eiriau, megis 'crach-boeri', 'chwerw', 'echryslon', 'cuchio', 'pechod', 'tuchan', 'grwgnach' ac 'ymgeintach', a byddai'n cael ei ddenu at ledu fel hyn yn ei ysgrifennu droeon. Ym-helaethodd ar y pwynt hwn:

> Sŵn y llythyren hon, *ch*, fal y gŵyr pawb a'i clowo, sydd yn dwyn gida hi ryw anghytundeb neu ffieidd-dra, drwy ferwino'r glust â'i garwdra, ag

megis pe bae dyn yn crachboeri wrth siarad, neu'n chwyrnu mewn gwddw, a hyn a bair i'r Gymraeg fod mor gas gan fursennod, y rhai y mae ei gyddfau yn fwythus feddal a thyner; ond i'r iawn farnwr mae hyn gan belled o fod yn waradwydd i'n hiaith, fal y mae o'r tu arall yn odidowgrwydd mawr iawn ynddi, ag yn dra naturiol.

A chan gyfeirio at y llythyren 'r', meddai: 'Mae Dafydd ap Gwilym yn dangos ei orchest ynghowydd y daran, mal braidd y diangc dyn a'i ddanedd yn gyfa' wrth ei draethu, gan gnycciog eiriau trawseirwon, yn ymgyphelybu i sŵn taranau yn syrthio ar draws ei gilydd.' Datganodd yn dra dadlennol ar ddiwedd y rhaglith:

Nid ellir ein galw ni yn bobl drechadwy, canys cyttundeb ac amodau heddwch a dynnwyd rhyngom ni a'r Saeson, ac fod i'r mab hynaf i'r brenin fod yn dywysog Cymru, ac mae i ni yr un rhyddid â Lloegr yn ein holl gyfreithiau; heblaw ein bod yn cael dilyn ein hen arferion gynt, y rhai ŷnt mor gadarn a chyfreithiau. Pa beth gan hynny a fynnem gael, oddi eithr i ni fal yr Israeliaid, weiddi am frenin arnom, yr hyn ni atto Duw tra gwelo yn dda roddi i ni y llywodraeth yr ydym dani.[12]

Yr oedd y fath geidwadaeth a'r fath deyrngarwch i'r drefn wleidyddol, a'r meddwl cymysg hwn, yn nodweddiadol yn y ddeunawfed ganrif. Gallai'r geiriau uchod yn hawdd fod wedi dod o ysgrifbin Theophilus Evans neu Twm o'r Nant. Barnwyd mai rhyddfreiniad a ddaeth yn sgil y Deddfau Uno, ac ni theimlid bod Lloegr yn gormesu ar Gymru. Ochr yn ochr â'r deyrngarwch i'r uniad â Lloegr ac i'r llinach Hanoferaidd, roedd gan Lewis a'i frodyr wladgarwch Cymreig 'diwylliannol' angerddol a dirmyg yn aml tuag at Saeson.[13] Yr oedd y Morrisiaid yn wŷr nodweddiadol o'r Oleuedigaeth, yn rhoi pwys mawr ar sefydlogrwydd cyfansoddiadol ac yn casáu cythrwfl gwleidyddol a phenboethni crefyddol.

Ysgrifennodd Lewis ei ddau gywydd hwyaf tua 1729/30. Y meithaf o'r ddau (180 llinell) oedd 'Cywydd i ofyn dillad, tros William Dafydd, a elwid yn gyffredin Bol Haul, gan y Dr Edward Wynne, o Fodewryd ym Môn', a luniwyd tua 1729. Yn yr un modd ag y nyddodd Siôn Tudur nifer o weithiau yn dychanu Rhys Grythor yn yr unfed ganrif ar bymtheg, lluniodd Lewis nifer o weithiau yn gwawdio William Dafydd, ysgolfeistr yng Nghaergybi. Yn ogystal â'r 'Cywydd i ofyn dillad', ceir dwy gerdd yn y mesur rhydd a dau ddarn rhyddiaith. Rhoddodd y gerdd hon gyfle iddo ganu clodydd Edward Wynne (1681–1755), canghellor esgobaeth Henffordd er 1707 a pherchennog stad Bodewryd:

> Afraid tros ben oedd enwi
> Eich breiniau a'ch achau chwi:
> Odid fod neb nad edwyn
> Trwy'r iaith enw'r Doctor Wynn.

> (*DT*, tt. 97–103)

Ni ellir dweud na allai Lewis ymglywed ag eironi, fel y dengys y darn canlynol yn cyfeirio at 'Bol Haul':

> Meddyliais, fal meddalwr,
> Ar henwi'n frau gampau'r gŵr;
> Fy swydd sydd fal rhifo sêr,
> Ni henwn byth mo'u hanner;
> Constrio Ofydd, bydd yn bêr,
> A hymio uwch ben Homer.

Rhoddir sylw pellach i William Dafydd druan yn y gerdd rydd 'Cwynfan Bol Haul, pan attaliodd y Pannwr y Brethyn yn y Pandy, a ddarparwyd iddo gan Mrs Wynne o Fodewryd, yn ôl Deisyfiad y Cywydd i ofyn dillad. Ar Fesur, Gadael y Tir'. Tri chlymiad o awdl-gywydd ydyw, gyda phob pennill yn cloi â'r gair 'pannwr':

> Fy nghymdeithion, dowch yn nes,
> Gwrandewch ar gyffes gwanwr,
> Er caffael addewidion hael,
> Sydd heddiw'n wael ei gyflwr;
> Fal llwdn tinllwm ar gefn rhos
> Yn poeni, o achos pannwr.

> (*DT*, tt. 103–4)

Mae'r gynghanedd ar gefn ei cheffyl mewn cerdd 'rydd' arall 'I ofyn Yspectol tros William Dafydd'. (Nid oedd cerddi yn gofyn ysbectol yn anarferol yn y cyfnod hwn – lluniodd tad-cu a thad Goronwy Owen englynion i ofyn ysbectol gan Richard Morris, y naill yn 1726 a'r llall yn 1733.[14])

> Rhowch yn fwyn ar drwyn oedrannus
> Deudwll o wydr didwyllodrus;
> Mi 'cadwa'n rhamant ar fy nhremyn
> Fal iocyn trwch ar fwch neu fochyn.

Hyd fy nhrwyn melynwyn anferth
Yw deng modfedd, ddyn di'madferth,
A'i ben yn codi ynghanol cudyn,
Fal craig foel ar wastad dyffryn,
Od mor uchel yw ei wrychyn!
Ar gopa hwn pei cawn ysbectol
A dwy fodrwy dew anfeidrol,
Cawn ymorol, cyn fy marw,
Ple cawn gyrraedd plwc o gwrw,
Fe'm gwnae hyn fi'n geryn garw.

(*DT*, tt. 109–11)

Mae'n bortread diniwed a digrif o William Dafydd, mewn cerdd sy'n darllen yn llyfn ac esmwyth.

Cywydd ymddiddan sylweddol (164 llinell) rhwng y bardd a malwen yw'r ail gywydd, sef 'Cywydd i yrru'r falwen yn gennad at Wiliam Bwlclai o'r Brynddu ym Môn, Esq; oddi wrth Lewelyn Ddu, Swyddog o'r Dollfa Frenhinol yng Nghaergybi', a luniwyd tua 1730. (Cofier i Lewis, a oedd yn dywyll ei bryd, ddewis galw ei hun yn 'Llewelyn Ddu o Fôn'.) Roedd y dyddiadurwr William Bulkeley yn gryn gyfaill iddo pan oedd yn gasglwr tollau yng Nghaergybi. Fel mae teitl y gerdd yn awgrymu, mae'n rhoi rhyddid llwyr i'w ddychymyg bywiog yn y gerdd hon. Disgrifia'r daith o Gaergybi i dŷ'r uchelwr William Bulkeley ym Mrynddu yn Llanfechell. Mae *Dychanau* Horas, i. 5, yn sôn am y daith i Brundisium, sy'n cynrychioli diwedd saga maith a heol hir, sef y rhwyg rhwng llywodraethwyr a blynyddoedd o ryfeloedd cartref gwaedlyd a ddaeth i ben trwy ddiplomyddiaeth Maecenas. Cyfeiriodd Lewis at daith Horas i Brundisium mewn cerdd arall fel 'ei daith o Rufain i'r Bryn du'.[15] Er mwyn i'r falwen gwblhau'r dasg a chyrraedd 'plas urddaswch' Brynddu, rhaid oedd croesi afon Maddanen. Mae'r bardd yn annog y falwen i groesi yn llwyddiannus yn y modd athletaidd hwn: 'Neidia'n lân ddwfr Maddanen.' Rhydd y gerdd gyfle i Lewis ganu clodydd William Bulkeley, ei ganmol am ei wybodaeth o'r clasuron a gweithiau Beirdd yr Uchelwyr:

Oes gerdd yn Horas nas gŵyr
Nac oes, un – â gwiw synnwyr?
Pwy ddatglymai ddychymyg,
Groyw hoffaidd graff Gruffudd Gryg,

> Neu ddichon ddatod dichell,
> O gwlm wawd mab Gwilym well?

(*DT*, tt. 111–16)

Yn ddiweddarach yn y gerdd erfynnir ar Bulkeley i ymatal rhag rhoi gormod o'i gwrw cryf i'r bardd Siôn Rhydderch, rhag ofn iddo farweiddio ei awen.

> Bir Brynddu, burwobr iawnddysg,
> O'i fodd a ddallodd ei ddysg;
> Cwtiodd ei dafod clodfawr,
> Fal telpyn marworyn mawr;
> Ef a ddeifiodd ei ddwyfoch,
> A'i lygad a gad yn goch.

Gofynnwyd i'r falwen ei ddarbwyllo i yfed o 'Ffynnon'r Odyn':

> Alwyn, ran ei ddau olwg,
> A galwyn dros ei drwyn drwg.

Fel diolch am y cyngor 'rhagorawl' hwn mae Lewis yn deisyfu 40 galwyn o gwrw iddo ef ei hun! Cywydd ysgafn galon ydyw, gyda'r defnydd anghonfensiynol o batrwm y cywydd llatai yn cyfrannu i'w newydd-deb a'i ddiddordeb.[16] Mae'n bosibl yr ysbrydolwyd ef i lunio'r 'Cywydd i yrru'r falwen' ar ôl darllen gweithiau gan Tomos Prys o Blas Iolyn (*c.*1564–1634). Er enghraifft, pan oedd yn Iwerddon lluniodd Prys gerdd i'w forwyn yn Ninbych, gan ddefnyddio'r wennol fel llatai. Lluniodd hefyd gerddi yn anfon eryr, llygoden, llamhidydd a chog.[17] Roedd Prys yn gymeriad lliwgar, ac er nad oedd yn rheng flaen beirdd ei gyfnod, roedd ei weithiau yn fywiocach, yn llai treuliedig ac yn fwy digrif na gweithiau llawer o'i gyfoeswyr proffesiynol. Gwyddom fod Lewis yn gyfarwydd iawn â gweithiau Prys. Rhestrir 'Thoˢ Prys's works' ymhlith ei lyfrau a'i lawysgrifau.[18] Yn llawysgrif BL Add. 14872, ceir casgliad o weithiau Tomos Prys, llawer ohono yn llaw Lewis Morris, gyda rhagair ganddo, a chynhwysodd 'Cywydd y Chwannen' gan Prys yn *Tlysau yr Hen Oesoedd* (1735). Dylanwadodd cywydd Lewis yn anfon y falwen i'r Brynddu ar Hugh Hughes a'i gywydd caboledig, 'Traethawd ar ddull ymddiddan rhwng y bardd a'r biogen gan ei hanfon at Lywelyn Ddu o Gybi, gan ddeisyf benthyg y Delyn Ledr, sef llyfr o gasgliad y prifeirdd'.

Roedd Lewis yn llawn cynlluniau a chafodd y weledigaeth fawr o

gasglu'r holl lawysgrifau Cymraeg ynghyd mewn un llyfrgell. Myn-
egwyd hyn yn ei 'Gynigion' printiedig, 26 Mawrth 1732, yn gwyntyllu'r
syniad o sefydlu argraffwasg yn Llannerch-y-medd, gyda Siôn Rhydderch
â'i brofiad helaeth fel argraffydd, gan anelu at gael tanysgrifwyr i
gyfrannu gini y flwyddyn i gynnal y fenter. Roedd Lewis yn graff
wrth ddewis Llannerch-y-medd fel lleoliad y wasg argraffu, oherwydd
roedd y dreflan yn ganolfan bwysig ac ar ei phrifiant. Ceid yno eisoes
lyfrwerthwyr, llyfr-rwymydd a llawer o ddarllenwyr. Nododd Lewis:
'Llanerchmedd is a market town, consisting 1732 of 50 houses or
families, being the best market in Anglesey situate near ye center of y^e
island.'[19] Barnai fod y lle yn aeddfed ar gyfer sefydlu gwasg argraffu.
Roedd yn ymwybodol fod trafferthion teuluol wedi gorfodi Siôn
Rhydderch i roi'r gorau i'w swydd argraffydd yn yr Amwythig yn 1728,
a'i bod yn gyfyng arno o ganlyniad. Ar ôl hynny y trawodd Lewis ar y
cynllun o sefydlu gwasg. Yn y tudalen o 'Gynigion' dywedir y byddai
elw'r wasg yn mynd at gynnal Siôn Rhydderch, oedd yn 59 oed, hyd
ddiwedd ei oes; ar ôl hynny, roedd yr elw i'w ddefnyddio i sefydlu a
chynnal ysgol yn Llannerch-y-medd i ddysgu pobl i ddarllen. Nodir
pymtheg o amodau yn y 'Cynigion', sy'n dechrau: 'The proposer [Lewis
Morris] will provide a new press after the Dutch fashion, a new fount of
full pica letter, cast by the best hands: and all other materials requisite
for one fount of letters.' Prynodd Lewis wasg argraffu yn Llundain neu
Ddulyn, ond er mawr siom iddo fe gefnodd Siôn Rhydderch ar y fenter
cyn iddi gael ei thraed 'dani a chyn gosod y wasg i weithio yn iawn.
Ergyd arall oedd marwolaeth un o noddwyr y wasg, William Owen o
Benrhos, Caergybi, yn Ebrill 1733. Ddeufis yn ddiweddarach bu'n rhaid
i Lewis wynebu'r trallod o golli ei wraig. Ni fu'r briodas rhyngddo ac
Elisabeth Griffith yn un esmwyth iawn, ond bu farw hithau heb
gyrraedd ei hugain oed a'i chladdu yn Eglwys Rhoscolyn ar 21 Mehefin
1733, gan adael stad fechan Tŷ Wridyn yn Rhoscolyn a thiroedd eraill
ym Môn yn gynhysgaeth i'w phlant ond yng ngofal Lewis. Rhaid oedd
iddo ymgeleddu ei ddwy ferch fach ac ymroi yn orau y gallai i ailgyfannu
ei fyd. O ganlyniad i hyn oll, aeth un arall o 'Gynigion' 1732 i'r gwellt,
sef sefydlu siop lyfrau yr oedd mawr ei hangen, yn Llannerch-y-medd i
werthu Beiblau a Llyfrau Gweddi ymysg eraill. Ond nid oedd Lewis yn
un i wangalonni a symudodd y wasg i Gaergybi, ac yno, yn 1735, y
cyhoeddodd Tlysau yr Hen Oesoedd, fel y cawn weld yn nes ymlaen. Bu
farw Siôn Rhydderch ym mis Tachwedd 1735.

Dyma oedd amod rhif 15 yn y 'Cynigion':

All publishers from this press, will be obliged to deposit one copy of every impression in a publick library, which is to be here founded, and furnish'd with valuable M.S.S. and whatever else may be thought curious and worthy of notice, tending to the improvement of the said school (Welch Free School) or the publick in general.[20]

Er na wireddodd Lewis ei freuddwyd, ysbardunwyd ei frawd Richard i gasglu ynghyd lawer o lawysgrifau Cymraeg yn Llundain, ac fe'u cyf-lwynwyd maes o law i'r Amgueddfa Brydeinig. Ar wynebddalen a luniodd Lewis i un llawysgrif, eglurodd mai ei brif resymau am ddiogelu llaw-ysgrifau oedd y 'canu mawl i Dduw' a geir ynddynt, gwarchod purdeb y Gymraeg a chadw'r cof am hanes Cymru:

Godidowgrwydd y cyfryw hen ganiadau a rhain sydd yn y tri pheth hyn, nid amgen ynghynta o ran canu mawl i Dduw a dysg i'r gwerin yw addoli (oblegid cofia pob dyn bennill o gerdd).

Yn ail er mwyn cadw yn ei phurdeb yr hen ardderchog Frutaniaith yr hon na bu dim cwilydd ar ein hen deidiau gynt ei chyffesu: er bod yn ein dyddiau ni ymbell ysgogyn balch yn ei gwadu a'i dibrisio.

Yn drydydd er mwyn cadw coffadwriaeth o weithredoedd a rhyfeloedd ein hen deidiau, fal y galler cyfansoddi historiau'r cynoesoedd; yr un modd y gwnaent y Rhufeinwyr a'r Groegiaid gynt, tyst o *Tullius Cicero*.[21]

Ond ni lynai yn gyson at y cywair uchel hwn. Câi flas dihysbydd ar y chwerthinllyd. Ar ddiwedd llythyr at y meddyg Richard Evans yn 1730, yn traethu ar yr ebychair mewn Cymraeg, Groeg, Ffrangeg, Hebraeg, Lladin, Portiwgaleg a Sbaeneg, mae'n gorffen fel a ganlyn:

wîch, wâch, yn forau yn hwyr, lincyn loncin, malpai cyn-ddewred: yn groes i gyd, yn ddiog byth, yn frwnt iawn, un [sic] ferchedaidd, yn ddrew-llyd, yn ymladdgar erioed! Wfft! Wfft! Wele dyma fal hyn unwaith agos yn ffraeth fe allai: a'i nid ie?

wew, wew, wew,
Ha, ha, ho, ho.[22]

Nid yn aml y gwelir awdur yn ysgrifennu deunydd disynnwyr yn fwriadol![23] Roedd Richard Evans yn ei elfen yn darllen y math hyn o ddeunydd, fel y tystia llythyr arall ato gan Lewis, tua 1733, sy'n dechrau fel hyn: 'Mi dderbyniais lythyr oddiwrthych ddoe oedd debygcach i ddyfod o Fedlam nag oddiwrth ddyn ynghanol ei gof.'[24] Mae'r llythyr

hwn yn cadw momentwm eu gohebiaeth flaenorol, ac mae Lewis snob-
yddlyd yn mynd yn ei flaen i alw'r 'Hen Ronw' (sef Gronw Owen y
tincer, tad-cu y bardd enwog) yn 'Esgob Bangor' am iddo fod yn warden
Festri Llanfair Mathafarn Eithaf am gyfnod, ac yn ei watwar ymhellach
trwy ddweud iddo fwyta ceffyl:

> Fe iachawyd Gronw Esgob Bangor wrth y cyffelyb beth a hyn. Rhiwallon
> Feddyg oedd ŵr cyfarwydd ddigon, fe wyddai oddiwrth ba achosion y dae
> bob clefyd; daeth i edrych am yr Esgob Ronw ar yr hwn yr oedd rhyw
> glefyd cuddiedig iawn; fe chwilia Riwallon am esgyrn hyd lawr y stafell a'i
> fryd ar ddywedyd (fal y dysgasid ef) mae'r cig a'r cig a wnaethai'r gŵr yn
> glaf; ond beth debygach 'i a welai ef dan y gwely ond hen gyfrwy'r Esgob,
> myn d---l (eb ef), Mr Esgob, bwytta ceffyl a wnaethoch a hynny yw achos
> eich clefyd; ar hynny fe chwarddodd yr Esgob gymaint hyd na thorrodd y
> postwm cuddiedig oedd yn ei fol. A ydych 'i yn siŵr na fwytasoch
> chwithau gythraul, oblegid rwy'n meddwl weled rhai o'i esgyrn uffernol
> ef yn eich llythyr?

Mae'n ddiddorol fod Lewis yn cyfeirio at Riwallon Feddyg, un o
Feddygon Myddfai, y ceir eu hanes mewn cyfres o destunau meddygol
canoloesol ac mewn swynion poblogaidd.[25] Y cynharaf ohonynt yw'r
testun a geir yn llawysgrif BL Add. 14912, llawysgrif a fu ym meddiant
Lewis ac y lluniodd nodiadau a mynegai iddi.

Er nad oedd Lewis yn byw yn bell iawn oddi wrth Dr Richard Evans o
Lannerch-y-medd ac yn mwynhau cryn dipyn o'i gwmni, roeddynt hefyd
yn gohebu â'i gilydd yn gyson. Mewn llythyr ato yn amgáu'r cywydd
'Ymddiddan rhwng Llewelyn Ddu o Fôn a Chath Dr. Llannerch-y-
medd', cyfeiriodd at yr anifeiliaid anwes yng nghartref y meddyg:

> Ond gan na wnaeth y llythyr a yrrais at y ci cwttyn mo'ch cwbl ymendio;
> dyma lythyr at y gath bach fe allai y gwna hwnnw'r gwaith, mi ryfygais
> roi ei hattebion hi i lawr fy hunan canys mi wn mai dyna fal yr ettyb hi,
> cystal a phed fawn yn y fan.[26]

Collwyd y llythyr a anfonwyd at gi'r meddyg ond goroesodd y llythyr at
Ditw'r gath. Gellir esbonio'r is-deitl 'In Imitation of Montaigne' gan
fod Montaigne wedi cwestiynu'r dyb ymfoddhaus fod pobl yn rhagori
ar anifeiliaid a'i fod yn ystyried bod anifeiliaid yn ddeallus yn yr un
ffordd ag y mae bodau dynol yn ddeallus: 'Quand je me joue à ma
chatte, qui sait si elle passe son temps de moi plus que je ne fais d'elle?'[27]

Dechreuir yr ymddiddan, hen ffurf lenyddol, gyda 'Llewelyn' yn annerch y gath:

Llewelyn	Henffych y gath hudlath hen,
	Dôn fer fach denau farfen,
	Syber dy wawd, sobr dy wedd,
	Gathen wan, gethin 'winedd.

| Titw | Llygod i chwi, i.e. I thank you, Sir. |

Llewelyn	Mynych y byddi mwynen,
	Yn rhwbio 'mbwyo dy ben
	Ynghoes dy feistir, dir dôn,
	Gwenffol dan droi dy gynffon.

| Titw | mw, mw, mw, i.e. I move, I move.[28] |

Mae atebion y gath yn gymysgedd o Gymraeg a Saesneg, ac weithiau mewn cynghanedd. Yma eto, defnyddir y mesurau traddodiadol Cymraeg ar gyfer math newydd o lenyddiaeth gan Lewis. Yn aml byddai'n defnyddio'r confensiwn o arwyddo ei gerddi 'Llewelyn Ddu a'i cant', gan ddefnyddio hen ffurf trydydd unigol gorffennol y ferf 'canu', ond arwyddir y gerdd hon 'Llewelyn Ddu a'r Gath a'i cant. N.B. I am not to answer for yᵉ cat's poetry'. Yn y cyd-destun hwn, dylid cofio sylwadau Lewis ar ddiwedd llythyr yn anfon y gerdd ysgafnfryd yn y mesur rhydd 'Y Dyn Anesmwyth' ar 30 Mawrth 1739: 'Dyma 'sgrifennu ynghynta, a chwilio am y synnwyr gwedi hynny. Boileau in verse and Montaigne in prose are my authorities.'[29] Roedd gan awduron a beirniaid Saesneg yn niwedd yr ail ganrif ar bymtheg a'r ddeunawfed ganrif barch mawr at waith y bardd a'r beirniad Boileau a'r ysgrifwr Montaigne.

Ysgrifennodd Lewis lythyr digrif yn 1734 yn enw 'Owen ab Gronw du, corphilyn bardd o wlad Fôn' neu'r rhigymwr, eurych a saer Owen Gronw, tad Goronwy Owen.[30] Cyfeiriwyd y llythyr 'At yr holl hynawsaidd Fruttaniaid a garent degwch ag iaith ein gwlad . . .' gan annog beirdd i ganu clodydd y meddyg Richard Evans (un o ffrindiau gorau Lewis, fel y gwelwyd) am ddifa pla o ddefaid ar wadnau traed Owen Gronw yng ngaeaf 1733. Oherwydd nad oedd gan yr eurych arian i dalu'r meddyg fe addawodd ganu iddo 'lonaid croen ci cynddeiriog o gywyddau ac englynion'. Gan na wasanaethodd yr awen ef, nid oedd modd iddo gadw ei addewid a phenderfynodd lunio llythyr yn cymhortha englynion diolch.

O ganlyniad, lluniodd dros ddwsin o feirdd dros ddeugain o englynion, sydd yn dwyn i gof yr arfer canoloesol o 'gyff clêr'. Oni bai fod Dafydd Jones o Drefriw wedi cofnodi cynnyrch yr ymryson hwn byddid wedi eu colli am byth. Er na cheir enw Lewis ar ddiwedd y llythyr, nid oes amheuaeth nad ef yw'r awdur. Mae stamp ei arddull a'i ddawn i ddychanu yma. Cymharer, er enghraifft, y sylw canlynol yn y llythyr: 'Pan oedd y Lleuad a'r sêr yn ymryson pwy o honynt a roe fwya o oleuni a'r Haul gwedi mynd i wlad y Gwyddelod i gymeryd cywtyn . . .' gyda'r dyfyniad yma o'i ddychanwaith 'Seren Cwlwm Dog': 'Dyma'r Haul yn yfed cantoedd o dunelli o gyfeiti bob dydd y codo fo o'i wely, ag er hynny mor sychedig hyd nad yw môr y 'Werddon yn ddigon bychan iddo wrth erchwyn 'i wely bob nos.' Mae'r gosodiad canlynol hefyd yn nodweddiadol ohono: 'yn dyfal weddïo ar i'r gwŷr eglwysig gynyddu mewn doethineb.' Defnyddir cymariaethau diddorol i ddisgrifio'r defaid a ymlidiwyd ymaith: 'amryw fryniau bychain tebyg i eirin perthi, neu fwyar duon, neu gagl geifr ag hiliasant fy nhraed ôl.' Mae rhywbeth cynhenid ddigrif am yr enw personol 'Pegi Tomos Jones' (ceir cymeriad o'r enw 'Pegi Twm Jones' yn 'Llythyr Mari Benwen' a drafodir ym mhennod 4). Ceir yma gyfeiriad at 'Dick o'r waun', cymeriad sydd hefyd yn 'A description of a Welsh Christening'. Mae'r sylw difrïol am y bardd Robin Clidro, yn ei gysylltu ag Owen Gronw, hefyd yn nodweddiadol. Lewis hefyd oedd awdur englynion diolch 'Brochwel Ysgithrog o Lan y Gwyddyl', sef Caergybi, lle trigai yn 1734:

> O annwn daeth, gwn, wyth gant – o ddefaid
> I ddifa bardd methiant;
> At ei fysedd tyfasant.
> Digon siŵr y digien' sant! . . .

> Cymwys ar air mwys roi mawl – i'r meddyg
> A wŷr maeddu diafawl;
> 'Mhob rhyw fodd mab rhyfeddawl;
> Garw o ddyn a gurai ddiawl.

Gellir ystyried adfywiad clasurol y ddeunawfed ganrif fel parhad o awydd y Dadeni i ddod â dysg glasurol i mewn i lenyddiaeth Gymraeg a pharhad o gred gwŷr llên y Dadeni mewn dysg a llên fel ffynhonnell gwareiddiad. Ond erbyn y ddeunawfed ganrif y gwahaniaeth pwysig yw bod y traddodiad barddol canoloesol wedi dod i ben. Term a ddefnyddir i ddiffinio'n fanylach syniadaeth glasurol y ddeunawfed ganrif yw 'newydd-glasuriaeth'. Cyrhaeddodd newydd-glasuriaeth Lloegr ei hanterth yn yr 'Oes Awgwstaidd' (1680–1740) ac fe'i mynegir yng ngweithiau Dryden, Pope, Addison, Swift a Johnson. Ysgogwyd hwy i ddarllen gweithiau eu rhagflaenyddion mwyaf hyglod, megis Milton, Spenser a Chaucer, yn ogystal â champweithiau Groeg a Rhufain. Roedd y newydd-glasurwyr Cymreig nid yn unig yn ceisio cysylltu eu gweledigaeth a'u mynegiant artistig â chlasuron Groeg a Rhufain, ond hefyd â gorchest-weithiau clodwiw llenyddiaeth Cymru, yn arbennig gwaith Beirdd y Tywysogion a Beirdd yr Uchelwyr. Nid yw'n syndod i Lewis Morris ac eraill droi yn aml at un o gewri ei draddodiad ei hun, Dafydd ap Gwilym, am ysbrydoliaeth. Felly yr oedd ystyr deublyg i'r gair 'clasurol' yng Nghymru'r ddeunawfed ganrif, yn cyfeirio at fodelau allanol a brodorol, a diau i Lewis gael gafael ar hyn oll yn y frawdoliaeth lenyddol ym Môn ac ymysg y llenorion-offeiriaid a fu yn Rhydychen.

Pwysleisiai syniadaeth newydd-glasurol swyddogaeth gymdeithasol llenyddiaeth a mynegiant ffeithiau cydnabyddedig mewn ffurf ddelfryd-ol. Roedd newydd-glasuriaeth hefyd yn golygu ymlyniad wrth ganonau a phatrymau cydnabyddedig o gyfansoddi, megis y defnydd o fesurau'r englyn a'r cywydd a'r ymgais i adfywio celfyddyd y gynghanedd gan feirdd fel Lewis Morris, Goronwy Owen ac Ieuan Brydydd Hir, ac ail-wampiad Edward Richard o'r *genre* bugeiliol. Yn Lloegr yn ogystal datblygwyd y gerdd Bindaraidd gan Thomas Gray, a daeth y cwpled arwrol mor gyffredin drwy ddefnydd beirdd megis Dryden a Pope fel y daeth i nodweddu'r cyfnod. Eu cynnwys yn hytrach na'u ffurf sydd yn gwahaniaethu newydd-glasuriaeth a llenyddiaeth Awgwstaidd. Gwelwyd pwyslais yn yr ail ganrif ar bymtheg a dechrau'r ddeunawfed ganrif ar farddoniaeth grefyddol yn ymwneud â phynciau moesol ac athronyddol. Bwriad Milton, er enghraifft, wrth lunio *Paradise Lost* oedd dehongli cynllun mawr Duw i'r werin bobl. Daeth Goronwy Owen i fod yn brif gynheiliad Awgwstiaeth yng Nghymru. O'r holl farddoniaeth a ddarllen-odd, barnodd mai *Paradise Lost* Milton oedd 'the grandest, sublimest piece of poetry in the universe'.[31] Roedd ei organmoliaeth o Milton, a'r termau beirniadol a ddefnyddiodd i ddisgrifio'i brydyddiaeth, yn ad-leisio barn a fynegwyd gan lawer yn yr Oes Awgwstaidd. Ar y llaw arall, ar ddynolryw yr oedd pwyslais y newydd-glasurwyr. Mewn geiriau cofiadwy, datganodd Alexander Pope yn ei *Essay on Man* (a gyhoeddwyd yn 1732–4) syniad a oedd wedi cael cylchrediad eang am sawl canrif ac a oedd yn adlewyrchu safbwynt y newydd-glasurwyr:

> Know then thyself, presume not God to scan;
> The proper study of Mankind is Man.[32]

Os am ddeall dynoliaeth fel cyfanrwydd, awgrym y cwpled yw bod yn rhaid dechrau trwy ddeall yr unigolyn. Arweiniodd pwyslais y newydd-glasurwyr ar ddynoliaeth at y drafodaeth ar gyffredinedd pobl a barhaodd am y rhan fwyaf o'r ddeunawfed ganrif.

Y deallusyn grymus Isaac Newton (1643–1727), yn anad neb arall, a oedd yn ennyn parch ac edmygedd yn y ddeunawfed ganrif. Ef sy'n gyfrifol i raddau helaeth am y syniad o fydysawd trefnus yn symud yn unol â rheolau digyfnewid y gellid eu hesbonio drwy gyfrwng mathemateg a ffiseg. Wedi sefydlu hynny, cam bychan oedd tybio mai campwaith Duw oedd y rheolau pendant hynny a'r drefn ddaionus – *bienfaisance* y Ffrancwyr – a'r cytgord a fodolai yn y bydysawd. Lluniodd Lewis y cwpled ystrydebol hwn ar farwolaeth Newton:

> Ambitious man! What makes you look so high?
> The great as well as small are doom'd to die.[33]

Roedd ysgolheictod yn ystod y cyfnod hwn yn dechrau ymwneud yn bennaf â ffeithiau a ffigurau, gyda gwirioneddau gwyddoniaeth. 'Le siècle des lumières', canrif y goleuadau, oedd y ddeunawfed ganrif yn Ffrainc, a'r 'age of enlightenment' yn Lloegr. Yng Nghymru, fel yn y gwledydd hynny, seiliwyd y goleuni rhesymegol a gwyddonol hwn ar wirionedd gwrthrychol, gyda theclynnau gwyddonol yn datguddio'r mawr a'r mân. Dyma oes y meicrosgop (cyfrwng i weld 'rhyfeddodau annhraethadwy', ac ymhen blynyddoedd byddai Lewis hyd yn oed yn dyfeisio'i feicrosgopau ei hun[34]), yr ysbienddrych (roedd Lewis ac Ellis Wynne yn meddu ar y symbol hwn o'r wyddoniaeth newydd, offeryn a'u galluogodd 'i weled pell yn agos, a phethau bychain yn fawr', ys dywedodd y Bardd Cwsg) a'r drych. Yn llyfrgell Lewis, ochr yn ochr â chyfrolau megis un Joseph Walker, *Astronomy's Advancement, being a treatise of telescopes* (Llundain, 1684), ceid offer megis globau a theodolitau, a disgrifiodd yn ei lawysgrifau sut i ddyfeisio baromedrau ac awrwydrau.[35] Yn yr ymrafael rhwng yr 'hen' a'r 'newydd', roedd amddiffynwyr goruchafiaeth y newydd yn apelio at yr ysbienddrych a'r meicrosgop. Y farn gyffredinol, yng ngeiriau Locke, oedd mai golwg oedd 'the most comprehensive of all our senses'.[36] Cynorthwyodd *Opticks* Newton (roedd gan Lewis gopi o'r gyfrol hon, y llyfr mwyaf dylanwadol gan ddarganfyddwr trefn ryfeddol creadigaeth Duw) i godi seicoleg gyflawn o ganfyddiad o gwmpas cynneddf gwelediad.

Roedd Lewis felly yn ymwybodol o'r datblygiadau eithriadol mewn mathemateg a 'rhifyddeg', ac yn y gwyddorau cemegol, ffisegol a bywydegol yn ail hanner yr ail ganrif ar bymtheg a dechrau'r ddeunawfed. Cafodd ei ddwylo ar gopi o *Sylva Sylvarum* Francis Bacon (1561–1626), cyfrol bwysig yn hanes astudiaethau gwyddonol.[37] Roedd meddwl beirniadol a chwilfrydig Lewis a'i dueddfryd i edrych tuag at y dyfodol yn adlewyrchu ysbryd yr oes. Treiddiodd darganfyddiadau'r gwyddonwyr trwy ymwybyddiaeth y cyfnod ac arweiniodd ymhen amser at newidiadau sylfaenol mewn ymagweddiad llawer cylch o feddwl. Serch hynny, proses graddol ydoedd, ac fe adawodd y llif cynyddol o wybodaeth lawer poced o anghymodlonedd a difaterwch. Roedd ofergoeliaeth a dewiniaeth yn rymoedd arwyddocaol mewn cymdeithas a nododd Lewis y 'strong effects superstitions have upon men'.[38] Ar ôl iddo symud i Geredigion, daeth i gredu mewn rhai o ofergoelion y sir, megis y cnocwyr talismanaidd yn y pyllau mwyn a'r bwgan yn Hafod Uchtryd, Cwmystwyth.[39] Ymhen amser, sicrhaodd fod ymchwilio i ofergoelion Cymru ymhlith amcanion Cymdeithas y Cymmrodorion.

Yn yr un modd ag yr oedd Lewis yn barod i arddel meddylfryd y wyddoniaeth newydd a'i gweithredu'n ymarferol, roedd hefyd yn eiddgar i ymwneud yn ymarferol â'r datblygiadau pellgyrhaeddol ym myd argraffu. Yn 1695, diddymwyd yr olaf o'r deddfau a gyfyngai argraffu llyfrau yn Lloegr i'r brifddinas a'r dwy brifysgol a dechreuodd argraffwyr symud i drefi megis yr Amwythig (prif ganolfan cyhoeddi llyfrau Cymraeg yn hanner cyntaf y ddeunawfed ganrif) a Chaerfyrddin. Agorwyd y llifddorau, a chyhoeddwyd llu o almanaciau a baledi, cerddi rhydd a chanu caeth, ac fe'u darllenid yn eang a'u gwerthfawrogi. Roedd pobl fel Thomas Jones, awdur y geiriadur Cymraeg–Saesneg â'r teitl addas, *Y Gymraeg yn ei Disgleirdeb* (1688) a Siôn Rhydderch, ill dau yn benderfynol o roi bywyd newydd i'r Gymraeg trwy gyhoeddi almanaciau a baledi a fu'n hynod lwyddiannus yn bodloni chwaeth y werin bobl a hefyd yn cael effaith iachusol ar lefelau llythrennedd. Dyma hefyd asgwrn cefn y farchnad lyfrau Cymraeg a dyfodd yn un egnïol a bywiog.[40]

Gwelodd yr athrylithgar a'r ymroddedig Griffith Jones mor anaddas oedd ysgolion sefydlog Seisnig i rieni o Gymry uniaith Gymraeg a oedd yn rhy dlawd i fedru talu i'w plant fynychu'r ysgolion sefydlog drwy'r flwyddyn. Deallodd i'r dim pa fath o ysgolion a fyddai'n briodol ar gyfer y Gymru dlawd, fugeiliol oedd ohoni. Gan ddechrau yn 1731, llwyddodd Griffith Jones i sefydlu mudiad grymus a phoblogaidd o ysgolion cylchynol, a ddysgodd bobl i ddarllen cyfieithiad William Morgan o'r Beibl. Ar ôl dysgu o fewn y cyfyngiadau hynny, gallai'r disgyblion ledu eu gorwelion i gynnwys diwinyddiaeth a diwylliant yn gyflawn. Yn 1746, ar ôl ymadawiad Lewis Morris, y sefydlwyd un o ysgolion Griffith Jones ym

Môn, gan roi hwb enfawr i weithgarwch crefyddol-addysgol yr ardal a
chynorthwyo i ddihuno pobl gyffredin i ddysgu darllen yr Ysgrythurau
ac i ystyried eu cyflwr crefyddol. Does dim dwywaith nad oedd aelodau'r
ysgolion hyn wedi chwyddo tanysgrifiadau i lyfrau yn sylweddol er bod
Lewis yn llym ei feirniadaeth ar yr ysgolion – er enghraifft am ddysgu
drwy gyfrwng y Saesneg – oherwydd, yn fy marn i, iddo eu cysylltu â'r
Methodistiaid.[41]

Rhoddodd yr argraffwasg fywyd newydd i farddoniaeth Gymraeg
a bu *Grammadeg Cymraeg* (1728) Siôn Rhydderch yn hynod werthfawr
fel cyfarwyddlyfr i feirdd ifainc. Chwaraeodd Thomas Jones a Siôn
Rhydderch rannau allweddol hefyd wrth adfywio'r eisteddfod, gan roi
cyfleoedd ardderchog i feirdd feistroli eu crefft. Roedd Lewis yn ben-
derfynol o godi nifer darllenwyr llenyddiaeth Gymraeg a chyfrannu
at ysgolheictod. Ymaflodd yn y delfryd o argraffu llenyddiaeth ac,
fel y gwelwyd, sefydlodd yntau argraffwasg yn Llannerch-y-medd yn
1732 cyn ei symud i Gaergybi, lle cyhoeddodd yn 1735 (y flwyddyn y
tarddodd y Diwygiad Methodistaidd yn ne Cymru) gylchgrawn 16
tudalen, pris chwe cheiniog, *Tlysau yr Hen Oesoedd*. Dyma ymgais
arloesol i sefydlu cyfnodolyn Cymraeg, er mwyn harneisio dyfais
dechnolegol newydd yr argraffwasg i adfywio'r hen ddiwylliant a'i gyn-
ysgaeddu ag urddas o'r newydd.[42] Dyna hefyd y llyfryn cyntaf a ar-
graffwyd ym Môn – yng ngeiriau Lewis, hwn oedd 'morwyndod yr
argraffwasg gynta erioed yng Ngwynedd' (*Tlysau*, t. 3). Nid yn unig
roedd ganddo'r weledigaeth, ond hefyd yr egni, y medrusrwydd a'r
penderfyniad i geisio troi syniad yn ffaith. Fel William Salesbury,
gwelodd botensial dyfais Gutenberg i gyhoeddi deunydd yn yr iaith
Gymraeg ac i daenu ar led wybodaeth a diddanwch. Yng ngeiriau Lewis:
'Anifeilaidd yw'r dyn a adawai blant y byd mewn tywyllwch lle gallai â
channwyll ffyrling eu goleuo.' Ychwanegodd yn orfoleddus, 'yr argraff-
wasg yw cannwyll y byd a rhyddid plant Prydain. Pam i ninnau (a fuom
wŷr glewion gynt os oes coel arnom) na cheisiwn beth o'r goleuni?'

Roedd y rhifyn, a lanwyd ganddo ef yn unig ac a gysodwyd ganddo yn
ei dŷ gerllaw'r eglwys yng Nghaergybi, yn ddetholiad difyr o fardd-
oniaeth a rhyddiaith, gan gynnwys un o'i draethiadau ei hun, sef 'Ystori
Doctor y Bendro'. Dangosodd ostyngeiddrwydd wrth beidio â rhoi ei
enw yn y rhifyn. Ceisiodd ddenu sylw a chefnogaeth y werin bobl a
oedd yn mwynhau almanaciau a baledi – yn dyddynwyr, yn fugeiliaid,
yn lwferiaid, yn seiri, yn ofaint ac ati. Roedd ganddo uchelgais i
ddarparu corff o lenyddiaeth hwyliog yn y Gymraeg ar gyfer darllenwyr
a oedd yn troi at ddiwylliant Saesneg, yn arbennig haenau canol

ymwthiol a dylanwadol cymdeithas a oedd yn dod yn fwyfwy pwysig oherwydd newidiadau demograffig a datblygiadau trefol.[43] Ysai am ennyn diddordeb uchelwyr a phobl broffesiynol yn y Gymraeg a'i diwylliant er mwyn cryfhau o'r newydd y rhuddin diwylliannol a fu'n gymaint o gefn i draddodiad barddol y Gymraeg. Roedd yr ymateb yn siomedig, yn rhannol efallai oherwydd yr argraffwaith anfoddhaol – diau fod y teip yn hen ac wedi treulio ac ansawdd y papur yn wael. Ni chafodd yr anogaeth angenrheidiol ac un rhifyn yn unig a ymddangosodd o'r chwarterolyn arfaethedig. Roedd 'deuparth gwaith yw dechrau' yn ddihareb boblogaidd ymysg y Morrisiaid, ond yn yr achos hwn, dechrau yn unig a wnaed. Methiant fu'r ymgais i apelio at 'wŷr a gwragedd mwynion, diduedd, yn bobl garedig onest, yn ewyllysgar i bawb gael rhan o'r byd yn gystal a hwythau, yn caru eu hiaith a'u gwlad, a choffadwriaeth am eu teidiau a'u gweithredoedd ardderchog' (*Tlysau*, t. 16).

Anodd yw peidio â sylwi fod penawdau'r eitemau yn *Tlysau yr Hen Oesoedd* yn Saesneg. Y gobaith, o wneud hynny, oedd 'denu'r Cymru Seisnigaidd i ddarllen Cymraeg, ag i graffu ar beth na chlywsant erioed braidd sôn am dano (sef, bod dysg a gwybodaeth gynt ynghymru)' (*Tlysau*, t. 3). Pan oedd wrthi yn gosod y rhifyn dywedodd:

> I have sett some few things in Welsh, viz., some of yᵉ most facetious englyns, cowydds, and some *Caniadau Penrhyddion* of yᵉ Antients. If our gentry give encouragement it may do; if not it must sleep, and so will our language in a process of time if not kept up by this method.[44]

Mewn rhai ffyrdd mae'n debyg i almanac, ond nid yw'n cynnwys nodweddion sefydlog almanac, megis rhestr ffeiriau, calendrau a daroganau tywydd. Cyhoeddwyd traethiad Lewis, 'Ystori Doctor y Bendro', yn ddienw yn y *Tlysau* (tt. 11–14), chwedl 1,300 gair am y digwyddiadau gwallgof yn nhŷ hynod Doctor y Bendro, a seiliwyd ar gyfieithiad 350 gair y newyddiadurwr a'r pamffledwr Roger L'Estrange o un o chwedlau Esop, 'De Medico qui Insanos Curabat'.[45] Gwalchmai sy'n adrodd y chwedl ac mae cymeriad o'r enw Gwion Gwag Siol yn mynd i dŷ Doctor y Bendro, yn derbyn triniaeth ac yn gorfod aros yno am beth amser i wella. Gwna Lewis ddefnydd o fanylyn dwys fel hwn er mwyn rhoi hygrededd comig i chwedl anhygoel: 'Dim lluniaeth ni chaen oddieithr tair llwyaid o gawl erfin, neu bottes gwyn bach, unwaith mewn wyth awr a deugain.' Tebyg yw dull Swift drwy gydol *Gulliver's Travels*, wrth iddo ddefnyddio'r dechneg o ddisgrifio digwyddiadau rhyfedd gyda

thrwch o fanylion diriaethol, a chan hynny lwyddo i wneud antur-
iaethau annhebygol Gulliver i ymddangos yn gredadwy. Yn 'Ystori
Doctor y Bendro' mae heliwr a'i helgwn yn mynd heibio'r tŷ ac mae
Gwion yn cychwyn sgwrs ag ef:

> Pa fwystfil ffromwyllt sydd genit yna'n marchogaeth arno? Ac i ba bwrpas
> yr ydwyt yn ei gadw? March, ebr ynte ydyw, ag er mwyn y digrifwch
> rhagorol o Helwriaeth (yr hon sydd un o'r pedair camp ar hugain) yr wyf
> yn ei gadw; Aie o ddifri, ebr *Gwion*; A pha fodd y gelwir y tegan yna sy'n
> dy law di? A pha ddeunydd yr wyt yn ei wneuthur o hono? Gwalch ydyw,
> eb'r llall. Cymmwynascar iawn i ddal pettris a grug-ieir, coesgochion a
> chrâchwyaid. Hyh! ebr *Gwion*; ond pa beth yw'r haid o greaduriaid
> bolweigion eraill yna sy'n dy ganlyn di.

Trwy gymharu'r darn uchod â'r gwreiddiol, gellir gweld sut y newidiodd
Lewis ei ffynhonnell:

> Heark ye Sir, says the mad-man, a word with you: and so he fell to asking him
> twenty idle questions, what was *this*, and what was *that*, and t'other? And
> what was all this *good* for? And the like. The gentleman gave him as answer
> to every thing in form. As for example, this that I ride upon, (says he) is a
> horse, that I keep for my sport; this bird upon my fist is a hawk that catches
> me quails and partridges; and those dogs are spaniels to spring my game.

Gall Lewis ail-greu blas y gwreiddiol mewn thema, strwythur ac arddull,
ac ehangu arno. Ceir enghreifftiau yn y darn hwn o gyflwyno parau:
'Geunach a chadno, dwfrgi a phwlbart, bronwen a thwrch daear.' Mae
hyn yn dwyn i gof y dechneg o roi geiriau ac ymadroddion mewn trioedd,
fel a wnaed yn y Trioedd Cymreig a chan awduron mor hyglod ac am-
rywiol â William Salesbury ac Edward Gibbon. Credai Gwion fod yr
heliwr yn fwy lloerig na'r lleuad a bod arno angen triniaeth gymaint â
neb:

> Y cyfaill penchwiban, os ceri dy hoedl attolwg dôs ymaith o'r fangre hon
> yn gynta byth y gallech cyn dyfod y doctor adref: oblegid os efe a'th ddeil
> di yma, gwae di dy eni erioed; fe a'th gyfrif di y catffwl ynfyttaf heddyw
> ar wyneb y ddaear.

Yn 'Ystori Doctor y Bendro' mae'r disgrifiadau a'r ymddiddan (gyda'r
dafodiaith yn lliwio ac yn lleoli'r dweud) yn meddu ar ffresni deniadol.

Edmygai Lewis ddawn ymadrodd Ellis Wynne ac roedd yn dra chyfar-wydd â'i waith. Dechreuodd lythyr at Edward Richard gan ddynwared *tour de force* enwog y llenor a'r bardd o'r Las Ynys, 'chwedl y Bardd Cwsg: Ar fore teg o Fawrth rhywiog, a'r ddaear yn las feichiog, mi gymmerais bin yn fy llaw i ysgrifennu.'[46] Mae llythyrau Goronwy Owen wedi eu britho gan efelychiadau o ymadroddion a geirfa Ellis Wynne. Nid yw'n syndod i weld mai un o'r cyfrolau yn llyfrgell Lewis oedd 'Bardd Cwsg. 1703'.

Ond tra bo Ellis Wynne yn defnyddio Cymraeg tafodieithol fel cyfrwng i ddifrïo a dirmygu gwrthrychau ei wawd, mae Lewis yn tueddu i'w ddefnyddio fel rhinwedd ynddi'i hun. Cyfeiriodd Lewis at y chwedl hon mewn llythyr at ei frawd Richard, 'Nos Nadolig Newydd' 1760: 'I am like the patient in story Doctor y Bendro, who had forgot most things which had happened before his illness.'[47] Roedd y brodyr i gyd yn profi pendro o bryd i'w gilydd. Weithiau byddai'r brodyr yn cyfeirio yn chwareus at y llengar Richard Evans fel 'Doctor y Bendro', ac mae'n debyg mai ar ei gyfer yntau yr ysgrifennwyd y stori.

4 ∽ 'Ac yn y llong, ar gefn lli, ymroi i hwylio'r môr heli', 1735–1742

Ymgais seithug i ddilyn trywydd arall yng nghyswllt ei wasg oedd y 'Cynigiad' a wnaeth Lewis ym mis Ebrill 1736 ynghylch argraffu 'Chwedlau Doethion Rhufain' a welodd mewn llawysgrif, 'a very antient Welsh manuscript written in a most elegant style & the matter very entertaining'.[1] Tua deufis yn ddiweddarach cafodd air gan Edward Samuel (1674–1748), rheithor Llangar ger Corwen, yn gofyn a ellid cyhoeddi yng Nghaergybi gyfrol o'i waith ef. Wrth ateb ar 13 Gorffennaf, mynegodd Lewis ei farn mai claear fyddai cefnogaeth y rhan fwyaf o'r offeiriaid i'r fath fenter, a dyna ddiwedd stori'r gyfrol arfaethedig honno hithau. Er gwaetha'r ffaith iddo gynnwys manylion am bris argraffu yng nghefn y *Tlysau*, ac i Ellis Cadwaladr o Landderfel ymofyn 'pa faint a gostiai i argraffu ar bapur di-fai' gasgliad o 'ddewisol ganiadau amryw o'r hen brydyddion', ymddengys na chyhoeddwyd dim arall ar y wasg yng Nghaergybi. Aeth gweledigaeth Lewis ynghylch ei wasg yn lludw llwyd. Bu'n rhaid aros 35 mlynedd i gael ymdrech arall i sefydlu cylchgrawn Cymraeg, pan argraffwyd 15 rhifyn pythefnosol *Trysorfa Gwybodaeth, neu Eurgrawn Cymraeg* yng Nghaerfyrddin yn 1770 o dan olygyddiaeth Josiah Rees.[2]

Felly 'Ystori Doctor y Bendro' oedd y darn cyntaf o ryddiaith lenyddol gan Lewis i'w gyhoeddi, ond nid yw'r arddull yn annodweddiadol ohono. Ceir arddull debyg yn 'Llythyr Mari Benwen' a luniwyd yn 1735, ond na chafodd yr un fraint o gael ei rewi yn fuan mewn print. Roedd llythyrau dychmygol rhwng enwogion byw a marw yn boblogaidd trwy gydol y ddeunawfed ganrif. Mae'n debyg bod Mari Benwen, neu Mary Whitehead, yn berson hanesyddol o Landyfrydog. Ysgrifennwyd y llythyr o Annwfn, ac mae Mari yn gresynu fod Dr Richard Evans o Lannerch-y-medd yn cael ei amau o ddwyn ei chorff ar gyfer dibenion ymchwil feddygol. Mae'r llythyr, ac ynddo tua 1,600 gair, yn disgrifio anffawd a diflaniad Mari un noson yn y caeau a'i phrofiadau ar ôl marw:

dyma haid o ryw ellyllon tebyg i dylwyth teg yn fy nghipio ymaith yn ddisymwth. Wawch, ebe finnau, b'le i ddiawl yr ydych chwi yn fy 'sgubo i fel hyn? Ond dim atteb ni chefais, i ffordd yr aethant â mi dros dir a môr, ac ni chawn gyttrum nad oeddwn i mewn rhyw ynys bach ynghanol llynn a elwir Llangdirg yn eitha tir y 'Werddon; yna'r aethant â mi i ryw ogof a elwir Purdan St. Padrig . . .[3]

Mae'r ymadrodd 'ellyllon tebyg i dylwyth teg' yn ddiddorol. Yn yr Oesoedd Canol dylanwadwyd yn fawr ar syniadau pobl am gythreuliaid gan eu syniadau am y tylwyth teg, a thebyg oedd ymateb Lewis – nad yr elfen ddymunol a geir mewn llên gwerin yw'r tylwyth teg, ond cythreuliaid. Ceir llawer tinc cynganeddol yn y gwaith: 'fangre felltigedig . . . ddaethum i ddyallt . . . Padrig Pennaeth . . . o bant i bentan . . . dda i'w ddywedyd.' Dyma'r disgrifiad o Mari Benwen yn dianc o Burdan Padrig Sant:

ymhen hir a hwyr fel yr oedd gyr o fonachod troednoethion, a bagad o ysgrubliaid eraill, o'r un rhyfogaeth, yn cychwyn tu ag Annwfn, mi ymwthiais yn eu plith, fel penog yn yr halen, ac mewn llai o amser nag yr aech o Landyfrydog i'r Maenaddwyn, yr oeddwn mewn canol gwlad braf odiaeth, yn llawn o drefydd a dinasoedd, ond ei bod yn boeth ddiawledig.

(Addasiad llac yw hyn o ddechrau gwaith hir a diddanus a luniwyd gan Tom Brown fel llythyr a anfonwyd i fyny o'r 'Subterraneon Dominions' i Dŷ Coffi Will's gan Joe Haines, y digrifwr poblogaidd a fu farw ychydig fisoedd ynghynt.[4]) Adroddir ar ôl hyn am daith Mari Benwen i drigfa'r meirw lle mae Cardinal Wolsey yn ddeon, Gronw Owen (a fu farw yn 1730) yn esgob a phobl o Ynys Môn yn amlwg.

Mae gweithiau Lewis o bryd i'w gilydd yn cynnwys elfennau o fwrlésg, gyda'r bwriad o ennyn chwerthin wrth drin pwnc difrifol mewn modd digrif neu wrth greu digriflun o ysbryd gwaith difrifol. Cafodd ei ddwylo ar gopi o ddychanwaith Samuel Butler, *Hudibras* (1663), sy'n cynnwys elfennau o fwrlésg. Yn 1664 dechreuodd Charles Cotton ffasiwn ar gyfer dynwared digrif yn Lloegr drwy gyhoeddi ei *Scarronides*, bwrlésg o Fyrsil, ac yn 1665 fwrlésg o Lucian. Mewn gweithiau tra llwyddiannus megis *Tom Thumb* (1730) a *Pasquin* (1736), parhaodd Henry Fielding, yn ei ffordd ei hun, y traddodiad bwrlésg. Wrth gwrs, nid yw'n anghyffredin yn y traddodiad llenyddol Cymraeg, o ryddiaith yr Oesoedd Canol i'n dyddiau ni, ac yn 'Llythyr Mari Benwen' ceir nodweddion cyffredin bwrlésg – drama, gwatwar a chamamseriadau: 'yr Esgob yma, yr hwn yw Gronw Owen (eurych oedd yn y byd yna) a phwy debygwch chwi ydyw y Deon ond y Cardinal Woolsey a'i Ganghellwr ond Eilian Sant.' Ceir cyfeiriadau at Charon yr ysgraffwr fel tywysydd eneidiau i'r isfyd, ac at afon Styx. Mae'r hiwmor yn ysgafn trwy gydol y darn: 'mi gollais fy hett wrth ymdynnu efo'r chwiw ladron rheiny a'm cidnappiodd i; oni bae hynny, cawswn bris gwych am dani gan yr hen William Pen, yr hwn sydd yn bennoeth er pan ddaeth i'r wlad yma.'

Ceir enghraifft dda arall o hiwmor Lewis yn ei 'Description of a Welsh Christening at a certain town in N. Wales . . . mis Ebrill 1735'.[5] Er gwaetha'r teitl Saesneg, traethiad Cymraeg ydyw. Rhydd ddigon o raff i'w ddychymyg wrth ddisgrifio'r bedydd. Ar ôl rhoi adroddiad byr o dref Caergybi a'i thrigolion (a ddyfynnwyd ar ddechrau pennod 3), cyflwynir yr olygfa'n ddramatig:

> Pedair o'r gwragedd pennaf oeddynt ryw ddiwrnod yn yfed llymaid o Green Tea ben borau, ag yn ôl yr arfer yn cablu eu cymdogion, myfi, 'rhwn a elwir D . . . l [Diawl] y Diogi a Chythrel y Genfigen gas glowed i fod i fyned i'r bedydd, a bicciais i lawr gyda swper i fol un o honynt a elwid Mrs Ffyrnig i gael lle i ymguddio, ag a eneiniais dafodau'r lleill ag olew athrod ag enllib fel y baent lithrig i ddywedyd y peth a roddwn yn eu calonnau. Ni chawn i gyttrym nad dyma fi yn marchogaeth a'm gafl ar led ar gefn ei chleddyf Bleddyn, *sef y Spleen*, a hwn yn pwffio ag yn chwyddo fal ymron torri ar ei draws fal llyffant dafadenog ag yn bwrw allan falais a chenfigen o fesur y cant pwys.

Tystir unwaith eto i allu Lewis Morris i ddefnyddio cyffelybiaethau trawiadol gyda 'fal llyffant dafadenog'. Dyma'r disgrifiad o'r bedydd:

> yno gwedi i bawb gymryd arnyn weddïo, rhai'n eiste, rhai'n sefyll, rhai ar ei gliniau, rhai'n cysgu a rhai'n chwerthin, yn y man dyma'r ficar yn gofyn iddynt a oeddynt ymwrthod d . . . l diferu'r dŵr sanctaidd yn wyneb y baban a chwedi rhoi tro neu ddau ar ei fawd fe wnaeth ddwy lein ar dalcen y pechadur bach y naill ar draws y llall; i wneud rhagor rhyngtho fo a monkey cat neu Inffodel.

Mae'r gynulleidfa wedyn yn dychwelyd i fwyta a gwag siarad, cymeriadau megis Mrs Trwyadl, Mrs Hurt, Mr Chwedl a Mr Gwagbwrs. Mae hyn yn dwyn i gof gymeriadau yng ngweithiau Henry Fielding, megis yn y ddrama *The Letter Writers* (1731) – Mrs Wisdom, Mrs Softly, Mrs

Honour ac ati – ac yn ei nofel *Joseph Andrews* (1742) – Mrs Slipslop, Mrs Grave-airs ac yn y blaen.

Ceir darn rhyddiaith arwyddocaol arall mewn llythyr a luniwyd tua 1735 (nid oes sicrwydd at bwy yr ysgrifennai), lle mae'n ysgrafellu'n chwyddedig a rhwysgfawr i ofyn am awdl gan un o'i hoff awduron, Siôn Tudur. Awdl ydyw er clod i Rhisiart Siôn o Fuellt, un o feirchfilwyr y Frenhines Elizabeth, y dyfynnodd Lewis ohoni mewn llythyr at ei frawd Richard.[6] Dyma enghraifft o'r darn:

> Mae'n debyg mae braidd y daw i'ch cof yr amser y cydtrafaeliasoch efo mi o'r Plas Gwyn i Bresaddfed, ag y gwnaethoch addewid o yrru imi awdl Rhisiart Siôn Greulon o waith S. Tudr. Canys mynych iawn y gwirier y ddihareb Seisnig, addewidion a chrwst pastaiod a wnaethpwyd ar fedr eu torri, a chan ddyfod i'm cof freuolder einioes gŵr a bod yn debyg iawn y daw naill ai Duw ai rhywun arall i'ch cyrchu chwi ar fyrder oddiyma, a deg i un nad ânt â'r awdl uchod i'ch canlyn hefyd; ond ni wn i ymhle ar wyneb daiar y mae yn sgrifenedig heblaw yn eich pen chwi; ag anodd iawn mae'n debyg a fydde cael gan na Jo. Tudr na chwithe ddyfod yma o'r bedd yw ad-sgrifennu.[7]

Defnyddia ormodiaith wrth sôn am werth yr awdl ac mae'n nodi na fyddai o ddefnydd i'r derbynnydd yn yr isfyd. Achubir ar bob cyfle ar gyfer hiwmor, ac mae'n amlwg i lawer o sylw gael ei roi i effaith rethregol y darn. Ceir yr argraff iddo ymhyfrydu yn ei ddawn fel llenor, gan fanteisio yn llawn ar yr adnoddau a gasglodd yn ei ddarllen eang. Gwyddai o'r gorau am gyfoeth a deheurwydd yr iaith lenyddol. Mae tempo'r darn yn fwriadol araf a phatrwm y brawddegau yn rheolaidd, gyda defnydd helaeth o elfennau sangiadol. Dyma arddull rethregol helaethwych a chynhwysfawr; ni ddefnyddir un ansoddair os gwnaiff tri y tro; gwneir gosodiadau ac yna eu hailadrodd gydag amrywiadau bychain; ehangir y deunydd a'i frodio gydag addurniad.

Parhaodd i arfer ei ddawn ddychanol ddigrif mewn rhai traethiadau eraill. Gwelwyd sut yr amlygodd yn glir briodoleddau llythyrau o'r meirw at y byw yn 'Llythyr Mari Benwen', a gwnaeth hynny hefyd mewn traethiad cellweirus o dan y ffugenw 'Seren Cwlwm Dog' (llysenwyd curad Llanrhuddlad, John Evans, yn 'Cwlwm Dog') a luniwyd ym mis Ebrill 1736: 'Ni choeliwch 'i byth y difyrrwch ydemni yn ei gael yn y nos yn chwerthin am eich pennau chwi, ddynion daiarol yn gwneud gweithredoedd y tywyllwch.'[8] Mae hyn yn debyg i'r ffordd y disgrifiwyd Diogenes a Menippus gan y diddanwr paganaidd Lucian yn yr ail ganrif yn chwerthin am ben ffolinebau a gwagedd pobl. Disgrifir digwydd-iadau yn y 'True Blue Sky' gan 'Ethereal Cwlwm Dog', sy'n seren yn yr wybren:

> Dyma'r Lleuad hithe yn yfed beunoeth hyd na bo hi gan glafed dranoeth o'r bendro, a chyn llwydted yn ei hwynebpryd, fal prin yr edwyn ei gŵr hi, pan ddelo hi adre o'r dafarn benborau. Beth debygech 'i yw'r achosion ei bod hi weithiau mewn clips? Ond duo yn 'i hwyneb o ffyrnigrwydd wrth yr Haul am na chae hi 'chwaneg o ddiod.

Mae'r cyfeiriad at y diffyg ar y lleuad yn dwyn i gof Y *Gwir Hanes*, lle mae trigolion lleuad Lucian yn brwydro yn erbyn trigolion yr haul, ac yn colli ar ôl i'r gelyn dorri pelydrau'r haul, gan eu gadael mewn tywyllwch.[9] Mae 'Seren Cwlwm Dog' yn parhau trwy adrodd am ffrae anferth rhwng y planedau: 'Mae Duw Mawrth a Duw Mercher, Duw Iau a'r Dduwies Gwener a Duw Sadwrn, yn yfed yn ddidrangc, ag nid oes oddiar hanner blwyddyn er pan fu ymladdfa boethlyd ddiawl-edig rhyngddynt yn eu diod.' Seilir yr hiwmor ar anghydweddiad y portread o'r haul a'r lleuad a'r sêr sy'n chwerthinllyd o ddynol yn eu hymddygiad a'u gwendidau. Daw i gof bortread Lucian o'r duwiau Olympaidd traddodiadol yn ymddwyn mewn ffordd ddynol. Ceir enghreifftiau yn y straeon 'Cyngor y Duwiau; ymddiddan rhwng Jupiter, Momus a Mercury', ac yn 'Jupiter Tragaedus: ymddiddan y Duwiau'.[10] Rhagflaenwyd darlun digrif Lucian o'r duwiau gan ddau o'i hoff awduron, Homer ac Aristoffanes. Yn 'Seren Cwlwm Dog' ceir disgrifiad o'r ymladd:

> Yno Venws a dyrrodd ynghylch dau ddwsing o sêr mân yn ei barclod yn lle cerrig, ag a'i dwylaw hi a'i lluchiodd hwy at Mars na wela fo nag wybr nag awyr. Fe dyrrodd Mars bentwr o honynt at eu gilydd o'r cwr arall ag a ddechreuodd chware o'i bobtu braidd a cael Jupiter a Venws droed ar lawr ag ni welach 'i dros ysbaid dwyawr ddim ond sêr yn chwirlio ag yn curo wrth sêr eraill fal y gwelech 'i ddwy bêl droed yn cyffwrdd eu gilydd yn'r awyr! Neu fal curach i ddau biser yn 'i gilydd, neu fal roedd y bwledi yn y rhyfel ymharma a fu'n ddiweddar rhwng Germani a Ffraingc.

Mae Lewis yn rhannu gyda Lucian a Henry Fielding yr arfer o gyflwyno deunydd tra amheus – neu gelwydd noeth – gyda gofal gorfanwl er mwyn codi gwên. Yma eto mae'n ceisio cysuro'r darllenydd nad yw'n cyflwyno unrhyw beth na ellir bod yn sicr ei fod yn ffeithiol gywir:

y munyd yma, dyma Syr Isaac Newton a Renates Descartes yn peri imi ddwedyd wrthych 'i, mai o achos colli'r piso hwnnw y cowsochi gymaint o wlaw y gaiaf diweddaf. Gwelwch almanac y dysgediccaf o feibion dynion Fy'rth Siôn Jones o Wregsam ynghylch y cysylltiad hwn.

Ceir fersiwn drafft anghyflawn o 'Seren Cwlwm Dog' ymysg ei lythyr-au,[11] ac yn y drafft hwnnw mae Seren Cwlwm Dog o'r uchelderau yn sôn am swyddi nifer o enwogion a chydnabod i Lewis ar ôl iddynt farw:

> Gwaith Inigo Jones yw gwneud maglau i'r hen sêr musgrell a gwaith y duwc o Malbro yw i hel hwy'n lluoedd i'r buarth y nos, a'r Frenhines Elsbeth yw'r hafodwraig yn godro'r sêr yn ôl ei dymuniad gynt yn y Tŵr Gwyn.

Mae llu o awduron wedi ysgrifennu am fawrion y gorffennol a'u swyddogaethau cywilyddus presennol gan ddefnyddio *genre* 'newyddion o uffern'. Er enghraifft, aeth clown Rabelais, Epistemon, i uffern a'r Caeau Gwynfydedig ac adroddir bod Alexander yn clytio hen ddillad, Xerxes yn gwerthu mwstard a Lancelot yn blingo ceffylau meirwon, ac ati.[12] Ysgrifenna Lewis mewn modd tebyg pan ddywed mai galwed-igaeth Gronw'r eurych (tad-cu Goronwy Owen) yn y byd nesaf oedd 'rhwbio y rhwd oddiar wynebau yr hen sêrod a'u gloywi, fal y gwelech 'i din crochan pres, yn disgleirio yn yr haul, a rhoi golchiad aur arnynt'.[13] Llwydda i wneud hwyl am ben yr 'Hen Ronw' ar gyfrif y ffaith fod rhwbio rhwd oddi ar lestri er mwyn atal dirywiad pellach yn rhan o waith tincer.

Mewn gwaith o'r enw 'A Parly between the Ghosts of the Late Protector and the King of Sweden at their Meeting in Hell' (1660), mae'r awdur di-enw, a oedd yn frenhinwr, yn gosod Cromwell yn uffern, ac yn honni iddo greu anesmwythder yno gyda'i sôn am wrthryfel yn erbyn Satan. Mae Cromwell hefyd yn gymeriad amlwg iawn yng ngweledig-aethau Ellis Wynne.[14] Cyfeiria Lewis at Cromwell yn ei 'Seren Cwlwm Dog', ond mewn cyd-destun gwahanol, oherwydd yma mae'r hiwmor yn ysgafn yn hytrach nag ergydiol: 'Ni feddyliech 'i byth beth yw gwaith yr hen Oliver Crom ers agos i wythnos, ond clirio a chamraw rhyw hen sêr tywyll oddiar y ffordd.' Mae'r gair 'dog' yn ychwanegu at y dychan. Defnyddiodd Lucian yr un term fel Sinig yn 'Y Pysgotwr'.[15] Roedd Sinigiaid yn elfen amlwg mewn cymdeithas yn yr ail ganrif; fe'u labelwyd yn 'gŵn' am iddynt ymdebygu i gŵn yn eu hymddygiad a'u confensiynau, yn ei chael hi'n anodd cael deupen llinyn ynghyd ac yn ysgyrnygu dannedd wrth sodlau pawb.[16] Yn y cyd-destun hwn, dylid cofio fod llawer o'r sylwadau dirmygus am bobl eraill yn llythyrau'r Morrisiaid yn ymwneud â chŵn, er enghraifft, 'chwiwgwn lladron defaid ydyw plant Alis erioed', 'ffei o'r fflamgi drewllyd', 'drewgi ffleirgi'.[17]

Ysgrifennodd Lewis ddychanwaith arall ar ffurf llythyr 800 gair gan 'Rhisiart Siôn Greulon', dyddiedig 23 Awst 1736, o'i ystafell yn 'Bridgeford' (sef Rhyd-y-bont) 'in ye Isle of Man' (sef Ynys Môn). Er iddi gael ei seilio ar y ffaith drist fod Rhisiart Siôn o Ryd-y-bont ger Caergybi wedi ei ddiswyddo o'i waith fel swyddog tollau am dwyllo, y mae'n osgoi difrifoldeb fel y pla. Fe'i cyfeiriwyd: 'To ye most valiant, the most swift and the most cunning Spirit, Demigorgon Jargon King of ye Fairies, vulgarly called in ye Manks tongue *Ellyll Pont y Forryd*; The most faithful of your servants sendeth greeting.'[18] Mae'n troi o amgylch y ffaith iddo gael ei ddal yn chwiwladrata ychydig o de, sebon a brandi, a'r cwbl ond yn werth 30 swllt. Pe bai Rhisiart yn cael ei wysio o flaen llys, mae'n rhybuddio ynghylch y canlyniadau:

> I'll set up at *Tre'r ddôl* forest as second Robin Hood, where I will administer woe by wholesale to all collectors of excise, customs, or any other taxes; and my fame shall be terrible thro all generations, and nurses shall make use of my name alone to frighten children to silence.

Mae'n ddiddorol ei fod yn cyfeirio at yr herwr chwedlonol, Robin Hood. Ceir adroddiad dymunol o weithgareddau ei fintai yng ngherdd hollgynhwysfawr Michael Drayton, 'Poly-Olbion' (1612), cân 26, a chafodd Lewis afael ar gopi o'r gerdd honno. Gwelwyd bod Lewis hefyd yn hoff o awdl Siôn Tudur sy'n dechrau 'Rhisiart Siôn greulon . . .'. Amlyga'r llythyr fod Rhisiart Siôn Greulon yn was ufudd i'w feistr, yr Hen Was, ac mae ei fygythiadau yn fyw a diddorol:

> And thou clovenfooted false demigorgon that hast deceived me, look to thy self and tremble; when I depart from hence, I'll hunt thee thro every corner of fairyland; I'll box thee for £10. I'll wrestle thee into catguts, and I'll cut thee into splinters for Lucifer to light his pipe with.

Ysgrifennwyd y stori yn bennaf er mwyn difyrru Richard Evans y meddyg fel y tystia'r geiriau 'Digrifwch a Hylldod Dr Evans's Paper'. Tebyg iddo lunio'r llythyr yn yr iaith fain fel y gallai ei gyd-weithwyr di-Gymraeg yng Nghaergybi a Biwmares ei fwynhau. Diben y llythyr, heblaw am ddiddanu, oedd ysgogi Richard Evans i ysgrifennu ato: 'If this be pleasing to thy eyes thou wilt favour me with a line, before these butchers make a gammon of bacon of me. Thine in hast, Rhisiart Siôn Greulon alias Richard Jones ye Terrible.'

Mae'r cywair dychanol amrwd, bras yn amlycach mewn nifer o englynion a luniodd Lewis yn y cyfnod hwn. Mae ei ddefnydd o iaith sathredig a'i hoffter o ddefnyddio cyfeiriadau aflednais yn adlewyrchu dylanwad awduron megis Edward ('Ned') Ward, Tom Brown, Roger L'Estrange a Charles Cotton, yr oedd eu gwaith yn fwriadol wrtharwrol a gwrthglasurol. Defnyddiasant hwy iaith y stryd a phortreasant fywyd yn nhafarnau Llundain er mwyn cynhyrchu gweithiau eang eu hapêl. Roedd Lewis yn englynwr toreithiog, a lluniodd nifer ar destunau am-harchus. Prin fod sawr y gwir ar nifer ohonynt! Roedd yn ysgrifennwr difyr ei ddull a gwelir ystwythder ei ddychymyg ar waith mewn cerdd a luniodd yn 1736. Ac yntau yn ei uchel hwyliau a'i ddychymyg yn drên, cyflwynodd y cefndir:

Hanes dychrynadwy Siôn Rolant a elwir yn gyffredin Sioccin Penrhos, fal y darfu iddo feddwi yn y sesiwn pan oedd yn un o weision y sieri a chysgu mewn cachdy a'i glos yn agored ac y darfu i ryw fenyw o wir frys yn y tywyll a'i phais rhwng ei dwylo golli am ei ben ef ryw ddiferion o ddŵr a rhyw beth arall nad oedd aroglaidd iawn.¹⁹

Englynion doniol a di-chwaeth ydynt, a cheir ambell nodyn ganddo ar ymyl y ddalen:

> Rhyw hŵr o'i chwthwr chwithig, hwff ledodd
> ei °flodiart ⁺wenwynig,
> Brwd iawn ddŵr heb raid yn ddig,
> □Diluw ydoedd, diawledig . . .

[°a floodgate] [⁺weak]
[□any great flood such as Noah's or Deucalion's]

> Gan y dŵr gyflwr go flin y Siocci,
> A °sicciwyd yn gethin,
> Wrth yrru a thaflu o'i thin,
> Drwy falais a droe felin.

[°Lather'd as they wash course cloaths with hogs dung]

Ffei fudrog ddeifiog ddifwyn; ai Besi
   a bisodd naw galwyn?
Llif agendor y forwyn,
Braidd na ddiwreiddia'r brwyn!

Wrth biso, ffleirio hwff larwm dwyffrwd,
   Er deffro'r gŵr pendrwm;
Cuchian nerth! Cachu'n orthrwm,
O liw nod coch, loned cwm.

Och weled Siocced Siocci, a'i +gydun
   a'i gedor yn drewi!
Clos a chledd mewn budreddi,
A'r aflwydd o'i herwydd hi.

[+scrotum]

Mae ei agwedd ysgafnfryd a'i ddireidi a'i hwyl yn amlycach fyth yn ei 'Englynion i Butain Dlawd yn Charing Cross am ddangos C – t fudr'. Yn y gerdd hon, mae'r consuriwr geiriau yn dra amrwd ei iaith, ac mae ei hoffter o lunio cyfansoddeiriau yn arwydd sicr ei fod yn ei elfen yn trin a thrafod geiriau:

Cigladd o gont mewn caglod yn nythu
   Yn eitha baw bychod,
Cigydd a mennydd mynnod,
A chaws a blastriodd ei chod.

C – t chwilboeth dinboeth danbaid yn denu
   Dinistr corff ag enaid,
Tyller gan gant o wylliaid,
Llymgwn gwlad a'i thad a'i thaid.[20]

Heb amheuaeth, byddai'r englynion beiddgar hyn wedi merwino clustiau llawer o bobl grefyddol yng Nghymru'r ddeunawfed ganrif, ond gallem ddychmygu Lewis yn codi dau fys yn wyneb eu sobrwydd hwy. Gallai ymgysuro o wybod fod traddodiad o lol huodlaidd yn y Gymraeg o oes y Cywyddwyr ymlaen, fel y tystia rhai cerddi dychan yn Llyfr Coch Hergest er enghraifft. Parhaodd i lunio cerddi maswedd gydol ei oes.

Lluniwyd 'Cywydd Gorthrechiad Angau' yn ddifyfyr ym mis Rhagfyr

1736 pan ddihangodd Dr Richard Evans o grafangau twymyn adwythig. Er bod Lewis yn defnyddio mesur Cymreig traddodiadol y cywydd, nid yw'n gerdd arferol yn anfon cyfarchion. Mae'n sarhau Marwolaeth gan ddefnyddio iaith fras. Disgrifia'r meddyg yn brwydro yn erbyn marwolaeth:

> Ei fathru, a'i sathru'n sarn,
> A'i osod yno'n wasarn,
> Rhoes, ar herr, ddyrnod gerwin,
> Goeg hen dwrch, gic yn ei din.

(*DT*, tt. 143–4)

Fel mewn cynifer o'i weithiau, ceir haen o wirionedd ond y mae ffantasi yn llywodraethu. Mae cyfeillgarwch ac eneidiau cytûn Lewis a Richard Evans yn ffurfio elfen hanfodol yn y gwaith, gan alluogi Lewis i fynd dros ben llestri yn afieithus. Tua'r diwedd, gofynnir i'r clochydd ganu'r gloch a chladdu Marwolaeth:

> Hai, glochydd a'th gelfydd gêr,
> Gwanbwyth a'i dincian gwinber,
> Cân iddo glul, dul, dul, donc,
> Lwysber ar ben y lasbonc;
> Torr ei fedd, fudwedd feudwy,
> O ddyfn, yn filltir neu ddwy.

Gyda chymorth gohiriad yn y gystrawen ceir clo trawiadol i'r gerdd, ac mae'r egni a grynhowyd yn cwympo gyda phwyslais mawr ar y gair olaf un:

> O Angau, a'i swyddau syn,
> Gelach, ple mae dy golyn?

Seiliwyd y cwpled olaf hwn ar 1 Corinthiaid 15: 55: 'Llyncwyd angau mewn buddugoliaeth. O angau, lle mae dy fuddugoliaeth? O angau, lle mae dy golyn?'[21] Ceir cyffyrddiadau ysgrythurol mewn cerddi eraill o'i eiddo, megis yn 'Caniad Putain Selyf Ddoeth' a 'Cywydd y Wialen Ddŵr'. Ymatebodd Hugh Hughes i'r 'Cywydd Gorthrechiad Angau' gyda 'Chywydd Ateb i ryfygus Fardd', gyda 'Brenin angau yn anfon annerch'.[22] Wrth sôn am 'Gywyddau'r Angau' mewn llythyr at William Wynne eglurodd Lewis:

I suppose you have by this time rec^d *Cywyddau'r Angau* copyed by Dr Evans, I desire you w^d not expect correctness in mine. For I hate to be tyed down to rules in such trifles, having neither time nor patience. I took more pains [with] Hugh Hughes' than my own, as being indeed more valuable, mine being only an extemporary whim, breath'd in ye compass of about an hour.[23]

Dyma enghraifft arall ohono'n estyn cymorth i feirdd eraill, ac roedd derbynnydd y llythyr, William Wynne, hefyd yn anfon ei gerddi ato o bryd i'w gilydd. Wrth nodi iddo lunio'r gerdd o fewn rhyw awr, gwrth-ddywedodd Lewis y trydydd o'r naw cyfarwyddyd a roddodd i Ieuan Brydydd Hir:

When you produce any thing of your own composition, never say I have done it in an hour or a piece of a day; for that doth not argue that you could have done it better . . . and not like a bitch bring forth your whelps blind.[24]

Er gwaetha'r ffaith i Lewis adael Môn wledig yn 1729 i fyw yn nhref fywiog, gosmopolitaidd Caergybi, roedd ganddo hoffter o gefn gwlad a diddordeb gydol ei oes yn rhyfeddodau byd natur. Darllenodd gyfrol John Evelyn, *Sylva, or a Discourse of Forest-Trees* (1664) a oedd yn gyforiog o wybodaeth ar drin coed a sut y gellid defnyddio'r gwahanol fathau o goed. Cafodd ei ddwylo hyd yn oed ar gopi o gyfrol ecsotig Edward Topsell, *The History of Four-footed Beasts and Serpents* (1658). Er hynny, un o'r cerddi prin lle mae'n dangos hoffter o fyd natur yw 'Cywydd y Rhew a'r Eira'. Er mai dim ond 28 llinell sydd ynddi, mae'n gerdd ardderchog.

> Canu'n lew cyn fy rhewi,
> Ym Mair sydd orau i mi;
> A chywydd newydd a wna'
> I'r aruthr rew a'r eira;
> I'r maes dur ac i'r mis du
> Byr grinwellt, a bair grynu.

(*DT*, tt. 142–3)

Mae 'dur' yn air da, gan awgrymu arlliw'r rhew yn ogystal a'i galedwch. Mae'r pedwerydd cwpled, sef:

Och im! Nid wyf iach yma,
I ganu'n ddoeth ac yn dda

yn debyg i gwpled agoriadol mewn traethodl ganddo:

Nid fel Horas y canaf,
Yn ddoeth, yn ddyfn ac yn dda.[25]

Dadleuodd Dafydd ap Gwilym yn gyson fod yr haf yn llawer mwy cydnaws ar gyfer caru, ac yma mae Lewis yn dweud fod yr haf gryn dipyn yn fwy ysbrydoledig:

Dyna 'nfydwas dan fedwen,
Yn gwynfydu'n gwasgu gwen;
A'i lais, mewn neuadd laswerdd,
A gaid, ag enaid i'r gerdd.

Ysgrifenna am y goedwig fel 'neuadd' ond nid yw confensiwn llenyddol y tŷ a wnaed o ddail yn anghyffredin. Cyflwynodd Dafydd ap Gwilym, yn 'I Wahodd Dyddgu', y llwyn o naw coeden bedwen yn drosiadol fel adeilad, a datblygodd y trosiad yn fanylach yn 'Y Deildy'.[26] Mae llinellau 11 a 12 yng ngherdd Lewis – 'Pan fo tôn pêr aderyn, / Hyd y dail yn hudo dyn' – o bosib yn adleisio'r llinellau canlynol o gerdd a briodolwyd ar un adeg i Dafydd ap Gwilym:

Mae adar gwlad baradwys,
A'u tôn glaer, ar y twyn glwys,
A'n cydgaingc yn gwau coedgerdd,
Hyd y coed yn hudo cerdd.[27]

Yn yr un ffordd ag y mae Dafydd ap Gwilym yn cyferbynnu'r gaeaf a'r haf ym 'Mis Mai a Mis Ionawr', mae Lewis yn dilyn y disgrifiad o'r haf gyda disgrifiad o'r gaeaf. Ceir diwedd trawiadol i'r gerdd drwy gyflwyno'r syniad fod Duw wedi rhoi bwyd yr adar o dan glo dwyfol am y gaeaf a bod yr allwedd wedi ei gymryd i ffwrdd i'w gadw yn y nefoedd:

A bwyd adar byd ydoedd
Dan glo Duw, yn galed oedd,
Aed â'r agoriad adref,
Yn iawn i'w gadw yn y nef.

Er bod hon yn un o'r cerddi prin lle mae Lewis yn dangos hoffter o fyd natur, nid yw'n myfyrio am brofiad cymhleth neu'n cynnwys disgrifiadau manwl. Serch hynny, mae ei gynildeb wrth ddisgrifio natur a thirlun yn nodweddiadol o feirdd Cymru yn y ddeunawfed ganrif.

Cerdd arall sy'n adleisio gwaith Dafydd ap Gwilym yw 'Cywydd y Llygaid'. Ystrydeb gyffredin ym marddoniaeth yr Oesoedd Canol oedd saeth neu waywffon cariad yn bwrw'r carwr a adawyd yn nychu oherwydd y clwyf.[28] Yn 'Cywydd y Llygaid' trewir y bardd gan saethau o lygaid y ferch:

> Y llygaid gleision lliwgar,
> Och byth eu gweled, wych bâr!
> Gwelais draw a bair glais drwg,
> Galar fu im' y golwg;
> Lle'u gwelsant fi gwedi gŵyl,
> Eres na bai fy arwyl.
> Â dau o saethau sythion,
> Deryw fy mriw, drwy fy mron;
> Saeth, bob un, o ben bun bach,
> Nwyfus a'm gwnaeth yn afiach.
> Fel mellten, llucheden chwyrn,
> A wasgar fêr fy esgyrn.

> (*DT*, tt. 118–19)

Mae'r saethau yn troi'n fellt, y mellt yn dân, a'r tân yn wenwyn. Cyfoethogwyd 'Cywydd y Llygaid' gan yr adleisiau o waith Dafydd ap Gwilym, er y gellir ei ddisgrifio fel 'cywydd ymarferiad'.[29] Roedd gan Lewis, fel Dafydd ap Gwilym yntau, agwedd ddeublyg tuag at gariad – roedd yn ffynhonnell pleser a phoen. Nododd D. Gwenallt Jones linellau o 'Claddu'r Bardd o Gariad', 'Morfudd fel yr Haul', 'Marwnad Rhydderch', ymhlith eraill, a adlewyrchir yn 'Cywydd y Llygaid'.[30] Awgrymodd fod wythfed linell 'Cywydd y Llygaid', 'Deryw fy mriw, drwy fy mron', yn dynwared y cwpled hwn o gywydd Dafydd ap Gwilym 'Morfudd fel yr Haul':

> Nid haws ar lawr y neuadd,
> Darfaw llaw, deryw fy lladd.

Ond yn fy marn i mae'n dynwared llinell o gerdd arall a briodolwyd ar un adeg i Dafydd ap Gwilym, 'Dur yw fy mriw drwy fy mron.'[31]

Mewn gwaith yn rhoi 'araith olaf' yng ngenau'r Parchedig Thomas Ellis o Gaergybi, dengys Lewis unwaith eto nad yw'n methu gwthio yr hyn a drafodir y tu hwnt i'r hyn sydd yn rhesymol neu'n ymddangosiadol deg. Roedd Ellis (1712–92) yn ohebydd oes â'r Morrisiaid ac roedd ganddynt feddwl uchel ohono er mor rhyfedd y berthynas rhyngddo ef a Lewis, oherwydd roedd Lewis ymhell o fod yn biwritanaidd yn ei lythyrau na'i fywyd. Cawsant gwmni ei gilydd yng Nghaergybi rhwng 1737 ac ymadawiad Lewis â Môn yn 1742. Daethai Ellis yn offeiriad i ofalu am eneidiau trigolion Caergybi ym mis Ebrill 1737, gan gynrychioli Eglwys Loegr ym Môn ar adeg pan oedd Ymneilltuaeth a Methodistiaeth yn apelio at fwyfwy o bobl, ac mae'n debyg mai'n fuan ar ôl hynny yr ysgrifennodd Lewis yr araith hon. Yn sicr, roedd Ellis yn wrthwynebydd cryf i'r Methodistiaid. (Cyhoeddodd 'pwmp o lyfr Cymraeg yn erbyn y Methodistiaid', chwedl William Morris, yn 1747 i geisio rhwystro'u fflam rhag lledu. Chwithig yw'r ffaith i waith person Caergybi gael ei argraffu yn Nulyn ar adeg pan oedd hen wasg Lewis Morris yn segur yng Nghaergybi.) Dyma flas o'r araith:

> I have many things to answer for, particularly my rude behaviour to the fair sex. I have found fault with their gowns, shoes & pettycoats and ridiculd their very stockins, but what lies heaviest upon me at present is that I have quarelld with my own heels. I have discovered a lady's secret and fatherd it upon another, and in spight of my Greek & Latin, my mother Eve's weakness got ye upper hand of me . . . This my uncontrould spirit could not bear and seven more evil spirits enterd into me which for want of a harper (such as King David) are here still.[32]

Cyfeiriad sydd yma at eiriau Crist ym Matthew 12: 45 a dawn Dafydd i beri â'i delyn i'r ysbryd drwg gilio oddi wrth y brenin Saul (1 Samuel 16: 23). Wrth gwrs, ceir llu o enghreifftiau yn y Beibl o ysbrydion drwg yn dod allan o bobl. Dylid hefyd gofio englyn Lewis i'r diafol. Sail digrifwch yr 'araith olaf' oedd bod Ellis yn berson piwritanaidd, yn aml yn curo'r drwm moesol; ef a symudodd Gŵyl Fabsant Caergybi o'r Sul i ddiwrnod ynghanol yr wythnos, fel y cwynodd William Morris wrth Richard ei frawd yn 1754 fod arfer a fodolai ers canrifoedd wedi'i newid.[33] Honnir yn yr araith fod yr offeiriad wedi beichiogi menyw ac wedi tadogi'r plentyn ar ddyn arall, ond eironig yw defnydd Lewis o ddigwyddiadau ac arddull Feiblaidd i esgusodi cwymp yr offeiriad. Mae'r araith a roddir yng ngenau'r offeiriad yn parhau:

I calld them all blockheads and abusd even the tender sex. Have not I picked up my brains out of Homer & Virgil? And may not I imitate yᵉ passions of Achilles? If they cross me again in my way I'll bring Æacus, Minos & Rhadamanthus the Gods of Hell to punish them.

Nid oedd Thomas Ellis yn briod yn y cyfnod hwn, yn rhannol er mwyn peidio â pheryglu ei Gymrodoriaeth yng Ngholeg Iesu, Rhydychen (parhaodd yn Gymrawd o 1731 hyd 1761).[34] Credai Lewis fod hyn yn ffôl: 'He thinks he doth enough by tying you & others and ushering on the great work of multiplying; but there is an old proverb (and old proverbs are all true) & which yᵉ Dr ought to consider. Y peth a alloch ei wneuthur eich hun, na adewch i arall ei wneuthur.'[35] Barnodd Lewis fod y cyfeiriadau at Homer, Fyrsil ac ati yn addas am fod y brodyr yn ystyried fod Ellis yn wybodus. Mae'r darn yn awgrymu fod Ellis yn colli ei dymer o dro i dro; awgrymir hyn hefyd gan gyfeiriadau ato yn y llythyrau fel 'ffromwyllt' a 'pry ffyrnig'.[36] Cyfeiria Lewis yn y darn agoriadol at 'poor silly constitution' Ellis, a thystir i eirwiredd hyn gan ddisgrifiad Richard Morris ohono fel 'ysgyren o ddyn'.[37] Gorffennir y traethiad mewn modd creadigol a diddanus, drwy ddychmygu marwolaeth Thomas Ellis:

O yᵉ Gods & Demigods, Fauns, Sylphs, Dryades & Hemidryades, fa la la mi fa. Hold my head, give me either patience or power enough to punish mankind that disobey my commands; O I faint, I die! Some lukewarm fire! My eyes dart columns of water, I'll burn you all to snow, stand off. Elixir salutis, pancakes & pudding, St. Jerom & Augustine and all the Fathers of yᵉ Church, & some pills of Hiera cum Agarick for heavens sake, o blister me, bleed me, some warm water, o give me a clyster.
      & so the beast died with yᵉ pipe in his ar_e.

Efallai mai digwyddiad gwirioneddol a ysbardunodd Lewis i lunio cerdd ddigrif yn sôn am offeiriad Llanfechell, Richard Bulkeley, yn anghofio'i bregeth:

> Pob gŵr, pob gwraig, pob llances
> A garo bregeth gynnes,
> O draethiad Person llawn 'i god
> Gwrandewch ei hynod hanes . . .

'Does gantho yn y pulpud
Yn ddidwyll air i'w ddwedyd!
Anodd canu, myn fy ffydd,
Heb gywydd dibrudd dybryd.

Fe alw o ar Rotsier dinbleth,
Y clochydd purffydd perffeth,
A'i rodda fo gynt i Farn
Ar lawer darn o bregeth.

'O! Rotsier, glochydd lledffrom,
Er dim erioed fu rhyngom,
A welaist ti fy mhregeth fry?
On'de, fe ddarfu amdanom!'[38]

Er mawr siom i'r pregethwr, nid oedd y clochydd yn medru ei gynorth-
wyo. Nid yw ymadroddion megis 'Gwrandewch ei hynod hanes' yn
farddonol gywrain. Dangosodd T. H. Parry-Williams fel y defnyddid
tagiau fel 'Gwrandewch' a 'Dowch yn nes' mewn cerddi gwerinol cynnar
oherwydd 'diffyg y gallu artistig sy'n angenrheidiol i ddechrau a diweddu
cyfansoddiad yn ddeheuig a thrawiadol'.[39] Defnyddir yr ystrydeb
'Gwrandewch' yn rhy aml gan Lewis – er enghraifft, yn y ddwy gerdd
rydd yn ymwneud â Bol Haul, a hefyd ar ddechrau 'Caniad Bugail
Caron'. Dechreuid cerddi rhydd gwerinol gydag ymadroddion o'r fath er
mwyn hawlio sylw'r gwrandawyr hwyliog o'r dechrau. Roedd defnydd
Lewis o ymadroddion sy'n nodweddiadol o farddoniaeth y beirdd gwlad
yn dystiolaeth o ddylanwad eu harddull arno er mai llenyddol, ac nid
llafar, yw cywair ei ganu ef.

Wrth i'r flwyddyn 1738 dynnu tua'i therfyn, lluniodd Lewis draethawd
sy'n cynrychioli carreg filltir yn hanes chwaeth lenyddol Gymraeg.
Llythyr calennig ar 30 Rhagfyr 1738 ar gyfer Owen Meyrick o Fodorgan
ydoedd, yn dangos rhinweddau'r penillion telyn, gan ddyfynnu llawer
ohonynt a thanlinellu urddas eu tras a'u harwyddocâd o fewn y gynhys-
gaeth farddol. Tebyg bod ambell bennill a ddyfynnodd yn y traethawd
hwnnw ar ei gof er dyddiau bore oes. Roedd ganddo ymwybyddiaeth
iachus o'r farddoniaeth Gymraeg a luniwyd mewn cyfnodau cynharach,
ac ef oedd y beirniad cyntaf i werthfawrogi gwerth llenyddol yr hen
benillion telyn. Yn y llythyr hwn, trafododd y mesurau a cheisiodd eu
dadansoddi. Cyfeiriodd at sylwadau gan hen awduron clasurol, a
cheisiodd brofi hynafiaeth y penillion er mwyn dyrchafu eu statws. Ond

er disgleiried ei ysgolheictod, gadawodd i'w genedlgarwch gael y gorau arno wrth wneud datganiad rhyfeddol (gyda chymorth dyfyniad gan Iŵl Cesar o'i *Commentaries* yn ymwneud ag addysg y Derwyddon) mai'r Derwyddon yng Nghymru oedd y mwyaf hynafol ac mai cynnyrch eu hawen hwy oedd y penillion. Ceisiodd hefyd wneud cymariaethau rhwng cynnwys penillion penodol. Daeth i'r casgliad:

> whoever considers yᵉ natural simplicity of these expressions and the sound unaffected sense they contain with that soft sweet and soothing air of our musical compositions being mostly in yᵉ Lydian measure will not wonder that the multitude should be enamoured with these little *penills* as to be constantly chaunting of them wherever they meet with a harp.[40]

Pwysleisir naturioldeb y penillion ac fe'u cyferbynnir â cherddi rhyfelgar y cyfnod cynnar. Mewn gwrthgyferbyniad â'r canu caeth cynharaf a gofnodwyd ar raddfa sylweddol, goroesodd y penillion telyn, llen-yddiaeth y werin, drwy gael eu trosglwyddo ar lafar o genhedlaeth i genhedlaeth. Gwelodd Lewis eu hansawdd arbennig ac fe'u hefelychodd drwy lunio cerddi telynegol. Un enghraifft o'i waith sy'n ailgynhyrchu naws a doethineb y penillion telyn yw'r canlynol:

> Os collais i yr hyn ni chefais,
> Ni wn amcan peth a gollais,
> Ychydig oedd y golled honno,
> Peth ni thale i sôn amdano.[41]

Roedd y safiad beirniadol a wnaed ganddo wrth ganu clodydd y penillion telyn yn arwyddocaol iawn wrth i'w farn lywio ymagwedd beirniaid tuag at y canu gwerin ac wrth sefydlu'r mesur fel un derbyniol i feirdd y cyfnod. Nododd Thomas Parry:

> Ymddengys na sylweddolodd neb werth llenyddol y penillion o flaen Lewis Morris yn y [ddeunawfed ganrif], a phan ddaeth i feirdd Cymru yr awydd i ymysgwyd o afaelion cynghanedd a defod, at yr hen benillion y trowyd am batrymau.[42]

Mae astudiaeth ac amddiffyniad Lewis o'r penillion telyn yn dwyn i gof y ffordd y pleidiodd Joseph Addison achos y faled stryd neu'r faled boblogaidd, yn enwedig yn ei draethodau ar y faled Saesneg enwog 'Chevy Chase' yn *The Spectator*, rhifau 70 a 74, ym mis Mai 1711.

Gwyddom fod Lewis yn gyfarwydd â'r traethodau hyn gan Addison oherwydd cyfeiriodd atynt yn ei sylwadau ffug-ysgolheigaidd ar un o'i gerddi ei hun.[43]

A throi am y tro at ei lythyrau sy'n 'ohebiaeth' wironeddol yn hytrach nag yn enghreifftiau o'r *genre* llenyddol dychmygus, roedd pob llythyr yn ddechreuad o'r newydd; i'r derbynnydd ac i'r ysgrifennydd hefyd, roedd ganddo botensial cynhyrfus o ran peri syndod. Er enghraifft, mewn llythyr at William Bulkeley ym mis Medi 1736 meddai: 'I have just now lighted a candle and I intend to devote my waking hours tonight to fill up this letter with anything in ye world that comes uppermost providing my spirits will hold out.'[44] Mae'n debygol y byddai, yn gyffredinol, wedi ysgrifennu ei lythyrau yn rhwydd ac yn gyflym gan symud gyda hyder ac egni o'r naill bwnc i'r llall. Ni thrafferthai yn aml gyda pharagraffau, a wastraffai ofod. Mae'n rhaid felly i'r darllenydd baratoi ar gyfer newidiadau yma a thraw sydd weithiau yn peri anesmwythyd. Aeth ymlaen yn y llythyr at William Bulkeley i ysgrifennu: 'Perhaps you may take this as ye ravings of a feverish man. But I am upon ye recovery. However, I am a little excuseable now for talking at random.' Sylw cyffredin a hydreiddiodd bob lefel o drafod llythyrau oedd y dylent ymdebygu i sgwrs. 'Talking upon paper' oedd disgrifiad enwog Pope,[45] sylw y gellir yn hawdd ei ddefnyddio i ddisgrifio llythyrau Lewis Morris, am eu bod yn llawn sylwadau ffwrdd-â-hi wrth fynd heibio. Roedd Lewis yn ymwybodol iawn o dderbynwyr ei lythyrau, ac esmwythid meddwl y darllenydd gyda'r dull byrfyfyr hwn o ysgrifennu. Defnyddiodd Dryden arddull hamddenol debyg ym mharagraff cyntaf ei ragair i *Fables Ancient and Modern*, cyfrol a geid yn llyfrgell Lewis. Flynyddoedd yn ddiweddarach, cafodd Lewis afael ar gopi o nofel fawr Henry Fielding, *Tom Jones*, y ceir ynddi arddull sgyrsiol, ffwrdd-â-hi yn y penodau byrion cyflwyniadol.

Mae ysgrifenwyr yn cymhwyso eu llythyrau i fod yn addas i'r derbynwyr. Yng ngeiriau Samuel Johnson: 'a letter is addressed to a single mind of which the prejudices and partialities are known, and must therefore please, if not by favouring them, by forebearing to oppose them.'[46] Nid oedd Lewis yn adnabod Owen Meyrick yn ddigon da i anfon cerddi anllad ato (neu efallai adnabyddai ef yn ddigon da i wybod na fyddai'n briodol i anfon deunydd o'r fath ato); nid perthynas hwyliog a fodolai rhyngddynt. Ond roedd amcan Lewis yn glir wrth lunio'r llythyr calennig, sef cadw a chryfhau diddordeb uchelwr yn iaith a diwylliant Cymru. Mae darllen llythyrau Lewis mewn trefn gronolegol yn fodd o bwysleisio cymhlethdod ei bersonoliaeth. Llwyddodd i addasu yn gelfydd dôn a chynnwys pob llythyr, gan gyflwyno'i hun yn y modd yr hoffai i'r derbynnydd ei weld. Mae ei lythyrau at Iarll Powis (1703–72), er enghraifft, yn brin o hiwmor, yn ffurfiol, ffeithiol a diddychymyg. Ar y llaw arall, mae ei lythyrau at ei gyfaill diota William Vaughan yn amlwg wedi eu hysgrifennu gyda'r nod o ddiddanu'r derbynnydd, o greu adloniant a hwyl. Ceir gwahaniaeth trawiadol, er enghraifft, rhwng y llythyr difrif y dyfynnir ohono uchod at Owen Meyrick, 30 Rhagfyr 1738, a llythyr hwyliog a anfonwyd at William Vaughan, 4 Ionawr 1739. Meddai wrth Owen Meyrick yn y llythyr calennig:

> I had leisure to draw up yᵉ following small tract in relation to our British custom of singing with the harp. It will give you a natural scetch of our Ordovician musick which I doubt not is the same as we have used since we are a people.[47]

Aeth ymlaen i draethu ar fesurau a themâu'r hen benillion, gan geisio ennyn diddordeb yr uchelwr ynddynt. Ond ychydig ddiwrnodau'n ddiweddarach, ysgrifennodd at William Vaughan i adrodd stori ddychmygol a ddeilliodd o'r ffaith nad oedd wedi cael llythyr am gyfnod oddi wrtho.[48] Yn 'Llewelyn Ddu o Fôn yn anfon cennad at y Parchedig Frawd Du o Nannau ym Meirion', mae'n nodi iddo ysgrifennu at Vaughan deirgwaith heb gael ateb – cwyn ddigon cyffredin ganddo – ac o ganlyniad mae'n poeni fod Vaughan yn sâl neu wedi marw. Dychmyga'r hwyl a'r sbri y byddai ei gyfeillion yn ei gael yn Nannau yn ei absenoldeb, drwy ysgrifennu amdano'i hun yn ymweld, gyda llond braich o swyngyfareddion, â dewines o'r enw Alis ferch Owen Gythraul yn Llanddyfnan ym Môn er mwyn codi ysbrydion.

> Ni fedrwn gysgu yn fy ngwely'r nos nes cael bodlondeb am hyn; felly mi gymerais yn fy llaw ychydig o halen bras, a chadach coch, ag ewinedd geifr, a blew srêw, a mwsogl esgyrn dynion, a pheilliad efrau, a mêl ag ymenyn a phwys o dobacco, ag aethym i ymdaith tua Llanddyfnan lle mae Alis ferch Owen Gythraul y ddewines yn cadw haid o ysprydion mewn potel.

Mae'r ddewines yn dangos iddo nifer o ddiafoliaid mewn potel; gofynnodd Lewis a oedd diafol o Feirionnydd yno a chafodd yr ateb 'Oes . . . daeth yma haid o honynt ddoe', gan gynnwys Gobed Lwyd (sef y bardd Robin Llwyd o'r Brithdir). Roedd Lewis am ei weld ef ac felly ar ôl rhoi'r swyngyfareddion angenrheidiol i'r ddewines: 'Ni chawn i gytrym nad dyma bwmp o gythraul gwardew yn ymddangos ar y llawr, ag ysbryd ci blewog wrth ei glun a elwid Turpin; a dyma'r d---l ag englyn ar draws ei geg fal moelrhon neu fulfran yn dal pysgodyn.' Dychrynwyd Lewis nes iddo ddechrau ymysgwyd, a rhoddodd y ddewines botel bach iddo ddal wrth ei drwyn: 'Y peth cynta a welwn o'm cydnabyddiaeth, oedd trwyn yr ysbryd yn camu tua'r naill du ag yn gwneud gwep aflawen arnaf, mi dybygwn ei fod ef mewn diod.' Gofynnodd Lewis yn daer: 'Er mwyn dyn, y Mr Diawl, pa bryd y daethoch o Sir Feirionnydd, a pha fodd y mae pawb yn Nannau, ag oddeutu Dolgelle?' Rhydd weddill y llythyr atebion i'r cwestiynau hynny, gyda sylwadau am y gwŷr a fyddai'n derbyn gwahoddiad Vaughan i'w blastai o bryd i'w gilydd. Pan ddaeth y sgwrs â'r Gobed Lwyd i ben, rhoddodd Lewis droed mewn gwarthol a dihangodd adref 'o nerth y carnau, yn dda gan fy nghalon fod y Brawd Du'n iach'. Diben ymarferol y llythyr oedd gofyn pryd y byddai William Vaughan yn gadael am Lundain ac ymhle y byddai'n byw ar ôl cyrraedd, ond troes Lewis Morris ef yn gyfrwng diddanwch a difyrrwch dau gyfaill.

Nid yw'r nodwedd hon – sef cymhwyso llythyrau i fod yn addas i'r derbynwyr – yn anghyffredin. Creodd Alexander Pope gyfres o rolau yn ei ohebiaeth a oedd yn dibynnu ar y derbynwyr, pa un ai a oeddynt yn fenywod, yn gyfeillion pendefigaidd neu'n grachlenorion.[49] Disgrifiwyd Horace Walpole fel 'epistolary chameleon' oherwydd y gwahaniaethau trawiadol ac aml rhwng ei ohebiaethau.[50] Dangosodd Lewis Morris ochrau gwahanol ei bersonoliaeth i wahanol dderbynwyr ei lythyrau, a thrwy hynny creodd hunanbortreadau hynod ddiddorol. Mae ei lwyddiant yn addasu cynnwys a thôn ei lythyrau i gymeriad a diddordebau'r derbynwyr yn arddangos ei ddawn hyblyg.

Nid oedd Lewis yn hwyrfrydig i geisio ffafr a nawdd uchelwyr, ac ni fu'n araf i feithrin cyfeillgarwch â William Vaughan, etifedd stad fawr a Chymro Cymraeg nad oedd ond chwe blynedd yn iau nag ef. Pan gyfarfyddai'r ddau o dro i dro, megis yn un o'r ymrysonau barddol a phartïon swnllyd a gynhaliai Vaughan yn ei gartref, fe lifai'r sgwrs fel lli'r afon rhwng y ddau. Roedd Vaughan yn gyfuniad o'r hen-ffasiwn a'r cyfoes, yn ysgwïer cefn gwlad a Thori plwyfol ei ddiddordebau ar y naill law, ac ar y llall yn mwynhau ei aml ymweliadau â Llundain a lleoedd ffasiynol eraill yn Lloegr, Iwerddon a Ffrainc yn ystod ei oriau hamdden niferus. Ond nid oedd dylanwad Vaughan yn arbennig o bellgyrhaeddol – nid oedd yr oes yn un lewyrchus i'w blaid yn y Senedd, nid aeth i un o'r ysgolion neu'r colegau a feithrinai arweinwyr y cyfnod, ac, mewn termau Prydeinig, mân uchelwr ydoedd. O ganlyniad, roedd William Vaughan yn fwy o gyfaill i Lewis nag o noddwr, a rhaid bod mwynhad Vaughan o'i gerddi wedi rhoi cymhelliad cyson iddo gynhyrchu corff o lenyddiaeth hwyliog ddychanol yn Gymraeg. 'Gwych gan y gŵr gael llith allan o lyfr cywydd', meddai Lewis am William Vaughan, cywyddau urddasol a chywyddau maswedd fel ei gilydd.[51]

Tua deufis ar ôl cwrdd â William Vaughan am y tro cyntaf, anfonodd Lewis lythyr ato, dyddiedig 24 Awst 1738, sydd yn ddilyffethair ac yn llawn hiwmor.[52] Sonia ei fod yn flinedig ar ôl bod yn 'darlunio cyffiniau'r deyrnas', sef ei waith hydrograffig fel y cawn weld yn y man, ac ysgrifennodd am y 'tramgwyddiadau' a ddaeth i'w ran ar y daith adref i Fôn. Cyfarchwyd ef gan y dduwies Ceres, sydd yn gofyn i Wenhwyfar i roi costrelaid o laeth a mêl iddo. Yna awgrymodd Bacchus, ar ôl sylwi bod Lewis wedi colli ei liw, y dylai gael 'gelyrnaid o win coch fal y mago wrid i'w ruddiau fal cynt'. Dyma oedd cyngor Esculapius, duw meddyginiaeth:

Mwydwch ef mewn llysieu dŵr ebr Esculapius, gwna hynny nid yn unig lanhau ei gnawd, eithr hefyd wastadhau ei ben yr hwn sydd ondodid gwedi lled gymysgu wrth yslobera hyd foroedd llynnau ag afonydd, yno eneiniwch ef ag olew claear fal y tyfo mêr iraidd yn ei esgyrn afrowiog y rhai sydd gwedi eu crafu gan wres yr haul yn tywynnu ar geulennydd Meirion.

Ac ymhellach:

Ni chawn i gytrym nad dyma fenyw ireiddwen a elwir Luned hardd yn dyfod ag ystên aroglau Benzoin, Castor a Galbanum mewn thuserau'r hen dderwyddon ag yn eu dal gar fy mron: Och, och, ebr y modryb Elen Lueddog ni feddyliodd neb roi iddo damaid o luniaeth etto, ar hynny dyma loned bwydty o bob math ar adar a physgod ag anifeiliaid yn tarthu ar fyrddau o'm blaen, yno edrychais tua'r Wyddfa ag wele bennau'r mynyddoedd gwedi duo gan fwg ceginau Ynys Môn.

Mae'r ymadrodd olaf uchod yn dwyn i gof gwpled o gywydd Lewys Glyn Cothi, 'Molawd Môn':

Gorddu yw brig y Werddon
gan fwg ceginau o Fôn.[53]

Mae Lewis yn ymdrybaeddu mewn dychymyg a chwarae, a chyfaddefir mai 'afraid ag oferdraul oedd hyn oll'. Ceir yma afiaith a hwyl sydd yn nodweddiadol ohono yn ei lythyrau at Vaughan.

Anfonwyd darn arall o ryddiaith lenyddol ar ffurf llythyr at William Vaughan, dyddiedig 7 Hydref 1738.[54] Denir y darllenydd at y darn gan agoriad dramatig a digrif: 'Dyma fi fal dylluan Dafydd ap Gwilym, nid oes un o adar y mynyddoedd a ddaw yn fy nghyfyl.' Ysgrifennwyd ei lythyrau at Vaughan mewn ysbryd chwareus ac ysgafn, a cheir ynddynt gryn asbri a hiwmor. Yma adroddir sut y clywodd fod Vaughan ac eraill yn ymweld â Chaergybi:

> ymdaith a wnaethym liw dydd, liw nos, trwy'r glaw a'r llifddyfroedd, trwy'r eithin a'r mieri, a thrwy'r ddaiar weithian hyd at fol fy ngheffyl, hyd na ddaethym gefn plygain i'r llannerch ddymunedig; gofyn yno fal gŵr a fyddai 'mhorth paradwys yn disgwyl rhyw lawenydd anrhaethadwy, a oedd y Brawd Du yno; nag oes yma na du na gwyn ond a welsoch, ebr rhyw grangces dingam o hen wrach oedd yn cyrcydu ynghil y ddôr; mi glown fy nghalon yn toddi fal calon cybudd wrth edrych ar bwrs gwag.

Mae Lewis yn rhoi'r argraff o fynd drwy ddŵr a thân i geisio dod o hyd i Vaughan. Mae'n parhau trwy ddweud iddo ddychwelyd adref er mwyn llunio marwnad i wŷr bonheddig Meirionnydd a oedd wedi boddi. Serch hynny, cyn iddo gyrraedd diwedd y gerdd clywodd y newydd fod Vaughan yn fyw ac yn iach, gan ychwanegu: 'Da oedd gan fy nghalon glywed hyn, nid yn unig o ran y drafferth i wneud marwnad ond hefyd fod gobaith ryw amser etto y tery yn eich pen feddwl am ddyfod tros Fôr Menai.' Tua thri chwarter y ffordd drwy'r llythyr, ar ôl bodloni'r prif nod epistolaidd o fod yn ddigrif a diddan, mae'n cyfaddef: 'Nid oes gennif mo'r llawer i ddwedyd ond a wyddoch.'

Cymerai Lewis y gofal mwyaf o lawysgrifau, fel y dengys ei sylwadau mewn llythyr at William Vaughan, dyddiedig 30 Tachwedd 1738, yn cyfleu'r newydd fod un o lawysgrifau teulu Nannau wedi cyrraedd Caergybi yn ddiogel:

> Dyma'r llyfr mawr gwedi dyfod heddyw o Garn Arvon ag ni chafodd e' prin roi ei droed ar lawr na neidiais ynghryd ag ef i dynnu ei glustiau cŵn oedd ynddo yn ei anrheithio. Dyma fi agos a myned drwy ei hanner gan i wneud yn barod i'w rwymo. Fe ga fynd i wlad y bytatws ar fyrder ynghwmni llyfr iminneu o waith T. Price Plas Iolyn.[55]

Pan ddychwelwyd y llawysgrif o'r Iwerddon, hysbyswyd William Vaughan fel hyn: 'Your manuscript is come over some time ago, neatly bound considering disadvantages. It is lettered on ye back Llyfr Coch Nannau and I have begun to make it an index.'[56]

Rhoddai Lewis ei feddwl ar waith wrth ennyn cyfeillgarwch a meithrin perthynas, fel y tystia'r cyfarwyddiadau a roddodd i Richard ei frawd ar 24 Chwefror 1739 ar y ffordd orau i gysylltu â William Vaughan am y tro cyntaf:

> Ymofyn am William Vaughan, Esq., at ye coachmaker, in St James's Street, ond ynghynta gwna ddau neu dri o englynion i ddywedyd iddo mae pererin wyd yn Llundain, gwedi dyfod o Wynedd ers _ mlynedd, heb chwimio erioed o honi, ag mae brawd wyd i Lewelyn Ddu o Fôn. Sign your name Richard Morris alias Rhisiart Amheurig Loywddu.[57]

A cheir rhagor o dystiolaeth yn yr un llythyr at Richard ynglŷn â'r modd y pwysai ac y mesurai bobl er mwyn gwybod sut i ymwneud â hwy. Copïodd ar gyfer Richard dri englyn maswedd yr oedd eisoes wedi eu hanfon er difyrru William Vaughan, gan ddweud:

> Hyn a 'sgrifenais yma, nid i fwrw meddyliau anuwiol yn y pen, ond i ddangos ychydig o dymmer dynion y byd. Mr Selden's Speechman was in the right. He could not make ye Mayor a speech without the measure of his mouth, ag felly anodd ydyw gwneuthur englyn i ddyn heb gymeryd mesur ei geg.[58]

Gwyddai Lewis o'r gorau fod William Vaughan yn hoff o lenyddiaeth fras, ddigrif. Pan anfonodd 'Cywydd y Bais' ato mewn llythyr dyddiedig 13 Rhagfyr 1740, cyflwynodd ei gerdd drwy nodi yr esgorwyd arni gan 'a late intrigue which caused some vexation of spirit, and is in imitation of Dafydd ap Gwilym's Cywydd y Dail & Cywydd y Das Wair, where every *Pennill* terminates with the subject Dail or Gwair'.[59] Codi gwên yn hytrach nag ysgogi blys oedd prif fwriad Lewis, er y disgrifir gweinlyfiad yn y gerdd. Ailadroddir y gair 'pais' yn ail linell pob cwpled:

> Ar y fun y dymunais
> Fel edn ffôl le dan ei phais,
> Wrth ei thin y penliniais
> Mal ffŵl a fai'n moli'i phais.
> Gwych oedd y lle cartrefais;
> On'd da'r byd o fewn tŷ'r bais?

> (*DT*, tt. 117–18)

Ceir tystiolaeth fod Vaughan yn dylanwadu'n uniongyrchol ar ei weithiau, fel y gwelwn o'i lythyr at Vaughan ar 22 Chwefror 1739, lle dywed: 'I thank you for the dialogue. The button hole is a very pretty thing', ac eir ymlaen i lunio cerdd â'r teitl 'Llewelyn Ddu to the button hole':

Pethes front yw c – t mewn cwm, mewn oedran
    Yn edrych yn dinllwm,
    Fflwp, fflwp, fflott llun twll bottwm,
    Cwrr o'i mant yn crio mwm . . .

Twll blewog bannog mewn bwm, meddalaidd
    A ddylai gael bottwm,
    Del i ferch i front boeth gontwm
    Bob tro y gollyngo'n llwm.[60]

Yma, fe'i gwelir yn ymadael â'r confensiynau, gan ddefnyddio hen fesur yr englyn ar gyfer dibenion llai dyrchafedig a'r twll botwm fel delwedd anllad. Does dim dwywaith nad oedd y mwyafrif o'r penillion anllad a luniodd Lewis yn *jeux d'esprit* preifat na fwriadwyd eu cyhoeddi. Yn y cyfnod hwn, nid ystyriwyd bod siarad yn fras yn annheilwng o foneddigion yn siarad ymysg ei gilydd. I'r gwrthwyneb, roedd ymron yn arwydd o wŷr bydol-ddoeth.

Ym mis Mawrth 1739 bu Lewis mewn cyfarfod o feirdd ym Mhenmorfa yn Sir Gaernarfon. Adroddodd yr hanes wrth William Vaughan.

I met at Penmorfa with Wil Elias *y Bardd* and we got a harper and some *datcanwyr*, and made one night of it. I like him much. Elias is a prophetic bard. Every man that gave a toast was obliged to make an englyn upon ye subject.[61]

Dyfynna'r englyn y bu'n rhaid iddo'i lunio'n fyrfyfyr a'i adrodd:

Dowch yn awr o fawr i fân – oll yna
    A llenwch y gwpan,
    A fyn lwydd a yf yn lân,
    Iechyd i Wilym Fychan.

Ni chofiai englynion ei gyfeillion. Yn y cyfnod hwn, ymwelai yn eithaf aml â siroedd Caernarfon a Meirionnydd i gwrdd â beirdd megis William Elias, Rhys Jones o'r Blaenau a Robert Llwyd o'r Garth. Rhaid wrth fedr arbennig i englyna'n fyrfyfyr a bendithiwyd Lewis a'r beirdd uchod â'r ddawn honno. Roedd Lewis yn un o nifer o feirdd yn y ddeunawfed ganrif a oedd yn ymwybodol iawn o'r rheolau ynglŷn â chyfansoddiad llinell gyntaf englyn a swyddogaeth y rhagwant.[62] Ysywaeth, aeth englynion dirifedi i ddifancoll gan na chofnodwyd hwy ar ôl eu hadrodd unwaith.

Cyn dyfodiad y rheilffyrdd i Gymru yn ystod ail hanner y bedwaredd ganrif ar bymtheg, roedd y porthladdoedd a'r cilfachau niferus a frithiai arfordir Cymru yn chwarae rhan allweddol wrth hwyluso masnach. Yn dilyn datblygiad cynnar adnoddau mwynol Cymru – haearn, glo ac, i raddau llai, plwm – cynyddodd swm y fasnach rhwng porthladdoedd Cymru, a hefyd rhyngddynt hwy a phorthladdoedd Lloegr a thramor. Daeth y peryglon niferus a wynebai forwyr Cymreig, yn enwedig y rheiny a weithiai ar y fasnach porthladd i borthladd, i ffocws cliriach oherwydd y cynnydd dilynol yn nhrafnidiaeth y môr. Roedd eu gwybodaeth o'r arfordir yn aml yn seiliedig ar wybodaeth empeiraidd ac ar siartiau morwriaethol a oedd naill ai'n annigonol neu wedi dyddio, sefyllfa a gyfrannodd, yn ôl Lewis Morris, at y 'melancholy account of shipwrecks and losses so frequent on the coast of Wales'.[63]

Er ei fod yn ennill cyflog sylweddol fel swyddog tollau, yn cyfarfod â phob math o bobl ddiddorol rhwng y naill beth a'r llall, yn cael digon o hamdden at ei gilydd, ac yn gallu disgwyl pensiwn pan ymddeolai, nid oedd Lewis am aredig yr un gŵys hon yn barhaus. Athrylith aflonydd ydoedd a'r syniad a blannwyd yn ei ben oedd gwneud arolwg o arfordir Cymru dan nawdd y Morlys. Ac yntau'n un o blant Goleuedigaeth y ddeunawfed ganrif, roedd y syniad hwn o fapio'r arfordir yn adlewyrchu awydd y cyfnod i archwilio tir a môr. Yn haf 1736 y daeth yr arolwg arfaethedig i sylw rhai o adrannau'r llywodraeth am y tro cyntaf. Er mawr siom iddo, ni chafodd y cynllun sêl bendith y Trysorlys a phenderfynwyd bod y gost yn ormod. Rhoddodd ail gynnig arni yn ystod gaeaf 1736/7, a chafodd ysgrifenyddion Byrddau'r Morlys a'r Trysorlys i gyflwyno ei achos o flaen yr awdurdodau. Cafodd well hwyl y tro hwn oherwydd cafodd fynd i Lundain ym Mai neu Fehefin 1737 i osod ei gynlluniau am arolwg o'r arfordir gerbron rhai o'r prif weision sifil.

Credai ysgrifennydd y Morlys y byddai'r Arglwyddi yn barod i dalu deg swllt y dydd i Lewis ar yr amod y byddai'r Bwrdd Tollau yn rhoi benthyg un o'u llongau iddo. Roedd cael llong i fesur dyfnder y môr yn hanfodol bwysig i wneud y gwaith yn drylwyr, ond gwrthododd y Bwrdd Tollau ddarparu llong heb fod y Morlys yn gwneud cais amdani, ac nid oeddent hwy yn barod i wneud hynny. Achosodd hyn gur pen mawr i Lewis, ond penderfynodd drafod eto gydag ysgrifennydd y Morlys. Cafodd gynnig pum swllt y dydd i wneud y gwaith, heb long, a derbyniodd y cyflog llai hwn 'in order that I might show their Lordships a specimen of my performance'.[64] Roedd pum swllt y dydd gryn dipyn yn fwy o gyflog nag y byddai Monwysion cyffredin yn eu derbyn. Ar 21 Mehefin 1737 gorchmynnwyd ef gan y Morlys i deithio adref i Gymru i gychwyn ar y gwaith. Gan nad oedd sicrwydd nawdd parhaol i ddod i ben â'r dasg hon nid oedd am roi'r gorau i'w waith fel swyddog tollau, ond yn hytrach gofynnodd am gael ei ryddhau dros dro (dros gyfnodau). Cytunodd y Bwrdd Tollau i'w ryddhau am chwe wythnos ar y cais cyntaf, ac yna am fis yn ôl y ceisiadau lluosog wedi hynny. Y trefniant oedd y byddai'n derbyn ei gyflog llawn ond yn gorfod chwilio am rywun cymwys i gymryd ei le a thalu iddo o'i gyflog ei hun. Dechreuodd yr arolwg mewn man tra chyfarwydd iddo, sef arfordir Môn, a bu'r gwaith a gyflawnodd flynyddoedd ynghynt o fesur tiroedd Bodorgan yn rhagarweiniad ardderchog ar gyfer yr arolwg hwn gan fod peth o diroedd Bodorgan ar arfordir Môn. Ac yntau'n ŵr gweddw ers pedair blynedd, datgela ei lyfr lloffion iddo gychwyn ar y dasg ym Miwmares ar 4 Gorffennaf 1737 (a pharhaodd hyd ganol Tachwedd 1738), ac i wneud hynny bu'n rhaid iddo logi llong ar ei gost ei hun. Tra byddai'n gweithio ar yr arolwg ym Môn, gallai gadw cysylltiad â datblygiadau ym mhorthladd Caergybi, ac estyn cymorth, pe byddai angen, i bwy bynnag a lanwai ei swydd dros dro. Cymorth pellach yn hyn o beth oedd bod William ei frawd wedi ei benodi'n swyddog tollau yn y porthladd er mis Mawrth 1737.

Yn ystod Awst a Medi 1737 roedd masnachwyr porthladd Lerpwl yn ddraenen yn ystlys Lewis wrth iddynt anfon deiseb i'r Morlys yn galw am ei ddiswyddo a phenodi yn ei le rai a gymeradwyid ganddynt hwy. Anfonodd Josiah Burchett, ysgrifennydd y Morlys yn Whitehall, gopi o gais y masnachwyr at Lewis, a bu'n rhaid iddo lunio llythyr yn ymateb. Melys iddo oedd derbyn llythyr, gyda'r dyddiad 17 Medi 1737 ar ei dalcen, yn ei awdurdodi i barhau â'r gwaith. Rhwng mis Mehefin 1737 a Rhagfyr 1738 roedd yn absennol o'i waith fel swyddog tollau am 11 mis o'r 18 mis. Rywsut, rywfodd penodwyd Hugh Lloyd i swydd yn adran tollau Caergybi a bu'n llanw lle Lewis pan oedd yntau wedi ei ryddhau i wneud ei arolwg o arfordir Cymru, a hynny er gwaetha'r ffaith iddo gael ei ddiswyddo gan y Bwrdd Tollau yn 1724! Yng ngolwg llawer o bobl, roedd Hugh Lloyd yn gnaf llygredig a chyfrwys. Lluniodd Lewis awdl fer yn taflu sen arno, yn cynnwys y ddau englyn hyn:

Am goffi a the fe 'mgwffiodd – i'r gwrych
  Nid oes gwrach nas curodd,
  Cyfeiti a brandi heb rodd,
  Yn ollawl a enillodd.

Duwiau arian a dyrrodd – mewn trafferth
  Tir uffern a brynodd,
  Rhoddes i Ddiawl fawl o'i fodd,
  A'i ddelw a addolodd.[65]

Ar 5 Ebrill 1738 anfonodd Lewis lyfr o'i waith at y Morlys yn cynnwys 11 siart maint ffolio o arfordir Môn a rhannau o arfordir gogledd-orllewin Cymru o dan y teitl 'Cambria's Coasting Pilot. The First Part'. Ar ôl yr holl geisiadau llwyddiannus i gael ei ryddhau o'i waith am fis ar y tro gan y Bwrdd Tollau, ac ar ôl methiant ei geisiadau am long, dychwelodd i'w waith fel swyddog y doll ddiwedd Ionawr 1739.

Ymddengys mai Lewis oedd yr unig Fonwysyn yn 40 mlynedd cyntaf y ddeunawfed ganrif i lunio awdlau, sy'n dystiolaeth bellach o'i hynodrwydd. Tua'r un cyfnod ag y lluniodd yr awdl uchod yn dilorni Hugh Lloyd, lluniodd awdl fer yn croesawu William Vaughan adref o Lundain ('Caer Ludd') ac awdl hwy 'i Nannau ym Meirion' sy'n dechrau gyda chyfres o chwe englyn wedi eu cadwyno drwy gyrch-gymeriad, drwy ail-ddefnyddio gair o ddiwedd un englyn ar ddechrau'r un dilynol:

Cael gwin yn fy min, a medd, cael cwrw
  Cael cariad, a mawredd,
  Cefais, heb ofyn cyfedd,
  O'i law, ŵr glân, lawer gwledd.

Gwledda bûm yna; bei mynnwn, beunydd,
  Heb anair y gwleddwn,
  Ac yn nawdd-dai, hendai, hwn,
  Hoffusol, y gorffwyswn.

(DT, tt. 138–40)

Yn yr awdl hon, defnyddir mesurau megis cyhydedd hir, englynion unodl union a chyhydedd fer, ac addurnir y darn clo gyda chymeriad llythrennol. Tebyg iddo fanteisio ar gyfoeth gramadeg Siôn Rhydderch wrth arbrofi â'r cyfrwng anffasiynol hwn, ac felly hefyd flynyddoedd yn ddiweddarach wrth daflu golwg beirniadol dros awdlau Goronwy Owen.

Dangosodd Lewis ei wir ysbryd yn ei ganu rhydd, ac mae 'Caniad y Gog i Feirionnydd' ymhlith goreuon ei gerddi. Lluniodd ei ddrafft cyntaf yng Nghaergybi ym mis Hydref 1739 a dywedodd fod y penillion 'i'w canu gan delyn'. Cerdd o fawl i bleserau Meirionnydd a'i thrigolion ydyw, ond yn fwy na dim mae'n deyrnged i'r *bon viveur* hynaws William Vaughan, a Lewis heb ei weld ers rhai misoedd. Roedd yn rhan o'i ymdrech barhaus i blesio a diddanu Vaughan, ac i ymelwa o'u cyfeillgarwch. 'Lle mae mwynder a llawenydd' meddai un o'r hen benillion am Feirionnydd, a defnyddiodd Lewis yntau y geiriau 'mwyn' a 'llawenydd' yn ei gân.[66] Trwy gydol y gerdd cenir clodydd morynion y fro trwy eu cymharu â delweddau o fywyd gwledig gan arddangos llygad craff a gwerthfawrogol: yr ychen yn llafurio ar draws y cae gyda'r aradr, yr eog yn y nant, y fronfraith hardd gyda'i hadenydd estynedig, a chanu i'r delyn o gwmpas y tân. Dywedir hyn oll mewn barddoniaeth synhwyrus, gyda gwead trawiadol o seiniau, a'r odlau yn ailateb ei gilydd yn gydgordiol:

> Er a welais dan y sêr,
> O lawnder glewder gwledydd,
> O gwrw da a gwŷr i'w drin,
> A gwin ar fin afonydd;
> Gorau bir a gorau bwyd,
> A rannwyd i Feirionnydd.
>
> Eidion du a dynn ei did,
> Ond odid i ddyn dedwydd,
> I dorri ei gŵys ar dir ac âr,
> A braenar yn y bronnydd;
> Gorau tynn, fe'i gŵyr y Tad,
> Morynion gwlad Meirionnydd . . .
>
> Glân yw'r gleisiad yn y llyn,
> Nid ydyw hyn ddim newydd;
> Glân yw'r fronfraith yn ei thŷ,
> Dan dannu ei hadenydd;
> Glanach yw, os d'weda i'r gwir,
> Morynion tir Meirionnydd.

(*DT*, tt. 183–4)

Yn y cyd-destun hwn gallem gofio geiriau Glanmor Williams am Feirionnydd:

Sir yw honno y bu ei meibion a'i merched bob amser yn fwy ymwybodol na thrigolion odid un o siroedd Cymru o'r cwlwm cyfriniol sy'n cysylltu cymdeithas a chymdogaeth, o'r berthynas gref anniffiniol honno rhwng daear a dyn, rhyngddo ef a'i geraint a'i gymdogion, a rhwng cenhedlaeth a chenhedlaeth.[67]

Gwreiddiwyd yr ymwybyddiaeth hon yn ddwfn yn William Vaughan a gwyddai Lewis hynny o'r gorau. Mae'r gerdd, sydd â thelynegrwydd llawen a pherseinedd di-wall, yn gorffen fel hyn:

> Er bod fy nghorff mewn hufen byd,
> Yn rhodio hyd y gwledydd,
> Yn cael pleser môr a thir,
> Ni chaf yn wir mo'r llonydd;
> Myned adre i mi sy raid,
> Mae'r enaid ym Meirionnydd.

Wrth gwrs, nid oes gan y gair 'enaid' yn y llinell olaf yr un cynodiad â defnydd William Williams, Pantycelyn ohono yn ei emynau, er enghraifft. Defnyddir y gair 'enaid' yma i wrthgyferbynnu mwyniant corfforol a serchiadau 'calon', ac i fynegi grym y dyhead. Mae Lewis yn manteisio ar fiwsig y gynghanedd i foldio ei feddyliau ac i fynegi ei hun mewn ffordd drawiadol.

Pam rhoddwyd y teitl 'Caniad y Gog i Feirionnydd' ar y gerdd? Mae'r ailadrodd ar 'Morynion . . . Meirionnydd' yn cael ei gymharu â chri ailadroddus y gwcw yn cynnig un esboniad. Diddorol hefyd iddo, yn ei nodiadau helaeth am anifeiliaid ac adar Môn, ddweud am y gwanwyn fod y gwcw, 'commonly called the Welsh ambassador with his servant pays us a visit'.[68] O gofio fod Lewis yn llefaru ar ran Vaughan yn y gerdd hon, mae'n portreadu aelod seneddol Meirionnydd – gwleidydd na ffeiriodd ddyletswydd tuag at Gymru am esmwythder bolrwth lolfeydd Llundain – fel llysgennad Cymreig. Daw i gof y cysylltiadau arferol o lawenydd, hoen ac adnewyddu. Mae motif y gwcw, yr aderyn sy'n cyhoeddi'n ddefodol yr haf ac yn darogan tristwch yr un pryd, wedi ei ddefnyddio ers cryn amser mewn llenyddiaeth Gymraeg. Un enghraifft gynnar yw'r gerdd 'Claf Abercuawg' (o Canu Llywarch Hen), lle mae dyn cloff, dan gwyno na all fynd i ryfela, yn sôn am gwcw yn galw yn Abercuawg. Mae teithiau tramor y gog wedi ychwanegu at swyn yr aderyn i feirdd, ac yn y ddeunawfed ganrif lluniwyd llu o gerddi gwerinol dduwiol yn peri i'r gog siarad yn foesol.[69] Defnyddiodd Lewis y term 'caniad y gog' i olygu 'too many concords' neu 'too much honey' mewn cerdd.[70] Apeliodd y gerdd at nifer o feirdd eraill a luniodd gerddi'n ymdebygu o ran arddull i gerdd Lewis, gan gynnwys 'Trawsfynydd' gan Absalom Roberts, 'Atgof o'r Brithdir' gan Evan Jones (Ieuan Gwynedd)[71] a 'Caniad y Gog i Arfon' gan Evan Evans (Ieuan Glan Geirionydd).[72] Ceisiodd William Vaughan gyfieithu 'Caniad y Gog i Feirionnydd'. 'Barddoniaeth yw'r hyn a gollir mewn cyfieithiad', meddai Robert Frost yn ei ddiffiniad enwog.[73] Newidiodd Vaughan hyd y llinellau o fydryddu cywrain a chymesur 7, 7, 7, 7, 7, 7 i 8, 6, 8, 6, 8, 8, ac ni allai adlewyrchu telynegrwydd y gwreiddiol ond mae ei ymdrech yn haeddu ei chynnwys yn y gyfrol *Diddanwch Teuluaidd* (1763). Ymddengys mai'r cyfieithiad hwn oedd yr unig gerdd gan Vaughan i'w chyhoeddi.

Pan oedd William Vaughan yn wael yn Llundain tua diwedd 1740, lluniodd Lewis 'Cywydd i gwyno dros glefyd Wiliam Fychan o Gorsygedol a Nannau Esq; pan ddigwyddodd ef yn glaf yn Llundain, o'r Lledewigwst, (Anglice, piles) ac i'w grefu adref'. Disgrifir Vaughan fel:

> Paun Meirion, ein pen mawredd,
> Sy'n llibin ar fin ei fedd.

(DT, tt. 135–7)

Dywedir mai'r ffordd orau i Vaughan drechu clwy'r marchogion yw i hel ei bac adref i'w fro i fwynhau cymdeithas a chyfeillgarwch y beirdd, a Lewis yn eu mysg:

> Daw beirdd Meirion, llon, yn llu,
> Hen genedl yno i ganu,
> Minnau o Fôn, mynnaf wawd,
> Af eurdaith i fyfyrdawd,
> A chywydd gwan i'ch annerch,
> A rydd sain o arwydd serch.

Defnyddir cynganeddion syml, ac mae'r parch a'r cyfeillgarwch rhwng Lewis Morris a William Vaughan yn treiddio trwy'r gerdd. Nid salwch Vaughan yw gwir bwnc y gerdd yn gymaint â hoffter Lewis ohono.

Pan fu farw Llewelyn, un o efeilliaid bach Richard Morris yn Llundain, lluniodd Lewis farwnad iddo ar fesur carolaidd 'ar ddull cyffes ei dad'. Priciodd y dôn a'i hanfon gyda'r gerdd i'r brifddinas mewn llythyr dydd-iedig 10 Ebrill 1740. Cofier i Lewis ei hun golli mab, Lewis, yn dri mis oed ym mis Ebrill 1730, ac mae'n sicr y byddai hynny ar flaen ei feddwl wrth lunio'r gerdd hon, sydd yn meddu ar beth o hud y penillion telyn:

> Amser tyner, ffolder ffôdd, cynyddodd y cywion,
> Dan ysboncio a neidio'n od fal mynnod geifr mwynion,
> Meddwch 'i ond mawr oedd cas angau glas golyn,
> Wrth wel'd fy myd wrth fy modd, fo laddodd Lewelyn . . .

> Ow Llewelyn felyn fab, melyn-fab moel ynfyd,
> Paham y syrthiaist mewn un awr i lawr y gweryd?
> Torraist galon Mami-bach yn iach am dŷ bychan,
> Nid oes cysur yn y gaer ond dy chwaer Meirian.[74]

Mae gan y gerdd ffresni a miniogrwydd ac fe'i hysgrifennwyd mewn dull syml a diorfod; fe ddeilliodd o brofiad penodol a dynol iawn. Ergyd drom arall i Lewis a'r teulu oedd marwolaeth ei frawd ieuengaf, John, dridiau cyn y Nadolig 1740. Bu farw ym mlodau ei ddyddiau yn ystod mordaith y llong ryfel *Torbay* cyn y cyrch aflwyddiannus ar Cartagena ar arfordir gogleddol De America.[75] Roedd ymhlith dros gant o ddynion a gymerwyd yn glaf ar fwrdd y llong heintus wrth agosáu at India'r Gorllewin ac a anfonwyd mewn cychod i'r tir yn Ynys Dominica. Ar yr ynys bellennig honno ar 22 Rhagfyr 1740 y bu farw John Morris o glwy'r gwaed (*dysentry*) ac yntau ond 27 oed. Er gwaethaf torcalon y teulu a'u 'gruddiau gwlybion', chwedl William Morris, bu'n rhywfaint o gysur iddynt mai 'â'i ben ar y gobennydd' y cyfarfu â'i ddiwedd yn hytrach nag ar law'r 'Yspaengwn cigyddaidd fal y gwnaeth cantoedd' wrth geisio meddiannu Cartagena.[76]

Trafodwyd ym mhennod 3 dair cerdd yn dychanu 'Bol Haul', sef llysenw William Dafydd, ysgolfeistr yng Nghaergybi a fu farw yn 1753. Roedd 'Bol Haul' yn wrthrych dau draethiad hefyd. Mae rhagoriaeth 'The Petition of the Famous Bol Haul, when his Landlord Distrained upon him for Rent, 1740' i'w ganfod lawn cymaint yn ei arddull a'i ieithwedd berfformiadol ag yn ei gynnwys. Fe'i gwelir yn ei reolaeth ar y Gymraeg – iaith, mae'n bosibl, a fwriadwyd ar gyfer y glust yn ogystal â'r llygad. Dylid cofio'r arfer o ddarllen yn uchel i eraill, sydd yn esbonio'n rhannol arddull fwy ymwybodol rethregol awduron y cyfnod.[77] Cefndir y traethiad yw bod trigolion Caergybi yn teimlo'n flin dros 'Bol Haul' ac yn ceisio casglu arian i'w gynorthwyo yn ei drafferth. Fe ddaeth yr helbul i'w ran am fod 'rhyw garn Sais ffyrnig' yn pwyso arno i dalu treth Ty'n y Fynwent. Egyr y dychanwaith:

Anherchion gwŷr Cybi at ein hawddgar gydwladwyr a garo hen Frutaniaid coesfeinion, traednoethion; hyn o hanes cyflwr tosturus yr hen begor llygadfrith, a elwir yn gyffredin *Bol Haul*; ond yn ôl ei enw bedydd, os gwir cael o hono fedydd, ef a'i gelwir *Wiliam Dafydd* y Twrnai. Y creadur berfain, anghenus, tinllwm hwn, gwedi bod o hono driugain mlynedd, ac ychwaneg, yn ymryson â chenedl y Saeson brychion, a'r Gwyddyl-ffichtiaid, a'r Ysgottiaid; gan ymddygnu, â'i holl nerth, i ddiddymu eu croesgyfreithiau allan o'r ynys, ac i osod i fynu rai llawer gwell, o'i waith ei hun.[78]

Un o nodweddion amlycaf arddull rethregol, fel y nododd Aristoteles, yw'r defnydd o eiriau cyfansawdd,[79] ac mae hyn yn gwneud y Gymraeg, fel Groeg a Lladin, yn arbennig o addas ar gyfer rhethreg. Yma, mae Lewis yn ymarfer â'r gelfyddyd o lunio cyfansoddeiriau lluosill megis 'coesfeinion', 'traednoethion', 'llygadfrith', geiriau a lunnir drwy fanteisio ar adnoddau'r Gymraeg. Tynnwyd sylw at hyn gan Humphrey Prichard yn y *praefatio* i ramadeg Cymraeg Siôn Dafydd Rhys, gan nodi enghreifftiau megis 'cymhletheurgrwydrgeindorch' a 'gorlathrgeindegbryn'.[80] Tystir i gynefindra Lewis â'r gyfrol hon gan ei gyfeiriad ati mewn llythyr at Thomas Carte.[81] Mae lluosogi ansoddeiriau, yn enwedig rhai cyfansawdd, yn gyffredin yn Gymraeg. Gwelir hyn, er enghraifft, yn *Culhwch ac Olwen* ac yn yr areithiau pros. Mae'r darn gan Lewis a ddyfynnir uchod, sy'n cynnwys ymadroddion megis 'creadur berfain, anghenus, tinllwm', yn yr un traddodiad, sef rhethreg Gymraeg gynhenid, ac roedd Lewis yn dilyn y confensiwn brodorol hwn, yn nes at yr areithiau pros ac felly'n fwy ymwybodol. Roedd hyn wedi ei ddenu erioed, fel y gwelwyd wrth drafod y rhaglith at ei gydwladwyr a luniodd yn 1729, 'Yswlediad byr o'r holl gelfyddydau a gwybodaethau enwogcaf yn y byd'. Yn y 'Cywydd i ofyn dillad, tros William Dafydd, a elwid yn gyffredin Bol Haul' ysgrifennodd Lewis

> Constrio Ofydd, bydd yn bêr,
> A hymio uwch ben Homer.
>
> (*DT*, t. 99)

a cheir yr un thema yn y 'Petition of the Famous Bol Haul':

> Bu'n constrio'r iaith Ladin fawr, hyd na safodd ei lygaid yn ei ben, fal dwy o gregyn llygaid meheryn; ac mae rhai awdwyr yn dywedyd, mai munaid o ddail eidral, gwedi eu berwi mewn baril o hen fir, a'i dygodd ef i'w olwg drachefn.

Tystir unwaith eto i'w ysfa nodweddiadol i drin geiriau. Dygwyd 'Bol Haul' druan o flaen llys a gynhelid yn 'Y Llew Gwyn', sef tafarn ym Modedern. Parodd araith y Sais iddo syrthio

> ar ei liniau noethion (canys roedd gwedi gwisgo tyllau yn y clos a'r hosanau cyn y gauaf) ac yno, ar ei lw bendigedig i'r Arglwydd, fe dyngodd, â'i law ar ei forddwyd asswy, y talai fe yr ardreth hyd y ffyrling eithaf, rhag myned i'r carchar mwll; lle i darfyddai am dano, megys malwoden dawdd yng ngwres yr haul, neu gnap o gŵyr melyn mewn popty poeth.

Y gyfraith yw un o dargedau dychan Lewis yn 'Galarnad Bol Haul y Twrnai a yssigodd ei fraich ysgrifennu, ac, hyd eitha gwybodaeth llawer o hen wragedd cyfarwydd, fe fydd farw'n gelain oer ar fyr amser'. Egyr y gwaith:

> Gwae holl gred, a gwae angred; gwae'r adar, a'r pysgod, ac anifeiliaid y maesydd; ac, uwch ben bob gwae, gwae chwi'r cyfreithwyr o bob gradd, o Siôn Llwyd y Baili hyd at Ustus Martin; canys torrwyd eich braich a'ch cynnydd, torrwyd ffon eich bara; oblegyd Bol Haul, yr ardderchoccaf a'r dysgediccaf o'r Twrneiod, a ddifwynnydd o'i law ysgrifennu. Y melldigediccaf o'r dynion, sef y Mwcc Mawr, a elwir yn gyffredin, Siôn Michael o'r Tyrci Siôr, a'i fachau ciaidd afrywiog, a ymaflodd yn adain wan yr ysgrifennydd, a braidd na thynnodd hi ymaith oddiwrth ei gorff ef, mewn llid a brad, fal tynnu cwilsyn gŵydd.[82]

Gŵr o gig a gwaed oedd Siôn Michael, yr honnir yn y traethiad iddo frifo braich ei gyd-blwyfolyn. Llysenwyd ef yn 'Mwcc Mawr' oherwydd ei fod yn cludo glo i ferched Caergybi. Gan fod Lewis yn fwyseiriwr o fri, trodd Turkey Shore, sef rhan o borthladd Caergybi, yn Tyrci Siôr, gan ddefnyddio enw'r brenin ar y pryd. Mae'r modd yr ailadroddir y gair 'gwae' yn dwyn i gof y gwaeau yn Luc 6: 24–6. Defnyddir ymadroddion fel 'Gwae holl gred, a gwae angred' ar gyfer dibenion bwrlésg, yn yr un ffordd ag y defnyddiodd John Gay, er enghraifft, yr ymadrodd 'O rueful day – O woeful day!' yn yr olygfa ffarwél rhwng Kitty a Filbert yn ei ddrama fer ddigrif, *The What D'ye Call It* (1715), yn ogystal ag yn 'Thursday' o'i fugeilgerdd 'The Shepherd's Week' (1714).[83] Enghraifft arall yw'r ymadrodd canlynol gan Ambrose Philips, cyfaill y byddai Lewis yn taro arno o bryd i'w gilydd ym mhorthladd Caergybi ac un a fu'n gohebu ag ef:

> O woeful day! O day of woe! quoth he;
> And woeful I, who live the day to see![84]

Difenwodd Pope y cwpled hwn ac eraill gan Philips, un o fân feirdd y ddeunawfed ganrif, gyda chyfres o sylwadau maleisus a distrywgar.[85] Cyfoethogir 'Galarnad Bol Haul' gan y gyffelybiaeth drawiadol 'fal tynnu cwilsyn gŵydd'. Mae cyffelybiaethau Lewis yn aml yn atgyfnerthu'r hyn y mae'n ceisio'i gyfleu. Nid addurn yn unig mohonynt, ond rhan allweddol o'r strwythur. Byddai ef wedi anghytuno â honiad T. S. Eliot nad yw'r cyffelybiaethau a'r rhethreg yn *Paradise Lost* (roedd ganddo gopi o'r gerdd yn ei lyfrgell) yn ddim mwy na chrwydriadau amherthnasol ond dymunol.[86] Nid yw'r ymadrodd 'fal tynnu cwilsyn gŵydd' heb arwyddocâd gan fod iddo sawl adlais, er enghraifft yn *A Proper Reply to a late Scurrilous Libel: intitled, Sedition and Defamation display'd* (1731) gan Caleb D'Anvers (William Pulteney), mae'r Arglwydd Hervey yn gwneud y cam gwag o dynnu ei 'grey-goose quill' yn erbyn gwrthwynebwyr rhagorach. Yn ôl un o'r hen benillion:

> Onid rhyfedd, rhyfedd eilwaith,
> Ydyw gweled gwŷr y gyfraith?
> Maent yn ennill aur yn dyrrau
> Gyda gweddol edyn gwyddau.[87]

Ceir amrywiaeth rhythmig yn hyd y brawddegau a chymalau yn y darn uchod gan Lewis. Egyr gyda chwe gair cyn cloi gyda hanner colon; yna ceir wyth gair, ac wrth fynd rhagddo mae hyd a chymhlethdod rhannau'r traethu yn cynyddu. Yn sicr roedd ganddo glust da am rythm yn ei ryddiaith. Sonia wedyn am ganlyniadau'r anap a wnaed i'r fraich:

> Udwch a lleisiwch, chwychwi fân gyrtiau; tydi, Bodedern, gwna oernad hyd na bo'r creigiau yn diaspeden; canys darfu am gyfreithiau mân Caergybi, a bydd dy gwrt yn ddiffaethwch, a gwellt yn tyfu yn yr heolydd, fal ar ben Mynydd y Tŵr . . . Pa beth a wnei dithau, Bangor Fawr yng Ngwynedd?[88] Tynnwyd y cleddyf o'th law, a bydd raid iti ymladd â'r dyrnau moelion.

Mae'n galaru am na chyflawnwyd potensial y cymeriad hynod 'Bol Haul':

> Bydded rhyw lyfr cyfraith, a allasai fe ysgrifennu, pei cawsai hoedl ac iechyd, yn bennaf o'r holl lyfrau, a boed enw'r llyfr hwnnw, *Bol Haul*

upon Littleton; ac na arferer llyfr arall yn y mân gyrtiau, namyn y llyfr ardderchog hwnnw; oblegyd pwy ŵyr na allasai fod yn gystal ag *Wood's Institutes*, neu *Gyfraith Hywel Dda*?

Rhaid bod gan Lewis feddwl uchel o'r ddau draethiad yn ymwneud â 'Bol Haul', oherwydd cynhwysodd hwy yn y detholiad *Diddanwch Teuluaidd* (1763).

Pan hyrddiwyd llong o'r enw *Loveday and Betty*, yn eiddo i dri gŵr o Lerpwl, i'r lan ger aber Afon Grigyll ar arfordir gorllewinol Môn gan dymestl ar 31 Rhagfyr 1740, fe'i hysbeiliwyd yn fuan gan amryw o drigolion y fro, 'lladron creigiau Crigyll'. Daliwyd pedwar o'r lladron, sef Owen John Ambrose o Lanfihangel-yn-Nhowyn, Gabriel Roberts o Geirchiog, Thomas Roberts a Hugh Griffith Hughes, ill dau o Lanfaelog.[89] Tystir i ddifrifoldeb y drosedd gan y ffaith iddi ddod gerbron Llys y Sesiwn Fawr lle profwyd anfadwaith, a'r gosb am hynny oedd marwolaeth trwy grogi ar lannau Culfor Menai. Byddai achosion llai difrifol yn mynd gerbron Llys y Sesiwn Chwarter. Ceir sawl hanes am longddrylliadau yn llythyrau'r Morrisiaid, ac fel swyddog tollau byddai Lewis yn arolygu'r weithred o achub llongau a'u llwythi. Daeth yr achos, a gynhaliwyd ym mrawdlys Biwmares rhwng 7 a 10 Ebrill 1741, yn adnabyddus. Dengys dyddiadur William Bulkeley o'r Bryndu yr anghyfiawnder a wnaed:

[10 Ebrill] . . . tho' this is the last day of the Sessions the Court sat to try causes till 3 in the evening; a thing never known before in the memory of man. Martyn the Judge being every day drunk deferred all business to the last, when they were hudled over in a very unbecoming manner.[90]

'Facit indignatio versum' (mae cynddaredd yn peri cân) meddai Juvenal.[91] Soniodd Swift yn y beddargraff a luniodd iddo'i hun am y 'saeva indignatio' na fyddai bellach yn torri ei galon.[92] Roedd rhyddhau'r carcharorion gan y Barnwr Martyn yn gywilydd o'r mwyaf. Nid yw'n syndod i Lewis, y swyddog tollau, fod yn ddicllon pan y'u dyfarnwyd yn ddieuog, a hiraethai am farnwr megis William Chapple, prif farnwr cylch Môn yn ystod y blynyddoedd 1729–37,[93] 'noted for integrity' yn ôl Lewis mewn nodyn ar ymyl y gerdd a luniodd yn sgil yr achos. Gan ei fod yn aml yn ddigrif ac ysgafn-galon, mae ysgrifennu mwy angerddol yn gofyn am ymateb dwysach gan y darllenydd fel yn achos 'Caniad y Gog i Feirionnydd' delynegol. Cerdd arall felly yw 'Lladron Grigyll' y ceir ynddi ymdeimlad o ofid, dirmyg a dicter wedi eu chwyddo gan sensitifrwydd a dawn dweud yr awdur:

Pan ddoed â'r gwylliaid at y bar
A beio ar eu bwyyll,
Ni wnaethant hwy â'r Cyrt, myn Mair,
Ond cellwair gyda'u cyllyll;
Câi'r byd weled yno ar fyr
Mor lân goreugwyr Grigyll.

Hwy roent ar law'r Atwrnai groes,
Yn sydyn troes yn sidyll;
Am aur melyn mae'r dyn du
Yn brathu fel y brithyll;
Mae'n ôl i hwnnw a wnelo hyn
Ei grogi yn nhywyn Grigyll.

Rhai cyfreithwyr mawr eu chwant
Yn chwarae plant mewn pistyll,
A rhai gonest ar y cwest,
Am guddio'r ornest erchyll;
Och am Siapel yn Sir Fôn
I grogi lladron Grigyll.

(*DT*, tt. 130–3)

Os na fwriedid crogi'r carcharorion, dymunai Lewis iddynt gael eu trosglwyddo i'r Is-Lyngesydd Edward Vernon (1684–1757) a arweiniodd y cyrch llwyddiannus ar Portobelo, Panama yn 1739, yn ystod y rhyfel â Sbaen.[94] Wedi ei chyfansoddi mewn fframwaith rhythmig tyn a'i gwaredu o bob gwamalrwydd, mae'r gerdd rymus yn magu ei momentwm ei hun. Ceir uniad nodedig o gerydd a chân ac mae'n gorffen gyda chri o'r galon am grogi'r lladron:

Gweddi ffyddlon dynion dŵr –
Y powdwr dan eu pedyll;
Na weler gwrach heb grach, heb gri,
Yn pobi yn eu pebyll;
Bo eisiau bwyd o'r bais i'r bedd
Ar epil gwragedd Grigyll.

Ac oni chrogwch cyn yr haf,
Ddihiraf dyrfa derfyll,
Rhowch hwy i Fernon fawr ei fri,

A'u castiau i dorri cestyll;
Ac yno down, o fesul dau,
Yn rhydd i greigiau Grigyll.

Os dônt i Arfon rhag y grog,
Ac ergyd rog i irgyll,
Ni fynnwn wdyn yn eu hoed
I'w difa ar goed efyll;
Neu gwest o longwyr o Sir Fôn,
I grogi lladron Grigyll.

Mae cwpled cyntaf y pennill olaf uchod yn chwarae ar y gair 'grog', sy'n golygu 'crocbren' yn y llinell gyntaf ond yn gyfeiriad at lysenw Edward Vernon yn yr ail linell. Un o'r trafferthion a wynebodd Vernon yn India'r Gorllewin oedd y gor-ddefnydd o rym a diodydd meddwol eraill gan aelodau ei sgwadron, felly gorchmynnodd i ddŵr gael ei gymysgu â'r rým:

The seamen did not altogether approve of the curtailment of their privileges, and called the official mixture 'grog', which is said to have been Vernon's nickname in the squadron – derived, it is said, from his having a grogram boat-cloak. The drink, however, soon became popular, and the name has been hallowed in naval memory by hundreds of traditions.[95]

Mae'r gerdd yn llawn ymadroddion a luniwyd yn grefftus ac yn defnyddio geiriau gyda gradd uchel o densiwn; maent yn ysgwyd ac yn gwreichioni oddi ar ei gilydd. Mae'r tyndra a'r rheolaeth o rythm ac acenion ym mhob llinell yn adlewyrchu meistrolaeth Lewis o'r cyfrwng. Cerdd yn y mesur 'rhydd' ydyw, ond dengys eto fod y gynneddf gynganeddol yn ail natur iddo. Nid addurno ffeithiau a theimladau poblogaidd mewn ymadroddion hardd yn unig a wneir wrth ymateb i ysbeilio'r llongddrylliad ond dal safbwynt moesol cryf ac annibynnol. Rhan o gryfder y gerdd yw cynnal yr odl-ddiwedd '-yll' trwy'r cyfan a cheir odlau mewnol amrywiol. Nododd Lewis fod y gerdd i'w chanu i'r dôn 'Gadael Tir', a byddai'r dôn adnabyddus honno wedi poblogeiddio'r gerdd, er ei bod, hyd yn oed heb y gerddoriaeth, yn gynhenid gerddorol.[96] Felly pe cymerid y geiriau cain a phersain a fynegai angerdd teimlad, ynghyd â'r gynghanedd a'r rhythm a'r odlau, a'u cyd-weu oll yn gywrain â'r alaw, byddid yn sicr o greu apêl esthetig gref. Tebyg bod

Lewis yn meddwl am ddychan fel arf nerthol, ac yn yr achos hwn roedd y cystwyad deifiol a ddefnyddiodd yn fwy effeithiol na dychan hawddgar a bras.

Cofier iddo ddychwelyd i'w waith fel swyddog y doll ddiwedd Ionawr 1739 ar ôl methu cael llong gan y Morlys a'r Bwrdd Tollau ar gyfer ei arolwg o arfordir gorllewin Cymru. Bu'n rhaid iddo aros am dair blynedd cyn derbyn llythyr calonogol oddi wrth Is-ysgrifennydd y Morlys, Thomas Corbett, ym mis Rhagfyr 1741 yn rhoi'r golau gwyrdd iddo ailddechrau ar yr arolwg. Y tro hwn, ar ôl brwydro'n hir, roedd ganddo'r hawl i logi llong. Ailymaflodd yn y dasg ym mis Mawrth 1742. Daeth i fod yn gapten ar slŵp, yn gwasanaethu'r Morlys ar gyflog sylweddol ac roedd y gwaith wrth fodd ei galon. Manteisiodd ar fanylion technegol ei alwedigaeth fel arolygwr yr arfordir yn 'Cywydd i Wilym Hael' a luniodd yn 1741 ar gyfer William Vaughan, gan gynganeddu wrth ddiffinio'i dasgau:

> Fy swydd dan brif Arglwyddi,
> Fy chwŷl, fal y gwyddoch chwi,
> Mawr waith yw, mesur môr rydd,
> A darlunio dw'rlennydd,
> Creigiau a thraethau, uthr oedd,
> A bwrw y dyfn aberoedd.
> Ffrwdlif y môr, garwdor don,
> Llanw agwedd, a llyn eigion.
> Gosodiad a lled gwledydd,
> Wrth rôd fy myfyrdod fydd,
> Ac yn y llong, ar gefn lli,
> Ymroi i hwylio'r môr heli . . .
> A dysgu i Sais dasg a swydd,
> I gyfeirio'n gyfarwydd.

> (*DT*, tt. 133–5)

Cydnabyddai Lewis yn ddiolchgar yr holl gymorth a gawsai gan ei ddau gyfaill o uchelwr, William Vaughan a'i gyn-gyflogwr Owen Meyrick, er sicrhau ei swydd dan nawdd y Morlys ac yn ei ymwneud â'r corff hwnnw. Ailgydiodd yn y dasg enfawr gyda brwdfrydedd, ond daeth y gwaith llafurfawr i ben yn 1744 pan oedd yn Ninbych-y-pysgod, oherwydd bod y darogan am ryfel rhwng Prydain a Ffrainc – rhyfel a gyhoeddwyd gan y Ffrancwyr ym mis Mai 1744 – yn dwyn holl sylw'r Morlys, gan roi terfyn ar y gefnogaeth i'w waith ef. Twmpathog yn

ogystal fu hanes y cyhoeddi a bu'n rhaid iddo aros tan 1748 am gefnog-
aeth y Morlys i hynny (fel y ceir gweld ym mhennod 5). Sylweddolodd yr
uchelbwysigion erbyn hynny gymaint o gyfraniad ymarferol i wybodaeth
forwrol oedd y gwaith a gyflawnwyd, a phenderfynwyd cyhoeddi ei
gynlluniau o borthladdoedd unigol yn ogystal â'i siart fawr o'r arfordir.

Cyfrannodd ei fywyd cynnar egnïol ac ymdrechgar, a'i brofiadau
anodd fel swyddog tollau, at salwch difrifol a'i trawodd yn gynnar yn
1741. Fel hyn y soniodd William Morris wrth ei frawd Richard fod Lewis
o dan ofal ei gyfaill o feddyg Richard Evans:

> Dyma fi newydd ddyfod adref o Lanerchmedd, wedi bod yn ymweled â'r
> brawd Llewelyn, yr hwn sydd dan ddwylo y Doctor ers gwell nag
> wythnos, wedi bod yn hir o amser yn glaf yn yr Aberffraw. Rhyw anwyd
> gerwin a gadd yr hwn a drodd yn asthma, ag aflwydd, has been purged,
> vomited, bled, blistered, etc, and I don't find he is much better, though I
> hope he's past all danger, his cough today being come to something of
> expectoration.[97]

Blinid ef weddill ei fywyd gan yr anhwylder.

Yn ddarllengar a hyddysg, gallai Lewis drin yr holl nodweddion
llenyddol a ddysgodd ac a etifeddodd mewn ffordd unigolyddol. Mae
ganddo rai elfennau nas ceir yng nghanu caeth cyfnodau cynharach.
Ceir newydd-deb yn yr englynion a anfonwyd ganddo ef a rheithor
Aberffraw, Thomas Owen, at Dr Richard Evans ym mis Mai 1741.
(Colled fawr i Lewis oedd marwolaeth ei gyfaill o feddyg yng
Ngorffennaf 1742.) Ceir chwe englyn gan Lewis a thri gan Thomas
Owen (dau ohonynt yn Lladin), gyda phob llinell o'r naw englyn yn
gorffen gyda'r sillaf 'ex' neu 'ecs', a phob englyn â'r gair 'cortex'.
Cyfeiriad yw hwn at foddion a roddwyd i Lewis gan Richard Evans, sef
yr hollbresennol Cortex Peruvianus, rhisgl coeden y barnwyd ei fod yn
gwella twymyn a'r cryd yn ogystal â bod yn foddion atgyfnerthol.[98]
Dyma un o'i englynion:

> Ei sew Dduw Pasg i bob sex – ai bastai
>   Ai bustol ai Fortex,
>   A berw a rhost ddi fost vex,
>   A gwr-tal ydoedd Gortex.[99]

Dyma ymarfer i arddangos crefft a chlyfrwch, ac mewn nodyn o flaen yr
englynion y mae'n herio unrhyw un i wella ar ei ymdrechion. Mae'r

ffaith fod rhywun arall wedi ymuno ag ef yn y fenter yn tystio i'w allu i gasglu o'i gwmpas bobl a rannai ei ddiddordeb mewn llenyddiaeth Gymraeg ysgafnfryd. Mae'r pleser o ddarllen englyn digrif yn deillio i raddau helaeth o'r cysylltiad rhwng gwead tyn y mesur, gyda'i ddyfeisiau o odl a chynghanedd, a'r olwg ddigrif a geir ar bwnc pob dydd.

Caewyd pennod ym mywyd Lewis Morris pan ddaeth ei drigiant sefydlog ym Môn i ben yn 1742. Amlhaodd nifer y llythyrau a anfonai ac a dderbyniai ar ôl hyn gan iddo gael ei wahanu oddi wrth ei deulu a'i gyfeillion. Ni fedrodd gefnu'n llwyr ar y swydd ym mhorthladd Caergybi tan wanwyn 1743 pan benodwyd ei frawd-yng-nghyfraith Owen Davies yn ei le. Roedd hynny'n rhyddhad i Lewis ac i'r Bwrdd Tollau yn ogystal, mae'n siŵr, o gofio ei holl geisiadau i gael ei ryddhau dros dro o'i swydd. Roedd ei olygon bellach ar gyfoeth mwynol Ceredigion, ac agorwyd pennod newydd yn ei fywyd pan gychwynnodd yrfa yn y diwydiant mwyngloddio yno. Gadawyd ei ddwy ferch fach, Pegi ac Elin, yng ngofal gwahanol aelodau o'r teulu ar ôl marwolaeth eu mam. Dyma sut y disgrifiwyd hwy gan William Morris ym mis Hydref 1741:

> y gyntaf [Pegi] yn ddeg er gŵyl Fair, a'r llall yn naw flwyddyn i'r un dydd; yr hynaf yn balffas o lodes frongoch yr un agwedd a'i thad, a'r ifa' yn eneth lwydwen ei gwynebpryd yr unlliw a'r papur yma. Yr hynaf yn dysgu'n odiaeth, a'r ifa' nis gâd iddi; yr hynaf yn ddistaw ac yn feddylgar, a'r ifa' yn llawn ysbryd ag yn gymenddoeth (i.e. witty). Ar air maent yn debyg i fod yn ddeunydd gwragedd da, for they are fine children.[100]

Ond mae'n amheus a fyddai Lewis wedi mynegi'r farn olaf honno, a cheir gwahaniaeth trawiadol rhwng ei deimladau tuag at y ddwy ferch o'i briodas gyntaf a phlant ei ail briodas. Am un peth, barnai fod ei famyng-nghyfraith wedi creu drwgdeimlad ynddynt tuag ato ar ôl marwolaeth eu mam.[101] Pan ffarweliodd Lewis â Môn yn 1742 fe adawodd lawer o gynnwys ei lyfrgell sylweddol ar ôl. Gadawodd hefyd ei wasg yn segur yng Nghaergybi, yn hel llwch ac yn dirywio o ran cyflwr. Yno y bu'r wasg nes y'i symudwyd i Drefriw yn 1776 lle'i rhoddwyd ar waith gan Dafydd Jones a'i feibion. Symudwyd y busnes i Lanrwst yn 1825 gan ŵyr Dafydd Jones, sef yr argraffydd profiadol ac arloesol John Jones (1786–1865).[102]

5 ✕ 'Yr y'ch chwi'n haeru yno fod mwyn wallgofiad arnaf, neu bendro'r mwynwr yr hyn sy waeth na bod yn lloerig', 1742–1748

Mae'n debyg mai ym mis Awst 1738 yr ymwelodd Lewis â Cheredigion am y tro cyntaf, tra oedd yn gweithio ar ei arolwg o arfordir Cymru a'r pryd hynny teimlai 'fal brân ddieithr ymysg barcudiaid y deheu'.[1] Yng ngwanwyn 1742, yn ŵr gweddw ers dros naw mlynedd, yn 41 oed ac yn dad i ddwy ferch, aeth i Geredigion i fyw a threuliodd draean olaf ei oes yno. Yn Aberystwyth yr ymsefydlodd am y tair blynedd cyntaf. Taniwyd ei ddiddordeb yn y diwydiant mwyn plwm ac yn ystod ei gyfnod yng Ngheredigion cymerodd o leiaf 13 o lesoedd ar diroedd lle hyderai y gellid cloddio am fwyn a cheisiodd yn aflwyddiannus am ambell les arall.[2] Fel hyn yr ysgrifennodd Lewis Morris y mwyngloddiwr at William Vaughan ym mis Ionawr 1743:

> I have since I came here (in a manner) secured a lease of one of ye most valuable things in this country. I had been plotting for it ever since I came into this country [Ceredigion], and have at last brought all parties to consent . . . The veins of Darren & Cwmsymlog [mwyngloddiau ym mhlwyf Llanbadarn Fawr] are both discovered on it with ore in y^m.[3]

Erbyn diwedd 1743, mynegai optimistiaeth mewn llythyr at William Vaughan ynghylch 'our Cwmsymlog Mine', tuag wyth milltir i'r dwyrain o Aberystwyth, a gwelai ddyfodol disglair o'i flaen, diolch i'r El Dorado hon: 'Beth fyddai weled Llewelyn yn marchogaeth yn ei gerbyd olwynog? I love a coach dearly, and I envy ye Great no other pleasure but that, ag os oes cerbyd yn unlle dan y ddaiar ynghwmsymlog, mi ai mynnaf hi allan.'[4] Serch hynny, methodd â gwneud ei ffortiwn yng Nghwmsymlog (nac o'i anturiaethau mwyngloddio yn gyffredinol).

Ond ni phallodd ymwneud Lewis Morris â mwyngloddio, ac nid oedd wedi gorffen y gwaith maes ar ei dasg hydrograffig (gwnaeth hynny ym mis Mai 1744) heb sôn am gyflwyno'r arolwg i'r Morlys yn derfynol. Ni phallodd ei egni llenyddol pan symudodd i Geredigion ychwaith. Efallai mai symud o Gaergybi drefol i gefn gwlad a'i hysgogodd ef i lunio'r llythyr at William Vaughan, dyddiedig 30 Mai 1743, sy'n addasiad (nid yw'n gyfieithiad llythrennol) o ddarn llawysgrif a ledaenwyd yn eang ac a briodolwyd i Jonathan Swift yn ystod y ddeunawfed ganrif, ond sydd mwy na thebyg yn apocryffaidd. Nid yw'r darn hwnnw, gyda'r teitl 'A letter from a gentleman in the country to his friend in town', wedi ei dderbyn i'r canon gan arbenigwyr ar Swift.[5] Ysgrifennodd Lewis y llythyr tra oedd yn Llundain yn cyflwyno peth o'i waith hydrograffig i'r Morlys. Aeth ati i 'ddatguddio ichwi â chalon agored pa fath fywoliaeth sy' arnaf gartref, a pha fodd yr wyf yn sefyll yn y byd'. Dywed ymhellach ei fod

> yr amser presennol hwn yn byw mewn rhyw fudr-gwtt o hongldy tlodaidd, pwdrben anniddos, rhidwll barwydydd, a mur o glai iddo yn gollwng dwfr iddo o tano ag oddiarno, a byddai ryfedd gennych wrth yr olwg arno, na bai'n gydwastad â'r ddaear cyn pen tridie; mae e'n sefyll ar y mynydd-dir gwyllt fal lluestai tlodion eraill, a pheth sy waeth na dim, fe ellir fy nhroi allan o hono ar funud o rybudd.

Mae llythyr Lewis ddwywaith yn hwy na'r gwreiddiol a cheir ynddo fwy o hiwmor. Un rheswm am feithder y darn yw y ceir ynddo fwy o rethreg; er enghraifft, cyfieithwyd 'your friendship' fel 'i'ch cymdeithas a'ch cyfeillgarwch', tra addaswyd 'think the whole a joke' yn 'gwammalrwydd ac oferstori, i beri chwerthin'. Cyflea'n effeithiol feidroldeb pobl yn byw mewn tŷ â 'mur o glai' ym 'mynydd-dir gwyllt' y byd ac y gellir eu troi 'allan o hono ar funud o rybudd'. Olrheinir sefyllfa adfydus dyn yn ôl i 'ddrwg weithredoedd' Adda ac Efa, 'a dorrasant berllan oedd yn perthyn i arglwydd y tir'. Yna cyffelybir rhannau o'r tŷ i aelodau'r corff: polion yw'r coesau, ffenestri yw'r llygaid, drysau yw'r pyrth y 'teflir allan holl ysgubion a charthion y tŷ . . . a'r dwfr a'r golchion', cegin yw'r geg, croglofft yw'r ymennydd, ac ati. Teimlodd yn rhydd i addasu'r gwreiddiol. Er enghraifft, mae'r gwreiddiol yn sôn am yr awdur yn cael ei droi allan o'r tŷ, a'i eiddo yn cael ei gymryd drosodd gan 'a low-spirited creeping family, remarkable for nothing, but being instrumental in advancing the reputation of the great Moor in Abchurch-lane'. Barnodd Lewis mai gwell fyddai defnyddio ymadroddion mwy uniongyrchol yn lle'r cyfeiriadau at Moor. Rhywbeth a barai gryn ofid iddo, pe câi ei droi allan, yw y byddai ei eiddo fwy na thebyg yn syrthio i ddwylo 'ryw genedl front fusgrell, na wnaethant dda erioed, am a wn i, ac nid ydynt hynod am ddim, heblaw hudo brithylliaid at Robin-bysgod-mân, a'r cyffelyb'. Diweddir y llythyr drwy sôn am 'un ystafell bach glêd', sef ei galon

> . . . na soniais am dani etto, yr hon sy'n sefyll o'r tu asswy i'm cabandy, ag wyf yn ei chadw'n lân ag yn gynnes, er mwyn fy nghyfeillion anwylaf; yn honno mae ichwi groeso gwresog dirwgnach, a dowch pan fynnoch byddwch siccr o letty a charedigrwydd ynddi, tra bo'r tyddyn yn llaw eich ufuddaf wasanaethwr.

Cyhoeddwyd y llythyr hwn yn argraffiad cyntaf *Diddanwch Teuluaidd* (1763). Mae 'Meditation upon a Broom-stick' gan Swift yn debyg i lythyr Lewis at Vaughan gan ei fod hefyd yn drosiad estynedig, ond yn annhebyg iddo gan fod Swift yn enwi'r elfennau i'w cymharu tra bo Lewis yn ein gadael i'w darganfod drosom ein hunain. Mae gan lythyr Lewis ei gyffyrddiadau o hiwmor, ychydig scatoleg a bywiogrwydd dychymyg fel 'myfyrdod' Swift. Er hyn, nid wyf yn credu i'r 'Letter' gael ei briodoli i Swift oherwydd y tebygrwydd i'r 'myfyrdod', yn gymaint â'r ffaith iddo ysgrifennu llythyrau ymgynghorol at eraill, megis y 'Foneddiges Ifanc' a'r 'Offeiriad Ifanc'. Cysylltiad arall, teneuach, rhwng llythyr Lewis a Swift yw'r cyfeiriad at afalau, ffrwyth a chwaraeodd ran sylweddol yn seicoleg Swift o'i hunan-les; ffolai ar afalau, ond dychrynai wrth feddwl eu bod rywsut yn gyfrifol am ei iechyd gwael. Ceir awgrym o alegori wleidyddol wrth i Lewis gyfeirio at gyflwr anghyflawn ac anwar Cymru. Ysgrifennodd Swift rywbeth tebyg yn y llyfryn *The Story of the Injured Lady* (1746), sy'n chwedl alegorïaidd o ormes Iwerddon gan y Saeson.

Enghraifft o ddychan llym yn rhyddiaith Lewis yw 'Young Mends the Clothier's Sermon', a luniodd tua mis Mawrth 1744, lle mae'n cystwyo a fflangellu'r Methodistiaid drwy ensynio nad yw emosiwn y Methodist-iaid yn ysbrydol yn unig.[6] Roedd y ffug-bregeth yn eithriadol o boblogaidd drwy gydol y rhyngdeyrnasiad a chyfnod yr Adferiad, fel math o ddychan yn erbyn y Piwritaniaid. Mae'n debyg mai'r cynghorwr Methodistaidd ifanc Christopher Mends yw 'Young Mends',[7] ac mae'n ddigon posibl bod Lewis wedi taro arno'n pregethu wrth iddo dramwyo Cymru yn chwilio am fwyn neu'n gwneud ei waith hydrograffig. Mae'n sicr iddo glywed llawer mwy o bregethu ar ôl symud i Geredigion, crud y

Diwygiad Methodistaidd, yn 1742. Mae Lewis yn dadansoddi ac yn taranu yn erbyn yr hyn a wêl fel drygioni, gorawydd a gwyriadau'r Methodistiaid, a gyhuddir o fod yn benderfynol o ennill enwogrwydd ac arian trwy bregethu. Mae'n ddiatal o ddyfeisgar a bwriadus gythruddol:

> O thou Daniel Rowland, once a wicked priest of Cardiganshire, great & marvellous in the change, what wonderful virtue there is in thy words that bring to thy Holy Treasure two hundred talents yearly. Thy Book of Life and Sprinkling of Water is worthy of imitation, and all the Holy Sisters enter their names in it. Who would be a curate when preachers live so well?

Mae'r sylw olaf yn y darn uchod yn arbennig o finiog. Adlewyrchir yr iaith lafar, er enghraifft, drwy ailadrodd cymal yn hytrach nag ychwanegu cymal cryfhaol: 'I have but a little head, but it containeth a great deal, it is fuller than an egg, yea, it is fuller of knowledge than a new laid egg.' Ceisiai'r Methodistiaid fod yn ysbrydol-fuddiol ac argyhoeddi pobl drwy bregethu yn gyson athrawiaeth o wobrwyon a chosbau, yn ymwneud â'r bywyd hwn a'r bywyd nesaf. Syfrdanwyd llawer o bobl gan lymder eu cyhuddiadau a'u cyfeiriadau haerllug at Dduw. Dyma'r nodwedd a ddychenir yn y darn canlynol: 'But I say unto you it is ye work of ye Spirit and he that hath not faith in what I say shall perish, he & his family.' Byddai hepgor dyfeisiau rhethregol, mwy na thebyg, yn gwarafun i'r pregethwr sylw ei gynulleidfa ac mae natur ysgafnfryd y gwaith yn parhau, gan gynnwys llawer ensyniad. Roedd gan Lewis lygad craff am effeithiau darluniadol byw a phortreadodd arweinwyr y Methodistiaid Calfinaidd fel llathruddwyr a anogai flysiau cnawdol drwy hudo merched ifanc i gyfarfodydd gyda'r nos: 'I give you leave to play, my lovely Lambs; receive the spirit within you with eagerness & love; dance & skip about, for I will absolve you from your sins, but whatever you do, do it in the dark.' Nid ef oedd yr unig awdur i ddal ac ymelwa ar briod-ddulliau llafar gwlad wrth bortreadu Methodistiaeth. Mae'r nofel fywiog *The Spiritual Quixote* (1773) gan Richard Graves, er enghraifft, yn adrodd helyntion proselyt Methodistaidd sy'n ymroi i haf o bregethu. Ynddi, mae ceidwad y puteindy yn gwneud i'w 'poor Lambs read the Bible every Sunday, and go to church in their turn'.[8] Roedd Lewis yn twymo i'w dasg gan barhau:

> I will teach them a new way to heaven thro' the paths of damnation and fire & brimstone, for they are like spaniel dogs the more you threaten

them the better they be: if you civilly cry Hey degg a degg, they'll run into
their kennels.

Roedd cymharu'r Methodistiaid â sbaengwn yn glyfar a chyrhaeddgar.
Atgoffwyd gwrandawyr byth a hefyd am freuder bywyd, sicrwydd barn a
thruenusrwydd uffern, ac roedd y rhagolwg o ddamnedigaeth dragwyddol
yn ddigon i anfon cryd i lawr asgwrn cefn ac achosi i'r gwrandawyr
deimlo euogrwydd dirdynnol. Rhaid bod yr athrawiaeth Gristnogol
ynghylch uffern a damnedigaeth yn gorwedd yn ysgafn ar ysgwyddau
Lewis Morris! Mae'r traethiad bwriadol ymosodol hwn yn hynod am ei
sylwadau miniog a threiddgar, a thystia, fel y gwna traethiadau eraill
megis 'Doctor y Bendro' ac 'Ymbil Bol Haul', i'w ddawn i ddisgrifio
cymeriadau hynod mewn ffordd ddigrif yn Gymraeg ac yn Saesneg.

Mae'r traethiad yn cynnwys cyfeiriadau at rai o arweinwyr Methodist-
iaeth y dydd: Howel Davies, David Lloyd, Daniel Rowland a George
Whitefield. Yn y cyd-destun hwn dylid dwyn i gof sylwadau ysgornllyd
Lewis mewn llythyr at ei frawd Richard yn rhoi'r argraff iddo weld pobl
yn boddi mewn môr o emosiwn ar 4 Mawrth 1748 wrth wrando ar
Howel Harris (1714–73) – sy'n amlwg yn ei absenoldeb yn y traethiad
uchod – yn dweud wrth gynulleidfa yn Llanfair-ym-muallt:

> that God was come among them that night. 'Take hold of His skirts,' says
> he, 'for He never hath been among you before'; with a great deal of the
> like fulsome stuff that made most of his audience weep.[9]

Ar ôl clywed y diwygiwr yn pregethu ar yr achlysur hwn yn Sir Frycheiniog,
lluniodd Lewis dri englyn yn ei ddirmygu, yr unig dro iddo ymateb i
weithgareddau'r Anghydffurfwyr a'r Methodistiaid drwy gyfrwng cerdd.[10]
Ar brydiau, llwyddai'r pregethwyr i wefreiddio'u gwrandawyr drwy ys-
tumio'n ddramatig, newid goslef eu lleisiau ac amrywio'u harddull. Diau
na lifodd yr un deigryn ar hyd gruddiau Lewis. Gellir cymharu'r dyfyniad
uchod gyda sylwadau John Donne (1572–1631) mewn pregeth: 'And this
minute, God is in this Congregation, and puts his ear to every one of your
hearts.' Gall geiriau John Carey, yn cyfeirio at dactegau Donne, ddadlennu
paham yr ystyriai Lewis bregethwyr Methodistaidd â'u brwdfrydedd
swnllyd fel areithwyr crefyddol yn hytrach nag athrawon crefyddol, ac
oherwydd hynny yn haeddu cael eu dychanu. Dywedodd Carey:

> Donne's immediacy is self-defeating insofar as it concentrates attention
> on the sermon-experience. The performance moves and terrifies – women

fainted and men wept at his sermons – but religion may soon come to settle for an hour of emotionalism a week.[11]

Serch hynny, yn sgil diwygiadaeth, trodd degau o filoedd yn addolwyr eiddgar a chyson. Derbyniai Lewis y confensiynau crefyddol, ond gochelodd rhag rhodres crefyddol. Er mor ganmoladwy yr amharodrwydd yma i arddangos ei hun, ni ddylem ddiystyru'r posibilrwydd ei fod wedi ei wreiddio'n ddyfnach mewn amheuaeth a dryswch. Ni feddai ef ar natur hanfodol ddefosiynol ac ysbrydol ei frawd William na sêl ddidwyll ei frawd Richard i weithio'n ymroddedig i hyrwyddo crefydd. Nid ymestynnai ei ddiddordeb mewn crefydd y tu hwnt i'w wedd fwyaf confensiynol; cymerai ei ffydd Gristnogol yn ganiataol. Ond roedd hyd yn oed y duwiolfrydig William Morris yn ddeifiol ei farn am y brodyr Wesley.[12] Honnodd Lewis y byddai pregeth 'Young Mends' 'with a little alteration' yn gymwys ar gyfer yr holl Fethodistiaid yn Lloegr.[13]

Trefn a sefydlogrwydd oedd y delfryd yn ystod y ddeunawfed ganrif, ar ôl holl gythrwfl y ganrif flaenorol – Cromwell a'i griw yn esgor ar y Rhyfel Cartref, cyfnod gofidus yr Adferiad, ansefydlogrwydd y frenhiniaeth, y Pla a'r Tân ill dau yn sigo Llundain, y cynllwyn Pabaidd a llu o gynllwynion a gwrthryfeloedd eraill. Nid oedd fawr o gefnogaeth yn 1745 i ymgais Charles Stuart, 'yr Ymhonnwr Ifanc', i feddiannu'r orsedd. Ni frawychodd William Morris o ystyried y perygl o Charles Stuart a'i Ucheldirwyr. Ysgrifennodd at ei frawd Richard: 'Aie, ry'ch chwi gwŷr Llundain yn odiaeth ryfelwyr, etc? Bu agos fod yn dda eich bod felly, pe daetha chwe mil neu saith o Highlanders tin noethion ar eich cefnau, fe fu'se yn rhywyr i chwi chwareu yn eich bandiau.'[14] Prin oedd y gefnogaeth i'r gwrthryfel yn gyffredinol, ac nid oedd ganddo unrhyw apêl i'r Morrisiaid a oedd mor deyrngar i'r drefn wleidyddol a oedd ohoni. Ac yn wyneb y dyhead hwn am sefydlogrwydd, roedd penboethni, cynnwrf ac angerdd y Methodistiaid yn gasbeth i lawer gan gynnwys y Morrisiaid, ac yn fygythiad i'r drefn.

Mewn llawysgrif sydd bellach ynghadw yn y Llyfrgell Brydeinig, lluniodd Lewis 'Yr ail ran o Bregeth Morgan y Gogrwr', er nad oedd ganddo'r dyfalbarhad i ddod â'r gwaith i ben. Mae rhan gyntaf y bregeth mewn anterliwt fflangellol, gondemniol a briodolir i William Roberts, Llannor, sef *Ffrewyll y Methodistiaid neu Buttein-glwm Siencyn ac Ynfydog*, a gyhoeddwyd tua 1745. Tybiaf mai Lewis oedd awdur rhan gyntaf y bregeth hefyd oherwydd bod ei harddull a'i chynnwys yn nodweddiadol ohono ac oherwydd y cyfatebiaethau rhyngddi a phregeth 'Young Mends'.[15] Gwneir hwyl am ben

Methodistiaeth drwy bortreadu dylni'r pregethwr, a seiliwyd ar un o gynghorwyr bore oes y Methodistiaid yn Llŷn, Morgan Griffith o Dudweiliog. Dyma rywfaint o'r lol a draethir gan y 'pen-pregethwr' wrth ddynwared ieithwedd a chystrawennau Beiblaidd:

> Myfi yw Gogr yr Arglwydd i nithio'ch pechodau, myfi yw'r gwyntyll, myfi yw'r rhidyll ceirch, ie myfi yw gogr rhawn. Pwy bynnag a roddo'i drysor yn y gogr hwn a'i ca' drachefn ond cael o'r ffyddloniaid eu digoni. Mae cant y gogr yn arwyddocáu grynned yw'r byd. A'r tyllau yn egluro fod llawer o dyllau yn y byd hwn; ond un twll sef twll uffern sydd enbyd iawn i chwi bod ac un syrthio iddo oni wrandewch ar y bregeth hon; yr hon bregeth a chyngor a wnaf fi yr awrhon yn erbyn y twll hwnnw.[16]

Ar ddechrau ail ran y bregeth, geilw Morgan y Gogrwr ei hun yn 'amddiffynnwr y ffydd yn Sir Gaernarfon', ymladdwr yn erbyn 'diawl uffern' a'i weision. Enwir rhai o'r gweision hynny, pobl a enynnodd gynddaredd y Methodistiaid ar ryw adeg neu'i gilydd neu bobl a goleddai farn lai nag uchel amdanynt:

> Saith waith a hanner y llabyddiwyd fi'n gelain gan glochydd Llannor [sef William Roberts, awdur tebygol *Ffrewyll y Methodistiaid*]. Ficar Llanbryn-mair [William Wynne] a'm trawodd i â mynydd hyd nad oedd f'ymennydd i yn succan. Siawnsler Bangor [John Owen] a ddyrchafodd ei law'n f'erbyn, gan roi dyrnod ar fy lledpen â chledd y deml. Person Llangar [Edward Samuel] a'm brathodd i trwof â chlochdy pigfain, hyd nad oedd cynwysiadau fy mherfedd yn colli ar hyd fy hosanau . . . Llewelyn Ddu o Fôn [Lewis Morris ei hun] a'm brathodd â gwaywffon ffyrnig, a'i ddannedd ef oedd fel picellau dur yn cnoi geiriau chwerwon.[17]

Diau fod y pregethau hyn, yn Gymraeg ac yn Saesneg, yn adlewyrchu rhagfarn trwch y boblogaeth tuag at Fethodistiaeth yn y cyfnod.

Megis y gwnaeth ym mhregeth Morgan y Gogrwr, cyfeiriodd Lewis ato ef ei hun hefyd mewn traethiad arall a luniodd tua'r un cyfnod, sef 'A specimen of the Sea-Language of Great Britain, as it is now in its purity spoken by Midshipmen and Sailors, on board his Majesty's gallant Ships of War. The Terror of Nations'.[18] Rhennir yr araith yn ddwy ran, sef hanes y capten yn hwylio'r llong i Filffwrd ac yna ei hanes ar ôl cyrraedd yno. Yn ôl y *nota bene*, seilir yr araith ar yr hyn a ddaeth o enau is-swyddog o longwr a anfonwyd i ofalu am long Seisnig gyforiog o bysgod, a ailgipiwyd oddi wrth y Sbaenwyr ar 17 Hydref 1743.

Llurgunnir yn fwriadol liaws o eiriau Saesneg a ddywed y llongwr, a defnyddir mwyseiriau trawiadol. Cyfeirir at ferch yr is-swyddog gan ddefnyddio terminoleg morwriaeth:

> I never saw finer *implections* in my life, except my daughter Molly; poor Molly, I must get her a brisk husband when I get home, some Master of a ship or other; she'll grow too ripe else, and run away with her cargo, without signing a Bill of Lading.

Yn yr ail ran, cyfeiria'r llongwr at Lewis ei hun, gyda'r awdur yn chwarae ar y syniad fod morwyr yn anllythrennog:

> Dam my blood, *Jerry*, I have met ashoar a confounded piece of good luck; there is a person *implored* by the King to make observations at sea. I have promised him half-a-dozen fish; and I hope he'll give me a card of the *Crow-rock*; dam that rock, the breakers run still in my head. I have forgot his title, it is some villanous hard pen-and-inkhorn word, *idrographer*, I think; dammee, if I believe but he could *comprize* a copy of verses, or make a *sermond* better than our Chaplain, for he is as *illiterate* almost as our Captain, that had been bred in *colledge*.

Ymwelodd Lewis sawl tro â Sir Benfro rhwng tymor yr hydref 1743 a gwanwyn 1744 er mwyn dod i ben â'i waith hydrograffig dan nawdd y Morlys, ac efallai iddo gael y cyfle i ddangos ei draethiad, neu hyd yn oed i ddarllen araith y llongwr, i rai o drigolion y sir. Oddi yno yr ysgrifennodd at William Vaughan, 9 Mawrth 1744, gan addo anfon ato ddau ddarn o ryddiaith – araith y llongwr i beri 'dwy awr' o ddifyrrwch a phregeth 'Young Mends' – a diau iddo gadw'r addewid oherwydd pa le bynnag y byddai nid anghofiai am ei gyfaill, yr uchelwr o aelod seneddol.[19] Yn yr un llythyr at William Vaughan, sonnir am y gerdd faith 14 pennill, 'The Fishing Lass of Hakin', a anfonasai Lewis at Vaughan yn niwedd gaeaf 1743/44. Beti oedd enw'r bysgodferch brydferth dan sylw ym mhentref Hakin ger Aberdaugleddau, a chyffelybir rhannau ei chorff i wahanol bysgod:

> Her cheeks are as a mackrel plump
> No mouth of mullet moister,
> Her lips of tench would make you jump
> They open like an oyster,
> Her chin as smooth as river trout

Her hair as rockfish yellow,
Cod's sounds, I viewd her round about
But never saw her fellow.[20]

Mae'n gerdd ddigrif a beiddgar, gyda theimlad o hoenusrwydd yn pelydru ohoni. Yn Sir Benfro hefyd y daeth ar draws cymeriad digrif o'r enw Olifer. Brodor o'r sir ydoedd yn ôl pob tebyg, a chafodd Lewis ei gymorth i hwylio'i slŵp. Edrydd Lewis ei hanes anffodus yn y gerdd 'Upon Oliver that Lost his Wig':

Can' ffarwel i'r ferwig wen,
A dyna ben am honno,
Bydd Ol'fer a'i glob yn foel
Tra byddo'r houl yn treiglo.

Y bŵm a'i trawodd maes o law,
Hi gwympws draw i'r dyfnder,
Jibws wnaeth y slŵp ar dro
Wrth fferi Penfro 'sgeler . . .

Ryw noson deg wrth olau'r sêr
Roedd Olifer yn cnofa,
Fe gymra'r nyth o frig y pren
Ac am ei ben fe'i gwisga . . .

Pwyll ei ben a gyll i maes!
Am ferwig laes mae'n cwyno;
Oera'i synnwyr, Duw'n ei ran,
O eisiau capan cryno.[21]

Ar 2 Awst 1744, diolch i'r enw da a enillodd iddo'i hun fel tirfesurydd, a chyda chefnogaeth pobl ddylanwadol, awdurdodwyd Lewis gan y Goron i baratoi arolwg a chynllun o gyfoeth mwynol tiroedd y brenin yng Nghwmwd Perfedd, rhwng afonydd Rheidol a Chlarach yng Ngheredigion.[22] Wrth ddilyn trywydd y gwythiennau mwyn plwm ar gyfer yr arolwg hwn, datblygodd wybodaeth drylwyr am leoliad y ffiniau rhwng tiroedd y brenin a thiroedd rhydd-ddeiliaid. Llai na deufis ar ôl iddo dderbyn y comisiwn hwn gan y Goron, y daeth llawer o drafferthion i'w ran yn ei sgil (fel y ceir gweld yn nes ymlaen), ysgrifennodd lythyr at William Vaughan, dyddiedig 26 Medi 1744, yn amgáu 'Cywydd y Mwn Plwm neu'r Mwyn'. Cyfeiriodd at lythyr blaenorol

Vaughan: 'Yr y'ch chwi'n haeru yno fod mwyn wallgofiad arnaf, neu bendro'r mwynwr yr hyn sy waeth na bod yn lloerig.'[23] O gofio hefyd brysurdeb Lewis yn y cyfnod hwn yn cloddio am fwyn i geisio elw iddo'i hun, roedd mwy nag ychydig o wir yn haeriad chwareus William Vaughan fod 'mwyn wallgofiad' arno. Ond lluniodd 'araith benrhydd' yn Aberystwyth yn chwarae ar y gair 'mwyn', gyda'i ddyfeisgarwch nodweddiadol, yn gwadu hynny:

> Nage, nage, nid un o'r ddau eithr mwynach nag erioed ydwyf, a mwynder y mwynglawdd a'm mwyneiddiodd; mwyneiddiach mab ni bu rhwng breichiau mwynferch; mwynwyr yw fy ngweinidogion yn y fwyngraig, a pha mwyaf o fwyn a godant, mwynach fwynach wyf finnau wrthynt; mae yma hefyd rai benywod mwynion yn golchi mwyn, ag os golchant yn dda, mwyn iawn y cânt finnau, a hynny a'i gwna hwythau yn fwyneiddiach fwyneiddiach o addfwyn fwynder! Pa beth sydd fwynach na bun fwyn? Ag er mwyn profi o fwynder y feinir fwynaidd, dewiswn fod gyda hi yngwaelod pwll mwyn, o flaen cael mwyniant ym mwyn blas y gŵr mwyna ynghymru.

Nannau, cartref William Vaughan, oedd y 'mwyn blas' hwn. Jyglwr geiriau oedd Lewis, ac anaml y byddai'n colli cyfle i chwarae â hwy. Mae 'Cywydd y Mwn Plwm neu'r Mwyn', yn ôl ei osodiad ei hun, yn dynwared gwaith Siôn Tudur, a cheir ynddo adlais cryf o'i gywydd yntau 'I Ganmol Gwraig ac i Ddifenwi ei Gŵr'.[24] A barnu wrth y nifer o gopïau a oedd ar gael yn y ddeunawfed ganrif, roedd cywydd Siôn Tudur yn ffefryn poblogaidd gan gopïwyr llawysgrifau, ac roedd y Morrisiaid yn sicr yn gyfarwydd ag ef. Nid yn unig chwaraeodd Lewis ar ystyr 'mwyn' fel y gwnaeth Siôn Tudur, ond mae'r thema hefyd yn debyg i 'Ganu Eiddig', sef bod y gŵr yn elyn i'r bardd a'i wraig yn angel. Manteisiodd Lewis ar eiriau cyfansawdd megis 'mwynferch', 'mwynber' a 'mwynlan' ac ar amwysedd y gair 'mwyn', gyda chloddio cnawd benywaidd yn thema amlwg:

> Os mwyn Mwynen, glaerwen glau,
> Fwynach, fwynach wyf innau;
> Oh na chawn, ar deg iawn dir,
> Godi mwyn gyda Meinir.

> (DT, tt. 121–3)

Hen ystyr 'araith' yn llenyddiaeth Cymru oedd darn o ryddiaith ansoddeiriol, ac nid yr 'araith benrhydd' uchod oedd yr unig araith i Lewis ei llunio. Traethiad caboledig yw 'Araith Llewelyn Ddu'. Dyma'r thema:

Gweithredoedd yr hen farchog penwyn o Gaerwedros ymro Geredigion, a aeth i garu gweddw gyfoethog uchelwaed o Ardudwy ym Meirion, gan ddwyn gydag ef Wyddel yn llattai, yr hwn drwy gyttundeb oedd i ddyblygu ar ei lw bob peth a ddywedai'r marchog ynghylch ei gyfoeth a'i gampau.[25]

Ymddengys i'r cynllwyn weithio'n effeithiol hyd nes i'r marchog ddweud:

Bellach, fy anwylaf bendefiges, blodeuyn y tegwch, enaid y diddanwch, ffynon y glendid a gwreiddin y boneddigeiddrwydd, ni wn i fod dim a eill fod yn rhwystr ichwi fy hoffi, fy hyfrydu, fy chwennych a'm dymuno yn gydwely a chwi, oddieithr ichwi dybio wrth ddrych fy wynebpryd fy mod yn hen iawn ag nad ellaf ymrain: ond fal y mae byw Maelgwn brenin Gwynedd nid wyfi o gwbl ond hanner cant oed . . .

ac i'r Gwyddel o was ddyblu ei oedran gan chwalu gobeithion carwriaethol y marchog yn deilchion. Mae'r darn o gywydd ar ddiwedd yr araith yn cyfleu neges greulon i'r marchog:

Meingan ni fyn mewn mangoed
gennyt ŵr a fo gant oed,
a chware hwyr ni châr hon,
wych fyd, ond a'i chyfoedion.
Myswynog ym mis Ionawr
ni rydd gosyn melyn mawr.

Rywbryd yn ystod ei weddwdod ar ôl Mehefin 1733 bu Lewis yn edmygwr o'r fenyw a ddaeth yn wraig i'w frawd William, fel y tystia'r gerdd acrostig Saesneg a luniodd gyda llythyren gyntaf y llinellau ym mhob un o'r pedwar pennill yn ffurfio'r enw Jane Hughes. Dyma'r trydydd pennill o'r gerdd ddifaswedd hon:

I saw the other day in town
A lass deserving of a crown.
Numbers to her their homage paid
Eager to gain the lovely maid,
Heav'n shew'd in her the force of love

Uniting all that's great above;
Gods joyn'd their heads to give her wit,
Her face on Goddesses might fit.
Enriched with vertues o'er and o'er
She, could I have, I'd ask no more.[26]

Dyma sut yr ymatebodd i'r newydd fod y brawd Gwil yn priodi yn 40
oed ym mis bach 1745 gyda menyw 15 mlynedd yn iau nag ef:

Wb, wb, wawch, hai whw! Wfft i hyn! Priodi. Na bo yma ond ei grybwyll!
Duw gadwo'r marc! Pwy fuasai'n meddwl? A welsoch 'i erioed? Nawdd
Duw rhag hynny! Ai gwir a ddwedwch? Ar f'enaid i rhyfedd! Garw oedd y
matter. Ai mewn difri y dwedasoch? Ni waeth tewi na siarad. Ni all dyn
ochel tynged. A gafodd wraig a gafodd fwynder, a gafodd blant a gafodd
bleser; chwi gewch chwithe lawer, wrth drin yr hen arfer.[27]

Mae'r darn yn taro deuddeg oherwydd bod yr holl ryfeddnodau a
holnodau yn ateb i gyffro nerfus y rhythm ac yn creu teimlad o
gyflymdra, symudiad, drama a sydynrwydd disyfyd. Lluniodd hefyd
gerdd ar fesur englyn milwr 'Deg Gorchymyn y Priodasfab Ifanc' a'i
hanfon at William yng Nghaergybi ar gyfer y briodas. Cyflwynodd y
gerdd drwy honni y byddai'r gwersi o ddefnydd nid yn unig i William
ond hefyd i'w blant ar ei ôl. Dyma ddwy o'r gwersi:

Na bydded iti wraig ond un,
A chadw honno i ti dy hun;
Os bydd da hon, mae'n ddigon i ddyn . . .

Cariad lladrad, cariad ffôl,
Melys yn awr, a chwerw'n ôl;
I lawr yr â'r din rhwng y ddwy stôl.

(*DT*, tt. 125–6)

Ar ôl pum mlynedd o fywyd priodasol, bu farw Jane, gwraig William, yn
1750 yn 30 oed, gan adael dau blentyn bach ar ei hôl a'i gŵr yn weddw.

Yng nghanol helyntion ei waith proffesiynol ac ysgafnder ei lythyru
llenyddol, roedd Lewis wedi gwneud enw iddo'i hun fel un gwybodus yn
nhraddodiad llenyddol Cymru. Parhaodd i ddatblygu ei ymwneud ysgol-
heigaidd a hynafiaethol a thrôi ysgolheigion Seisnig ato am ei gyngor a'i
gyfarwyddyd. Yn ei ohebiaeth â'r hanesydd Seisnig Thomas Carte yn

ystod 1745, bu'n trafod Sieffre o Fynwy a *Brut y Brenhinedd*. Dyma frut gwladgarol pwysig oherwydd ceir ynddo ddarlun ysblennydd o orffennol y genedl. Trafod yr oeddynt ddamcaniaeth ynghylch tarddiad y Brut, sef mai'r awdur gwreiddiol oedd Tysilio fab Brochwel Ysgithrog, sant a oedd ym mlodau ei ddyddiau yn gynnar yn y seithfed ganrif. Yn ôl y ddamcaniaeth fe'i hysgrifennwyd ganddo ef yn Lladin ond yn y ddeuddegfed ganrif cyrhaeddodd ddwylo Sieffre o Fynwy mewn ffurf Gymraeg. Yna fe'i troswyd yn ôl i Ladin gan Sieffre, ac ychwanegodd lawer o ehediadau ffansïol o'i eiddo ei hun. Nid babi Lewis Morris na Carte oedd y ddamcaniaeth hon, ac fe'i gwrthodwyd gan Carte ar ôl peth ystyriaeth. Ond roedd Lewis yn fwrlwm o frwdfrydedd wrth fabwysiadu'r syniad, ac fe'i defnyddiodd a'i draethu dro ar ôl tro trwy gydol 20 mlynedd olaf ei oes i amddiffyn y Brut. 'Cyn siwred â sêl' (chwedl y Morrisiaid), roedd cymhelliad gwladgarol y tu ôl i hyn (ac i gefnogaeth Cymry'n gyffredinol i Frut Sieffre a'i ffynhonnell dybiedig), a mwy nag arlliw o bropaganda yn ei yrru ymlaen, sef awydd diwrthdro i fawrygu traddodiadau'r Cymry. Gosodwyd Tysilio ar bedastl gan Lewis, gyfuwch â Beda, tad haneswyr Lloegr, ond heb anghofio am eiliad fod Tysilio dros ganrif o'i flaen ef. Nid oedd na symud na throi ar Lewis ar ôl i farn neu ragfarn ymffurfio yn ei feddwl. Er na dderbyniodd Carte y ddamcaniaeth ynghylch Tysilio, bu Lewis yn gymorth iddo wrth lunio'i adran ar ddiwylliant Cymraeg yn ei *General History of England*, a gyhoeddwyd mewn pedair cyfrol rhwng 1747 a 1755.

Llwyddodd Lewis i argyhoeddi un hynafiaethydd o Sais fod y ddamcaniaeth (gyfeiliornus) ynghylch Tysilio yn dal dŵr, sef Samuel Pegge (1704–96), rheithor Wittington ger Chesterfield. Clywodd Pegge syniadau Lewis gyntaf gan glerigwr arall, y Dr James Phillips, Blaen-y-pant, gŵr a edmygai Lewis hyd at eilunaddoliad bron. Cafodd barn Lewis dderbyniad ffafriol ar unwaith gan Pegge a lyncodd y ddamcaniaeth yn ei chyfanrwydd. Er mwyn cefnogi ei ddadl, dechreuodd Lewis drosi rhai llawysgrifau Cymraeg i'r Saesneg flynyddoedd yn ddiweddarach yn 1756 tra oedd yn Llundain:

Did I tell you that I had begun a translation of Tyssilio out of ye Welsh into the English? . . . A hundred to one that I shall ever finish it, for it is (with the notes) ye work of a year.[28]

I have got Sir John Prise's Defence of British History translated into English, and also Humphrey Llwyd's [De] Mona [Druidum] by a noted translator here, but he knew so little of ye sense that I am obligd to take a vast pains to bring it to its self. It is surprizing how a good scholar and a poet could commit such egregious blunders.[29]

Heddiw, bernir mai fersiwn cryno, yn deillio o gyfieithiadau Cymraeg o *Historia Regum Britanniae* Sieffre o Fynwy, wedi'u rhoi at ei gilydd erbyn y bymthegfed ganrif yw Brut Tysilio.[30]

Tua 1745 lluniodd Lewis restr hynod ddiddorol o dan y teitl 'Account of Manuscripts in Wales'.[31] Ar frig y rhestr ceir y casgliad ym mhlasty Hengwrt ger Dolgellau, casgliad y cyfeiriodd ato un tro fel hyn: 'The said curious library being open to me at any time when upon the coast.'[32] Ymysg eraill a nodir ceir Wynnstay yn Sir Ddinbych a phlastai William Vaughan yn Nannau a Chorsygedol. Trwy holi a chwilota yn ddygn wrth ymrwbio gydag uchelwyr, gwerinwyr diwylliedig ac offeiriaid fel ei gilydd, llwyddodd Lewis i ddod o hyd i gannoedd o lawysgrifau Cymru, yn enwedig yn y gogledd. Ar ddiwedd y rhestr nodir yn alarus fod ambell lawysgrif 'of British cywyddau', sef cywyddau Cymraeg, 'which I suppose are lost' ym meddiant ei frawd John pan fu farw yn ystod mordaith y llong ryfel *Torbay* yn 1740. Ond gyda chryn falchder y mae'n cloi y rhestr gyda'r sylw, 'My own collection of which many are curious & uncommon & newly bound.' Yn sicr, roedd ganddo awydd dihysbydd i chwilota mewn llawysgrifau a sylweddolai bwysiced oeddynt fel tystiolaeth i hanes llenyddiaeth Gymraeg.

Lletyodd yn Aberystwyth o 1742 hyd fis Ebrill 1745. Bryd hynny, gadawodd 'Gomorah', sef Aberystwyth, am dŷ yng nghanol y mynyddoedd yng Nghwmsymlog oherwydd y byddai byw yng nghanol Cwmwd Perfedd yn hwyluso'i dasg o baratoi arolwg o'r cyfoeth mwynol yn y faenor.[33] Bwriodd ei gwsg a'i flinder yng Nghwmsymlog, tuag wyth milltir i'r dwyrain o Aberystwyth, cyn hel ei bac am Alltfadog, rhyw filltir o Gwmsymlog, yn 1746. Carreg filltir bwysig arall yn ei fywyd oedd ei benodi yn 1745 gan William Corbett, stiward maenorau'r Goron yng Ngheredigion, yn ddirprwy iddo, a diau fod cysylltiad rhwng y prysurdeb a ddaeth yn sgil y swydd honno a'r ffaith na chyfansoddodd yr un gerdd yn 1746.

Ceir y cyfeiriad cyntaf at ddyddyn Galltfadog ger Capel Dewi ym mhlwyf Llanbadarn Fawr mewn llythyr oddi wrth William Morris at ei frawd Richard ym mis Mai 1746, er na ddefnyddir enw'r lle. Cawsai William lythyr oddi wrth Lewis yn ei hysbysu am ei bryniant, ond ni ddangosodd owns o frwdfrydedd wrth gyfleu'r newydd i Richard: 'It seems he has purchased part of an estate situated in such a place that I would not have accepted of it gratis to live upon't. No doubt he has some inducement – mwyn neu riwbeth.'[34] Wrth ddyfalu hynny, fe darodd William lygatgraff yr hoelen ar ei phen, oherwydd flynyddoedd yn ddiweddarach, ym mis Gorffennaf 1755, wrth sôn am 'my mine work of Cwmervin bach, just by Galltfadog' mewn llythyr at William, ychwanegodd Lewis 'Providence threw it into my lap (i.e. the lease), unseekd for.'[35] Roedd William yn iawn i gredu fod mwyn yn un ystyriaeth a'i harweiniodd ef i ymgartrefu yng Ngalltfadog, ond hefyd roedd yn dda ganddo fuddsoddi peth o'i gyfoeth i gael ei le ei hun ynghyd ag awydd i fanteisio ar y 'brentisiaeth' amaethyddol deuluaidd a gafodd yn ystod ei ieuenctid. Tebyg mai prynu hanner tyddyn Galltfadog a wnaeth Lewis a chymryd tenantiaeth yr hanner arall gan y teulu Hicks, gan ffermio'r ddwy ran gyda'i gilydd.[36]

Roedd cant a mil o alwadau ar ei amser yn ystod ei fisoedd cyntaf yng Ngalltfadog, oherwydd ei waith o dan y Goron a'r ffaith ei fod yn berchennog annibynnol ar weithiau mwyn plwm. Prin fod y cyfuniad hwnnw wedi caniatáu iddo wneud mwy nag ymegnïo rhwng cromfachau i lythyra a llenydda. O ganlyniad, roedd William yng Nghaergybi yn cwyno'n gyson wrth Richard ei frawd am y 'llythyrau byrrion anial' a gâi yn ysbeidiol gan Lewis.[37] Serch hynny, mynnai neilltuo amser pan oedd gwir angen. Bu ei frawd Richard wrthi ers mis Mehefin 1744 yn paratoi argraffiad newydd o'r Beibl Cymraeg a'r Llyfr Gweddi Gyffredin o dan nawdd y Gymdeithas Taenu Gwybodaeth Gristnogol, a bu Lewis yn cynorthwyo'i frawd gyda chywirdeb yr iaith. Ond yn ystod haf 1747 roedd nifer o bwyntiau yn blino Richard ynghylch cynnwys yr argraffiad, felly ysgrifennodd Lewis lythyr hir ato yn Llundain ar 21 Mehefin yn ei gynghori, a gwnaeth gymwynas gyffelyb mewn llythyr arall fis yn ddiweddarach. Daeth Richard i ben â'i dasg a daeth ei enw yn adnabyddus ledled Cymru, gyda llu o bobl yn cyfeirio at yr argraffiad fel 'Beibl Richard Morris'.

Rywdro ar ôl prynu'r tir yng Ngheredigion yn 1746 y dechreuodd Lewis amaethu. Lluniodd sylwadau dychanol i ddiddanu William Vaughan ar welliannau yng nghelfyddyd hwsmonaeth. Dyma flas o'r nodyn:

1. Pa fodd i wneuthur llyffethair newydd ar yr iâr rhag crafu'r halen.
2. Cyngor i'r gwyddau a gaffo'r peswch o achos gwlychu eu traed.
3. Cyngor i hen farch rhag dysgu rhygyngu.
4. Y ffordd i ddysgu i bader i berson.[38]

Er nad oes rhithyn o ddifrifwch ar gyfyl y nodyn, roedd yn awyddus i weld datblygiadau ym myd hwsmonaeth, yn rhannol er mwyn gwella byd gwerinwyr cefn gwlad. Darllenodd waith clasurol Jethro Tull *The Horse Hoing Husbandry* (1733) ac roedd yn un o'r Cymry blaengar a oedd yn frwd o blaid sefydlu cymdeithasau amaethyddol.[39]

Yn 1747 rhoddodd Lewis ei wybodaeth wyddonol ar waith wrth geisio trin ceffyl claf. Methodd achub bywyd y ceffyl, ond roedd yn benderfynol o gael at wreiddyn yr anhwylder, felly cynhaliodd archwiliad post-mortem:

> I opened him, found all the entrails, guts, liver, maw, sound, and but a few small white worms in yᵉ maw, but the chest (within the pleura) full of a yellow liquor to the quantity of several gallons, and the lungs were rotted away in threads by yᵉ said water. Therefore I suppose nothing would have cured that horse but tapping in yᵉ breast or particular purges by urine taken timely. What the cause of this yellow water was, is worth the enquiry of yᵉ curious, or how the poysond grass produced the said water.[40]

Arddelai Lewis syniadau a dulliau gwyddonol – megis yr archwiliad post-mortem – cyfnod a osododd seiliau cadarn gwyddoniaeth y dwthwn hwn. Roedd hefyd yn naturiaethwr brwd ac mae'r lluniau lliw a wnaeth yn ei lawysgrifau o bysgod, megis brithyll, eog, penfras, cimwch a macrell, yn dipyn o ryfeddod. Mor gynnar â 1747, roedd ganddo'r uchelgais o gyhoeddi cyfrol ar fyd natur Môn a'i hynafiaethau, gan gynnwys pysgod, planhigion, adar ac olion y cynoesoedd:

> for if I dont live to publish my Natural History of Anglesey, it will be a pity my materials should be lost. I have examined into all the British fish, and have given them as many of yᵉ Welsh names as we have from the real knowledge of yᵉ fish, not from ignorant dictionaries. Have rectified several mistakes in Ray and Willoughby. My collection of plants, birds and fossils are better and correcter than anything I have met with. I never met a man yet that understood fossils, and but few that knew anything of birds. I have been digging among fossils for many years and have made them my study, and if I had leisure, I could give better queries and answers about mines than any in the Phil[osophical] Transactions [sef trafodion y Gymdeithas Frenhinol]. The art of mining is but in its infancy.[41]

Roedd y frawddeg olaf uchod yn agos i'w lle o gofio mor gyntefig oedd y dull o gloddio am fwyn a'i gynhyrchu, gyda'r pwyslais yn llwyr ar nerth braich yn hytrach na pheiriannau.

Yn 1748, roedd yr economi ar gynnydd a'r Morlys o'r diwedd yn awyddus i beth o ffrwyth arolwg morwrol gorchestol Lewis weld golau dydd. Arweiniodd hyn at ddau gyhoeddiad. Yn gyntaf, ar 30 Medi 1748, cyhoeddwyd siart fawr o arfodir gorllewin Cymru sy'n crynhoi ei holl waith hydrograffig; tanysgrifiwyd i o leiaf 300 copi ohoni. Cafodd ganiatâd Bwrdd y Morlys hefyd i gyhoeddi ei gynlluniau o borthladd-oedd unigol, a baratôdd ar gyfer ei ddefnydd ei hun i ddangos y cildraethau a'r llochesau a ddefnyddiodd adeg tywydd drycinog. Cyfrol fechan â 24 o fapiau ynddi oedd hon, a'r dyddiad 29 Medi 1748 ar bob un o'r mapiau, o dan y teitl *Plans of Harbours, Bars, Bays and Roads in St George's Channel*. Roedd y cyhoeddiad hwn yn llwyddiant ysgubol a gwerthodd tua 2,000 o gopïau. Tanysgrifiodd y masnachwr Owen Prichard, brodor o Fôn, ar gyfer 20 copi. Felly cyhoeddwyd rhan bwysig o waith Lewis Morris yr hydrograffydd, ac mae ffrwyth gweddill ei lafur i'w weld mewn dwy gyfrol anghyhoeddedig ysblennydd a ymgartrefodd ar silffoedd y Morlys. Mae'r arolwg morwrol hwn o Gymru, o dan y teitl 'Cambria's Coasting Pilot', yn cynnwys 29 o siartiau ac yn dangos yr arfordir o Benygogarth yn y gogledd hyd at Ddinbych-y-pysgod yn y de.

I ddod i ben â'r cyhoeddiadau, bu'n rhaid iddo dreulio cyfnod, o ganol Ebrill hyd Ragfyr 1748, yn Llundain er mwyn cadw golwg ar waith yr argraffwyr. Roedd ei lafur hydrograffig yn arwrol, a chredai ei fod yn arloesi ac nad oedd gwaith tebyg i'w gael, fel y tystia ei ragair i'r *Plans*: 'This performance may be esteemed the only one of the kind hitherto made public' (t. ii). Yn wir, cyhoeddwyd y mapiau morwrol hyn tua thri chwarter canrif cyn i'r Morlys gynhyrchu ei arolygon ei hun. Pa mor ysgafnfryd bynnag o wamal y gallai fod gyda'i gyfeillion, ac er gwaetha'r brwdfrydedd a'i harweiniai weithiau i ormodedd a rhysedd, nid oes amau ei ymrwymiad tuag at greu gwaith gwyddonol ac ysgol-heigaidd gwreiddiol o'r safon uchaf posibl:

> The exactness necessary in operations of this kind, by sea and land, demands extraordinary care and application; the many observations proper for determining justly the situations and positions of places, and what regards the tides, soundings, &c, require the utmost attention, and much labour and pains.
>
> (*Plans*, t. iv)

Cyfoethogwyd ei fywyd mewn mwy nag un ffordd wrth lunio'r arolwg gorchestol hwn oherwydd cafodd gyfle i ddilyn, yn llythrennol, sawl ysgadenyn:

I have been several years employed by the Lords of ye Admiralty in surveying & mapping the sea coast in St George's Channel for ye use of ye navy where I had the opportunity at the public expence to see all that was curious in antiquities, geography &c in relation to ye Britains.[42]

Diddorol yw nodi y ceir dyfyniad o Salmau Cân Edmwnd Prys ar waelod tudalen deitl y *Plans*. Mae arbenigwyr ein cyfnod ni yn tystio i'r gamp a gyflawnwyd, er gwaetha'r ffaith nad oedd wedi cael unrhyw hyfforddiant ffurfiol fel môr-fapiwr. Yn ôl Dr Adrian Robinson yn ei ragymadrodd i argraffiad newydd o'r *Plans* yn 1987:

> His work on estate mapping in Anglesey and more particularly his survey of the coast of Wales from the Great Ormes Head in the north to Tenby in the south, give him a stature far above that of his contemporaries working elsewhere in Britain at the same time.[43]

Lles y cyhoedd oedd ganddo mewn golwg wrth lunio'r gampwaith o arolwg, 'which was done purely with a design, that the whole might prove of greater benefit and advantage to the country, and to the public in general' (Rhagair y *Plans*, t. iv). Ac o ystyried fod ei fapiau morwrol gryn dipyn yn well na'u rhagflaenwyr ac yn cynnwys toreth o wybodaeth fanwl am lifoedd, angorfeydd a pheryglon, diau i waith yr hydrograffydd/ cartograffydd hunanddysgedig fod o fudd i fyrdd o bobl.

6 ∞ 'Fel y cais yr iâr y glwyd, ceisiaf innau Nansi Llwyd', 1748–1754

Gwrthbwynt hollol i'w waith proffesiynol oedd y llythyr a ysgrifennodd Lewis Morris o Lundain (lle yr oedd rhwng canol Ebrill a Rhagfyr 1748) at William Vaughan, dyddiedig 4 Awst 1748, yn gwatwar capten llong o'r enw Ephraim Cook – gŵr a danysgrifiodd i *Plans of Harbours* . . . (1748) – a fu'n ymweld ag ef:

> Pwy ddaeth yma heddyw ond Ephraim Cook Bastart Gwyddel o wlad yr aipht, wedi i dd---l 'i bedoli o chwithig, a rhoi succan gwyn yn lle mennydd yn ei ben. I thought you said he was a man of sense, the creature hath not one grain, nor of learning or science of any kind, but a hellish stock of impudence & ignorance. You know he pretended he had drawn draughts. But ye animal doth not know ye difference between a dodecahedron & a paralellopipedon and to crown the matter he pretended an order from you for the use of a bed in a certain house on ye first floor i *ymgymharu* â Gwenhwyfar Hersdin Hogl, merch i Cynan foelgrach o'r hen gachdy ag i Gaunor Rygyndin Besychgach o'r drewbwll ffieiddlyn gerllaw Tŷ Rhys Gawsgasgl Gefn Gribin Figwrn bwdr o blwy Llanbidinodyn, ond ni chae ef mo'r allwedd gan y gŵr, oedd geidwad ar y lle hwnnw, a gorfu arno fyned i achwyn ei gŵyn wrth Wenhwyfar; yn geilldrwm gal-lippa, ag yno a'nt i loddesta i dŷ'r hen Besi fochlaes rothgwthr sechgoeg, hen wain twcca Rhydderch ddanheddog y Bib, ag i'r holl fyd o'i flaen ynteu . . .[1]

Mae'r darn hwn yn llawn dyfeisgarwch ac eto mae'n lluosogi'r ansoddeiriau. Yn wir, mae'n llawenychu mewn campau ansoddeiriol a chystrawennol. Ni allai ei ddefnydd o dermau technegol y meintoniaethydd, 'dodecahedron' a 'paralellopipedon', fethu â chodi gwên ar wyneb Vaughan. Tanlinellir 'ymgymharu' yn y llawysgrif er mwyn pwysleisio'r hiwmor. Disgrifir Gwenhwyfar Hersdin Hogl mewn ysbryd afieithus a diatal. Roedd Hersdin Hogl, hen fenyw ddychmygol, yn gocyn hitio poblogaidd ym marddoniaeth yr Oesoedd Canol. [2] Defnyddir yr enw lle dychmygol 'Llanbidinodyn' ar gyfer dibenion hiwmor hyd heddiw yn llenyddiaeth Gymraeg. [3]

Am Geredigion yr oedd Lewis yn sôn wrth resynu bod, 'our chief men here have forgot their native tongue, to their shame and dishonour be it spoken'. [4] Mynegodd y gwir am agwedd llu o fonheddwyr ledled Cymru. Un o'r eithriadau prin oedd William Vaughan a rhoddodd Richard Morris deyrnged iddo am ei fod 'ysywaeth, agos yr unig bendefig o Gymru a'r sydd gantho wir gariad i'w wlad a'i hiaith'. [5] Agwedd dipyn yn llai adnabyddus ar William Vaughan – gŵr priod a chanddo ferch – oedd ei ymwneud â phutain, 'Haras'. Yn y gerdd 'Haras o Gaerludd, wedi iddi heneiddio', mae Lewis yn tynnu cymhariaeth drawiadol rhwng ei phrydferthwch blaenorol ac arwyddion heneiddio, gydag amser yn ei hanrheithio:

> Ni ŵyr neb, wrth d'wyneb di,
> Yma, nad nain wyd imi . . .
> Y byddai (lle gweddai gâr)
> Y llygaid meinion lliwgar;
> Yn awr heb wres, na rheswm,
> Yn gnapiau pelennau plwm.

(DT, tt. 150–2)

Gan fod ei gŵr yn forwr, gallai Lewis dynnu ar ei wybodaeth ei hun o forwriaeth yn y gerdd:

> Rhoed hi'n seren uwch ben byd,
> Yn olau i'w hanwylyd;
> Fal y caffo heno hwn,
> Fesur ei observasiwn.

Er gwaethaf symlrwydd yr iaith a hiwmor yr arddull, mae yma ymgais clir i drafod mater o bwys. Roedd gan Lewis ymwybyddiaeth ddofn fod prydferthwch benywaidd yn eiddil, darfodedig a bregus, a bod treigl y tymhorau dynol, ieuenctid a henaint, yn anochel. Yma mae'n eironig ei dôn, ac ymdrinir ag amrediad eang o brofiadau cyferbyniol, tristwch a hapusrwydd, cariad a marwolaeth. Er pob cellwair, mae pawb yn diweddu yn yr un fan. Ceir yma hiwmor â thro ynddo, ynghyd â phathos, ac mae'n siarad am boen bywyd a'i lawenydd, byrdra bywyd a'i ryfeddod. Mae'r elfen o drasiedi ym mhrydferthwch dadfeiliedig Haras yn cyferbynnu â'r hiwmor ac yn gweithredu fel gwrthbwynt iddo. Mae'r gwaith yn dwyn i gof ddwy gerdd gan Swift, sef 'The Progress of Beauty' (1719) ac 'A Beautiful Young Nymph going to Bed' (1731), lle mae'r 'arwresau' yn buteiniaid sy'n cyflym heneiddio ac yn defnyddio pob cymorth cosmetig i guddio anrhaith amser a'r frech.

Mae barddoniaeth yn aml yn ymwneud â mawl, nid yn unig fel marwnad ond hefyd wrth gofio am y gorffennol. Mae hyn yn un o'r elfennau mwyaf blaenllaw yn y traddodiad barddol Cymraeg o'r cychwyn, yn nodwedd a etifeddwyd o orffennol Celtaidd. Ddwy flynedd cyn iddo lunio 'Cywydd Marwnad Haras' ysgrifennodd Lewis mewn llythyr dyddiedig 5 Rhagfyr 1748 at William Vaughan: 'mae arnaf ofn Haras yn fwy na'i charu . . . Duw a ŵyr y canwn eu marwnadau ['Haras a'r llall'] yn ddigon llafar pei cawn gyfle.'[6] Ni allai Lewis ychwaith wrthsefyll y demtasiwn o wneud gweithredoedd anniwair mewn puteindai, gydag 'Haras' ymhlith eraill. Ceir esboniad o'r enw rhyfedd yn y cywydd marwnad:

> Llysenw serch y ferch fwyn
> winfaeth, yw Haras wenfwyn,
> Draw yn wir ond ei droi'n ôl,
> Mae yna'n Sarah siriol.[7]

Sarah Froome oedd meistres William Vaughan y darllenwyd ei henw bedydd tu chwith gan Lewis. Mae 'Cywydd Marwnad Haras' yn taflu rhagor o oleuni ar gymeriad Sarah, gwraig briod o Covent Garden a fu farw yn 1750:

> Cadw ysgol noddol nwyf,
> Y bu hon i'w byw hoywnwyf; . . .
> Cywrain yng nghampau cariad,
> A rhoi ei gorchwyl yn rhad.

Clywodd William Morris am farwolaeth 'gordderchwraig' y 'gŵr o'r Gors' (Corsygedol) a'i bod wedi gadael arian i'w 'marchog'.[8] Cafodd Lewis anogaeth gan William Vaughan i lunio'r farwnad, fel y tystia geiriau Lewis mewn llythyr ato dyddiedig 13 Awst 1750 yn amgáu copi o'r cywydd marwnad: 'Gan fod gennych ewyllys i wneuthur Haras yn anfarwol, gan gywydd a bery byth, dyma gynnig ar un iddi; ag ni wn i fod un gair ynddo nad eill geneu morwyn ifangc ei adrodd.'[9] Mae'r ffaith ei fod yn ysgrifennu am butain go iawn yn y cerddi hyn yn ein hatgoffa mai oes nofelau megis *Moll Flanders* a *Fanny Hill* oedd y ddeunawfed ganrif, yn ogystal ag oes pregethau Howel Harris, Wesley a Whitefield. Dywedodd Gwynn ap Gwilym am y cerddi am Haras: 'ar eu gorau, y mae'r cywyddau hyn cystal bob tamaid â rhai o gywyddau Dafydd ap Gwilym, megis hwnnw i "Morfudd yn Hen".'[10] Yn y cywydd hwnnw, mae Dafydd ap Gwilym yn rhagweld henaint Morfudd gydag eglurder dychrynllyd, ac mae cerddi Lewis yn debyg gan fod i'r gwatwar ochr ddifrifol, gydag ymwybyddiaeth o ddarfodedigrwydd bywyd dynol. Anocheledd y ffaith fod amser yn treiglo, a'r angen i ddod i dermau â'r treigl hwn, dyma'r sylfeini thematig yr adeiladwyd cerddi Lewis arnynt. Gellir dadlau mai llenyddiaeth, yn wir mai celfyddyd yn gyffredinol, yw'r amddiffyniad grymusaf y gellir ei ddarparu ar gyfer gochel pryd-ferthwch rhag dinistr anochel amser.

Mewn llythyr arall a ysgrifennodd at William Vaughan yn ystod yr arhosiad hir yn Llundain yn 1748, cofnododd y profiad o gael ei lun wedi ei dynnu gan baentiwr proffesiynol (anhysbys i ni heddiw). Tynnwyd y llun hwn, a geir ar glawr y gyfrol hon, pan oedd Lewis yn ei anterth yn 47 oed, ac mae'r ffaith iddo gael ei wneud o gwbl yn tystio i'w lewyrch dosbarth canol, ond ategir hyn hefyd gan ei gap melfed gwyrdd tywyll, ei siaced goch, ei grys gwyn â gwddf agored a chyffiau ffriliog. Addas yw bod un mor eangfrydig ac ymchwilgar, a charto-graffydd a hydrograffydd campus yn ogystal, â glôb o'i flaen yn y llun. Ceir naws hunanfodlon i'w eiriau:

> Our mortal enemy the d- - -l put it yesterday evening in the head of your couz[n] Mrs O[wen] to bring a painter here and insisted upon having my picture drawn for ye encouragement of our countrymen. Well, when I considered that nothing but his infernal Majesty could put her upon it, and rather than contending with the d- - -l, a woman and a paynter, I agreed to it, and here he is this very minute that I am writing this, a drawing my nose as hard as ever he can, and I am to be in miniature by & by and my face etchd to be put in the frontispiece of all the books I am to publish; well done, what is this but pride? And where doth pride come from? From the d- - -l, so far so good.[11]

Wrth edrych ar y portread, anodd yw peidio â sylwi ar yr wyneb crwn blonegog a gwridog, y dagell a'r llaw cnodiog. Tueddai i fod yn grwn o gorff er dyddiau ei ieuenctid, ac erbyn y cyfnod pan oedd yn drwm yn ei bedwardegau roedd yn drwm ei gorff hefyd. Tystiodd William fod y Llew tew yn 'anferth lwdn! Rhaid cael ceffyl cryf yw gludo o'r fan bwygilydd', ac meddai drachefn: 'Digrif fa'i ych gweled a'ch boly ymron llusco'r llawr fal y brawd Llew!'[12] Atgoffwyd William o Lewis pan welodd 'fochyn du torllaes byrdroed'.[13] Nid oedd hynny'n rhwystr iddo ddenu merched, serch hynny, ac ar 20 Hydref 1749, heb grybwyll y peth wrth neb ymlaen llaw, priododd Lewis am yr eildro ac yntau bellach yn 48 oed ac wedi bod yn weddw am 16 mlynedd, gydag Ann Lloyd. Fel yn achos ei wraig gyntaf, roedd ymron hanner ei oed ef, yn unig blentyn i'w rhieni ac yn aeres stadau bychain; stad Penbryn, yng Ngoginan yn Nyffryn Melindwr, ychydig filltiroedd yn unig i'r de o Alltfadog; stad Cwmbwa a oedd hefyd, fel Penbryn, ym mhlwyf Llanbadarn Fawr; a stad Tan-y-castell ym mhlwyf Llanychaearn. O gyfrif y tir yr oedd Lewis yn berchen arno, y tir yr oedd yn ei rentu a, bellach, dir ei wraig newydd, rheolai dros fil o erwau ym Môn a Cheredigion, ac roedd, erbyn hyn, yn fân uchelwr. Tua diwedd mis Hydref y clywodd William yng Nghaergybi y newydd am y briodas, ac o fewn dim o dro roedd llythyr ar y ffordd at Richard i'w hysbysu fel hyn:

> Dear Brother – Wawch! Wfft i hyn! Na bo mond 'i grybwyll! Daccw'r brawd Llew wedi ymbriodi ag un ieuanc o lwyth Ceredigion! Gŵr o hanner canmlwydd oed yn ymglymu â benyw oddeutu 25! 'Glew fydd y Llew hyd yn Llwyd', ebr rhyw hen brydydd gynt . . . Duw a roddo i'r cwpwl lwyddiant.[14]

Treuliasai Lewis dair blynedd a hanner yn byw ar ei ben ei hun yng Ngalltfadog cyn i'w ail wraig ymuno ag ef ar ôl iddynt briodi ym mis Hydref 1749. Bu'r ail briodas hon yn fwy dedwydd o gryn dipyn na'i briodas gyntaf, er y bu'n rhaid i Ann ymgyfarwyddo â gweld ei gŵr yn ei gadael am gyfnodau maith. Roedd yntau'n meddwl y byd o Ann, a bu hithau'n gadarn gefn iddo ef. Lluniodd Lewis gerdd faith 34 pennill amdani ar fesur triban, 'Cerdd Nansi Llwyd', a nodweddir gan gryn deimladrwydd yn gymysg â hwyl. Defnyddiodd hoff ddyfais ganddo drwy ddiweddu pob pennill â'i henw, a pharodïodd hefyd ieithwedd Feiblaidd.

> Caned beirdd y byd o gwmpas
> I wŷr mawrion glod ag urddas,
> Caned prydydd llwm am fwyd,
> Canaf innau i Nansi Llwyd . . .

> Fel y cais y meddwyn ddiod,
> Fel y cais y gath y llygod,

> Fel y cais yr iâr y glwyd,
> Ceisiaf innau Nansi Llwyd.[15]

Mae'r gerdd yn gorffen gyda 'gweddi fer' ac mae symlrwydd tawel y casgliad yn briodol:

> Duw dod deimlad i gyfoethogion,
> Dyro lawnder i dylodion,
> Dod i bob anghenog fwyd,
> Dod i minnau Nansi Llwyd.

Daw i gof gerdd John Gay, 'Molly Mogg',[16] ond bwriad Gay oedd dihysbyddu'r odlau posibl gydag enw rhywun, tra bod Lewis yn bennaf yn odli 'Llwyd' a 'bwyd'. Dwli diddanus oedd y gerdd, fel y cyfaddefodd wrth Richard ei frawd: 'gwiriondeb a dyli i gyd!',[17] ond mae ynddi naws garedig heb ddim dychan aflednais.

Y cyfle cyntaf a gafodd Lewis i ymhelaethu ychydig wrth William am ei aelwyd newydd oedd canol mis Chwefror 1750. Pan nad oedd yn gwneud ei waith bob dydd, roedd wrthi fel lladd nadredd yn helaethu a gwella'r tŷ, ac er mawr rwystredigaeth iddo fe gafodd fod llafurwyr Ceredigion yr un ffunud â'u cymheiriaid ym mhob man arall: 'a parcel of idle good-for-nothings. I am obliged to do half yᵉ work myself, and if I am absent from them a minute there is something done wrong and this is yᵉ reason that I have not a minute to spare till, like another bird, I make my nest.'[18] Ychwanegodd mai dyma'r llythyr cyntaf iddo lunio yn ei 'fyfyr (library or study)' ac y byddai'n siŵr o ysgrifennu'n amlach at ei frawd o hynny ymlaen. Roedd hinsawdd yr ardal newydd wrth ei fodd, a nodai'n ddyddiol y ffigyrau a welai ar ei thermomedr, gan eu cymharu â'r rhai a gâi gan un Fortunatus Wright o Leghorn (Livorno) ar arfordir gorllewinol yr Eidal. Barnodd fod hinsawdd Galltfadog yn rhagori ar yr hyn a geid yn yr Eidal, a phriodolodd hyn i'r ager twym a gynhyrchid, yn ôl y farn gyffredinol yn y cyfnod a'r ardal, gan y gwythiennau mwyn plwm o dan y ddaear. Roedd safon ei dŷ yn cynrychioli'r eithaf mewn moethusrwydd ymhlith y dosbarth canol yng Ngheredigion a Sir Fôn.[19]

Ym mis Ebrill 1750, roedd ganddo newyddion da i gyfleu i Richard ei frawd, sef bod 'edlin yn cynhyrfu ym mol y wraig'.[20] 'Wawch!' oedd ebychiad William pan glywodd yntau'r hanes. 'Daccw'r wraig o Allt Vadog yn feichiog na bo mond ei grybwyll, now for a young Llew.'[21] Ar ddiwedd mis Mai 1750 daeth ei dad Morris Prichard a'i chwaer Elin bob cam o Fôn i Alltfadog er mwyn hebrwng John Owen, mab Elin, a oedd

wedi derbyn gwahoddiad ei ewythr Lewis i fwrw cyfnod yng Ngallt-
fadog i'w gynorthwyo, yn bennaf, yn ei weithiau mwyn. Yr oedd yr
ychydig ddyddiau a dreuliodd y cwmni ynghyd yn rhai cyffrous, gyda'r
disgwyl mawr am y dyfodiad newydd, cyn i Elin a'i thad, ddechrau
mis Mehefin, gychwyn yn ôl i Fôn. Ganed yr etifedd newydd ar 25
Gorffennaf 1750, a rhoddwyd enw ei dad arno. Naddwyd cywydd i'w
groesawu i'r byd gan un o hen gyfeillion ei dad, Hugh Hughes o
Lwydiarth Esgob ym Môn. Atebodd Lewis gyda chywydd byr:

> Lluniaist gelfydd gywydd gwiw
> Hyddysg a gefais heddiw,
> Cyplau o eiriau arab,
> Cerdd ddigri' i mi a'm mab,
> Cyfangerdd mwyngerdd i'm oes,
> Gwinwawd a bery gannoes,
> Imi ag i'r mebyn mau
> Mwynwawd, i'w fam a minnau,
> Ffôl fydd mam yn ddiamau,
> Ei gwaith fydd bob dydd a dau,
> Sipio'r maban bychan bach,
> A fu Lewsyn felysach![22]

Dilynwyd y cyntafanedig hwn o'i ail briodas gan John yr haf canlynol, a
chan saith o blant eraill gyda'r cyw melyn olaf, Pryse, yn gweld golau
dydd rywbryd cyn 25 Gorffennaf 1761.

Gwaetha'r modd, methodd â chadw ei addewid ynghylch llythyru'n
amlach, a'i gwynion a'i drafferthion a lanwai'r ychydig lythyrau y
llwyddodd i'w hysgrifennu. Meddai William wrth Richard ym mis Ebrill
1751: 'Ni chlywais ddim o Allt Fadog yn ddiweddar, digon da os ceir
llythyr oddi yno rwan unwaith y pedwar amser; mae'r cyfreithiau a'r
planta a'r hwsmonaetha wedi spwylio'r dynan hwnnw.'[23] Ym mis Mai
ysgrifennodd Richard at Lewis yn gofyn iddo roi ei sylwadau ar ddarn o
waith o'i eiddo, ond cafodd ateb digyfaddawd: 'It is impossible for me,
and I am sorry for it, that I cannot send you remarks on your proverbs. I
am so confounded with lawsuits and troubles that I have not a minute's
cool time to spare.'[24] Cawn ddilyn yr helyntion hyn yn nes ymlaen. Er
bod cymaint ganddo ar ei ddwylo, ceisiodd yn llwyddiannus am
swydd ychwanegol fel asiant i'r Arglwydd Lincoln, mab-yng-nghyfraith
y Prif Weinidog Henry Pelham. Roedd yn stiward ei diroedd yn Swydd
Amwythig ac yn siroedd Trefaldwyn a Dinbych o ddiwedd Ionawr 1751

hyd Ragfyr 1753, swydd a olygai gryn dipyn o deithio o leiaf unwaith y flwyddyn i gasglu'r rhenti. Yn nodweddiadol ddigon, ei gymhelliad wrth dderbyn y swydd oedd dod i adnabod pobl ddylanwadol a allai, ryw ddydd, fod o gymorth iddo.[25]

Yr oedd yn ei natur i feithrin beirdd iau, fel yn achos Ieuan Brydydd Hir a Goronwy Owen. Ym mis Rhagfyr 1750 ymaelododd y Prydydd Hir yng Ngholeg Merton, Rhydychen. Yn ystod ei flwyddyn gyntaf yno, gohebai'n gyson â Lewis, ac fe wnaeth yntau ei orau glas i ennyn diddordeb Ieuan mewn astudiaethau Cymreig. Yn y llythyr cyntaf, cywirodd Lewis, ar gais Ieuan, un o'i gywyddau, ac yna cynghorodd, 'So make poetry & antiquity (when you can come at materials) a branch of your study, and depend upon it you will make a figure in yᶜ world.'[26] Ac yn fuan gwnaeth Ieuan ei farc fel bardd Cymraeg o dan dyrau main breuddwydiol Rhydychen. Yn dilyn marwolaeth Frederick, Tywysog Cymru, yn 1751, cyhoeddwyd cyfrol o farddoniaeth mewn sawl iaith gan Brifysgol Rhydychen, a chynhwyswyd ynddi gywydd marwnad gan Ieuan Brydydd Hir, yr unig gerdd Gymraeg yn y llyfr. Cywirodd Lewis awdl Ieuan i'r 'Coler Du' yn ogystal, a gwnaeth nifer o sylwadau craff wrth ganmol ei waith. Holodd hefyd a oedd yn Rhydychen fardd Cymraeg arall neu hynafiaethydd, ac ynghylch Llyfr Coch Hergest. Ar ôl derbyn ateb calonogol, ysgrifennodd Lewis ato eto:

> da iawn oedd glywed cael o honoch gennad i fynd i'r llyfrgell ddirgel yngholeg yr Iesu . . . since you are now about Llyfr Coch o Hergest, I would have you first write an index of yᶜ contents of it, and send it me sheet by sheet, and I'll give you my opinion what is best for you to transcribe and is most uncommon & curious.[27]

Mae'n siŵr i Ieuan Brydydd Hir deimlo cyffro mawr wrth fodio tudalennau'r llawysgrif enwog.

Lewis, i raddau helaeth, a ysgogodd Goronwy Owen yntau i ddechrau llenydda o ddifrif, a hynny yn Donnington yn ystod gwyliau'r Nadolig 1751, pan oedd Goronwy yn 28 oed a Lewis yn hanner cant. (Daeth Goronwy dan ddylanwad barddol Lewis am y tro cyntaf cyn iddo gyrraedd ei ben blwydd yn 16 oed.) Roedd Goronwy wedi colli cysylltiad â'r Morrisiaid yn ystod cyfnod cynnar ei alltudiaeth, ond cafwyd trobwynt yn ei fywyd pan gysylltodd Lewis ag ef drwy lythyr. Mewn llythyr at Richard Morris ym mis Awst 1752 dywedodd Goronwy:

> Ni ddamweiniodd i mi adnabod mo Ieuan Fardd o Coll. Merton; on'd mi

a glywais gryn glod iddo, a thrwy gynhorthwy Llewelyn Ddu, mi welais rywfaint o'i orchestwaith a diddadl yw na chafodd mo'r glod heb ei haeddu. Er ei fod yn iau na mi, o ran oedran, etto y mae yn hŷn prydydd o lawer, oblegid ryw bryd yngwyliau'r Nadolig diweddaf y dechreuais i, ac oni buasai'ch brawd Llewelyn, a yrrodd imi ryw dammaid praw, o waith Ieuan, ac a ddywaid yn haerllug y medrwn innau brydyddu, ni feddyliaswn i erioed am y fath beth.[28]

Dywedodd Lewis yr un peth yn union mewn llythyr at Ieuan Brydydd Hir ym mis Ebrill 1752 wrth gyflwyno Goronwy: 'He is but lately commenced a Welsh poet, and the first ode he ever wrote was in imitation of your ode on melancholy, having no grammar to go by.'[29] Ar ôl i Lewis ddod i gysylltiad â Goronwy Owen yn 1751, bu Goronwy yn rhyfeddol o gynhyrchiol am ymron chwe blynedd. Lluniodd gywyddau ac awdlau, cynlluniodd gerdd epig a cheisiodd greu corff o farddoniaeth newydd ddyneiddiol-Gristnogol yn y Gymraeg. Achubodd Goronwy ar y cyfle i anfon cynnyrch ei awen at athro barddol cydymdeimladol, ac ni allai Lewis gadw'r fath gerddi iddo ef ei hun. Anfonodd amryw ohonynt ymlaen at William ei frawd, ac ni allai William yntau guddio'i orfoledd a'i ryfeddod wrth hysbysu'r brawd arall, Richard: 'Gronw hath overtopt all the bards of this age, and brother says of all others!'[30] Rhannai'r tri brawd yr ymdeimlad o gyffro yn sgil y darganfyddiad, yn enwedig o gofio fod Siân Parry, mam Goronwy, yn gyn-famaeth iddynt.

O gyfnod Nadolig 1751, a'r cymhelliad a gafodd Goronwy oddi wrth Lewis, y tarddodd yr ysbrydoliaeth a barodd i Goronwy lunio 'Awdl y Gofuned'. Pan anfonodd Lewis 'dammaid praw' o waith y Prydydd Hir at Goronwy roedd cerdd am y pruddglwyf ar fesur y gwawdodyn, 'Awdl i'r Coler Du', yn eu plith. Ni wyddai Goronwy fwy am y mwyafrif o fesurau cerdd dafod nag a wyddai mochyn am fathemateg, ond bellach roedd ganddo fesur gwawdodyn i'w efelychu. Cyfeiriodd Goronwy yn Donnington at hyn mewn llythyr diweddarach at William Morris:

> the only knowledge I had of Gwawdodyn Byr, when I made my Gofuned, was a stanza or two of it, made by Ieuan Brydydd Hir on Melancholy that Mr Morris had sent me as a specimen of his ability in Welsh poetry, and no wonder that my Gofuned should be faulty in blindly copying after so inaccurate a pattern.[31]

Yn ngolwg Goronwy, Lewis oedd ei athro barddol, rhywun i fod yn gefn iddo, i farnu a chaboli ei gerddi, ac nid gormodiaith yw dweud fod y disgybl yn eilunaddoli ei athro. Rhaid oedd i Lewis roi sêl bendith ar gerddi cyn i Goronwy fod yn fodlon eu dangos i eraill. Pan ddarbwyllwyd Thomas Ellis gan William Morris i roi ei gefnogaeth ariannol i argraffu 'Cywydd y Farn', roedd rhaid i gymrawd Coleg Iesu, Rhydychen aros hyd nes i Lewis gymeradwyo'r cywydd. Dywedodd Goronwy wrth William Morris: 'I am not willing that any thing of mine should be made public without the consent and approbation of my tutor.'[32] Ac meddai drachefn wrth Richard Morris, gan gyfeirio at 'Gywydd y Farn', mai barn un person yn unig a gyfrifai iddo:

Ni'm dawr i pa farn a roir arno, oblegid gael o hono farn hynaws a mawrglod gan y bardd godidoccaf, enwoccaf sy'n fyw y dydd heddyw, ac (o ddamwain) a fu byw erioed yn Nghymru, nid amgen Llewelyn Ddu o Geredigion, yr hwn yr wyf fi yn ei gyfrif yn fwy na myrdd o'r mân-glyttwyr dyrïau, naw hugain yn y cant, sydd hyd Gymru yn gwybetta, ac yn gwneuthur neu'n gwerthu ymbell resynus garol, neu ddyri fol clawdd.[33]

Roedd Lewis yn awyddus i'w frodyr fod yn ymwybodol o allu Goronwy. Mewn llythyr dyddiedig 2 Ebrill 1752 ysgrifennodd William at Richard:

Daccw fo [Lewis] wedi gyrru imi ddau gywydd o waith Gronwy ap Owen (ap Gronw Owen yr eurych) offeiriad, un o honynt sydd i Ddydd y Farn Fawr, gwaith godidog iawn; ni feddyliais i fod y fath ddyn ar wyneb y ddaear, ni wiw i Mr William Wynne na cholhector Dyfi [Lewis] sôn mwyach am y gadair, os Gronwy Ddu a â ymlaen fal hyn, nhw allant ganu'n iach iddi.[34]

Fis yn ddiweddarach ar 11 Mai 1752, ysgrifennodd Lewis ei hun at Richard:

Goronwy's address is 'To the Rev. Mr Gronow Owen at Donnington, near Salop.' Send it frankd, he is but poor, and let him know how to write free letters to you. Gofuned Goronwy hath more of nature in it than all the rest; he is a most surprising fellow. We must have him into Anglesey, if possible, or at least some part of Wales.[35]

Gwyddai Lewis pa mor werthfawr i'w ddisgybl-fardd disgleiriaf fyddai medru anfon llythyrau am ddim drwy roi enw Richard Morris a'i gyfeiriad yn Swyddfa'r Llynges arnynt. Gobeithiai hefyd y câi Goronwy fudd yn ei alltudiaeth o gael ymwybyddiaeth o berthyn i gylch o bobl a rannai ddiddordeb mewn iaith a llenyddiaeth Cymru.

Yr un brwdfrydedd a barodd i Richard Morris ac eraill o Gymry Llundain, gyda chymorth Lewis, sefydlu Anrhydeddus Gymdeithas y Cymmrodorion ym Medi 1751 er mwyn noddi dysg a gwybodaeth. Dyma'r digwyddiad pwysicaf ym mywyd Cymreig Llundain yn ystod y ddeunawfed ganrif. Penodwyd y llydanfryd William Vaughan yn 'Benllywydd', ac yn naturiol etholwyd Richard Morris yn llywydd. Parhaodd Richard yn y swydd honno hyd ei gystudd olaf yn 1779, gan weithio'n ddiflino dros y gymdeithas. Meddyliai Lewis am y gymdeithas fel math o Academi fel y *Royal Society* – yr oedd William Jones y mathemategwr a Moses Williams y clerigwr o ysgolhaig yn aelodau ohoni – neu'r *Académie Française*. Gyda sefydlu Cymdeithas y Cymmrodorion daeth dysg Gymraeg yn rhan o batrwm ysgolheictod yn Ewrop (neu felly y gobeithiai Lewis). Roedd meysydd dysg yn dra pharod i dderbyn cyfraniadau amaturiaid yn y ddeunawfed ganrif. Harneisiwyd talentau'r amaturiaid gan gymdeithasau dysg ac roedd eu haelodaeth yn cynnwys pobl hunanaddysgedig – megis Lewis Morris ei hun – yn ogystal ag ysgolheigion prifysgol. Yn Ewrop roedd y cymdeithasau yn rhan annatod o gyfundrefn dysg, ochr yn ochr â'r prifysgolion.

Lluniodd Lewis gerdd ar fesur y triban, 'Caniad y Cymmrodorion', i'w chanu wrth dderbyn aelod newydd i'r Gymdeithas, a thrwy hynny fe'i lluniwyd gyda swyddogaeth seremonïol ar gyfer cynulleidfa benodol. Fe'i hargraffwyd yng Ngosodedigaethau'r Cymmrodorion yn 1755, ac felly hon oedd y gerdd gyntaf o'i eiddo a argraffwyd. Mae'n amlinellu prif bwrpas y gymdeithas, sef denu clod i Gymru a'r Gymraeg:

> Cydunwn Gymmrodorion,
> Â'n gilydd yn un galon,
> I ganu clod i'n gwlad a'n hiaith;
> Dewisiol waith cymdeithion . . .
>
> Cymraeg fydd ein penillion,
> Hen famiaith heb wehilion;
> Na chaffer neb yn hyn o waith,
> Yn sisial iaith y Saeson.
>
> (*DT*, tt. 156–8)

Cynhwysodd benillion i'w canu 'ond pan fyddom mewn rhyfel â'r Ffrancod a'r Yspaeniaid', gan gynnwys y pennill hwn:

> Ein llongau pan ollyngon,
> Yn rhydd i'r moroedd mawrion,

Y daran fawr a deifl ei bollt
I leinio ein holl elynion.

Ychwanegodd dri phennill yn 1757 i nodi buddugoliaeth Frederick II o
Brwsia yn erbyn yr Awstriaid yn Leuthen.[36] Mae'r hwyl sydd yn
gysylltiedig â mesur y triban yn cyfrannu at apêl y gwaith. Cafodd ei
frawd William ei blesio gan y gerdd: 'digrif caniad y dewis' meddai wrth
Richard Morris ar 12 Mehefin 1755.[37]

Roedd amcanion amrywiol Cymdeithas y Cymmrodorion, a am-
linellwyd yn y Gosodedigaethau, sef erthyglau eu cyfansoddiad, yn
1755, yn uchelgeisiol iawn ac yn adlewyrchu yn glir feddwl grymus
ac eiddgar Lewis.[38] Ef oedd pensaer y gymdeithas gan mai ef a luniodd,
ar sail ei ddiddordebau ei hun, y rhestr o 78 o bynciau yr oeddid i'w
hastudio, gan gynnwys ymchwilio a thrafod hynafiaethau, llenyddiaeth,
yr iaith Gymraeg, arferion y Cymry, anianyddiaeth a phob math o
ymchwiliadau gwyddonol. Diddorol yw sylwi y cymerir yn ganiataol
fod y ddamcaniaeth ynghylch Tysilio, 'the true author of the British
History', yn ffaith ac mai dallineb bwnglerwyr fel 'Camden, Milton,
Lloyd Bp. of St. Asaph', a'u hystyfnigrwydd yn wyneb y ddadl
rymus, oedd eu hunig arwyddocâd. Dyma gyhoeddi'n groyw felly drwy
gyfrwng y Gosodedigaethau fod yr allwedd i ddirgelwch *Brut y
Brenhinedd* yn nwylo Lewis Morris. Bwriadwyd hefyd gyhoeddi
gweithiau ysgolheigaidd ac annog datblygiadau economaidd yng
Nghymru, ac roedd y cyfansoddiad yn adeiladu ar syniadau Edward
Lhuyd a Moses Williams. Er gwaethaf ymroddiad Richard a chymorth
gwerthfawr Lewis, a fu'n gadarn gefn iddo pan dreuliodd bedwar cyfnod
hir yn Llundain rhwng mis Mawrth 1753 ac Ionawr 1758, ychydig o'r
amcanion a wireddwyd. Yn hytrach nag ymddiwyllio, roedd yn well gan
y rhan fwyaf o'r aelodau dreulio eu horiau yn cael hwyl a difyrrwch
wrth glebran a hel straeon, yfed ac ysmygu, mewn cyrchfannau megis
tai coffi'r Fflyd a Ludgate Hill.[39] Serch hynny, mewn oes lle nad oedd fawr
o gyfathrach rhwng de a gogledd Cymru, gweithredodd fel canolfan
i fywyd llenyddol ac ysgolheigaidd Cymru a bu'n gymorth i lenorion y
cyfnod. Nid cyd-ddigwyddiad yw'r ffaith i Ieuan Brydydd Hir gychwyn
o ddifrif ar ei yrfa fel ysgolhaig Cymraeg yn 1755, yr union flwyddyn y
gwelodd *Gosodedigaethau Anrhydeddus Gymdeithas y Cymmrodorion*
olau dydd. Gosodwyd y seiliau hefyd ar gyfer y cyfnod mwyaf llewyrchus
yn hanes y Cymmrodorion o 1873 hyd heddiw, heb anghofio fod cym-
deithas y Gwyneddigion hefyd wedi cyflawni nifer o amcanion y
Cymmrodorion.

Ceisiodd Lewis fanteisio ar ei gyfeillgarwch â William Vaughan, gan obeithio sicrhau cynhaliaeth deilwng i Goronwy Owen drwy ddylanwad y gŵr pendefigaidd o Nannau a Chorsygedol. Y neges a gafodd William Vaughan oedd mai Goronwy oedd y 'greatest genius either of this age or that ever appeared in our country', ac mai ei gerddi oedd 'the best that ever were written in our language, and will endure while there is good sense, good nature and good learning in the world'.[40] Gan wybod fod William Vaughan yn Gymro twymgalon a gwladgarol, datganodd Lewis fod Goronwy yn rhagori ar brif feirdd Lloegr. Wrth gyfeirio at 'Gywydd Bonedd a Chyneddfau'r Awen', meddai: 'When I see in Milton, Dryden or Pope such nervous lines and grand expressions as this poem contains, I shall admire them as much as I do Gronow Owen and not till then.' Ni allai Vaughan beidio â chydymdeimlo ar ôl darllen a deall pa mor druenus oedd y sefyllfa yr oedd Goronwy ynddi: 'that such a man as this, who is not only the greatest of poets, but a great master of languages, should labour under the hardship of keeping a school and serving a curacy in the middle of Carn Saeson.' Cais Lewis yn y pen draw oedd i William Vaughan gysylltu â Zachary Pearce, esgob Bangor, i sicrhau bywoliaeth iddo, gan ychwanegu: 'If you can get this man a living, you will not only make yourself immortal, but make me immortal too.'

Rhywdro tua diwedd 1750, teithiodd Lewis yr holl ffordd o Alltfadog i Nannau yn Sir Feirionnydd, dim ond i ddarganfod fod ei gyfaill oddi cartref, a chofnododd hanes y siwrnai seithug mewn traethodl. Disgrifiodd Lewis fesur y traethodl, sef hynafiad tebygol y cywydd, fel 'loose verse without numbers, or concords (cynghanedd)'.[41] Roedd gan William Vaughan long a adeiladwyd yn 1750 ac a elwid 'Castell Harlech', ond a lysenwyd yn ffraeth gan Lewis fel 'y cwrwgl tinfelyn'. Yn 1752, nyddodd Lewis draethodl arall ar ffurf ymddiddan rhwng y bardd a'r llong. Ynddi, cenir clodydd teulu'r Vaughan o Nannau a Chorsygedol, uchelwyr na fyddent yn anghofio, wrth iddynt geisio gwella'u hystadau, eu hymrwymiadau i'w tenantiaid a'u gwlad:

> Pwy'n croesawi cyfoethogion?
> Pwy rydd fwy i dlodion?
> Pa dai orau eu moesau?
> Cors y Gedol a Nannau.[42]

Mae'r pwyslais ar letygarwch ac ar y sicrwydd o noson siriol. Ceir sôn hefyd am y traddodiadau cyfoethog yn rhaeadru i lawr y cenedlaethau; mae'r darn isod yn cyfeirio at Anne Vaughan, y ferch a aned yn 1734:

Fy nghalon a wresogodd,
Ag yn fy mron hi enynnodd,
Glywed duwies deca'i llun
Yn canu gyda'r delyn,
Yn iaith ei mam y canai hon
Yn hollawl hen benillion,
Yn ôl arfer ei hen deidiau
A fu'n byw gynt yn Nannau.

Ym mis Awst 1752 ysgrifennodd William Morris at Richard ei frawd ar ôl dychwelyd i Fôn wedi ymweliad â Lewis yn y de: 'Digrif [y] traeth awdlau a wnaeth Llewelyn iddo fo [William Vaughan] a hithau [y llong].'[43]

A Lewis yn ddirprwy stiward maenorau'r Goron yng Ngheredigion (rhwng 1745 a 1756), ar 1 Gorffennaf 1751 manteisiodd ar ei awdurdod i osod gwaith Esgair-y-mwyn ym mhlwyf Gwnnws yng nghwmwd Mefenydd ar rent am flwyddyn i Dafydd Morgan, John Morgan ei frawd ac Evan Williams. Ychydig fisoedd yn ddiweddarach, gyda'r wythïen yn ildio'i chyfoeth mwynol, ymunodd Lewis mewn partneriaeth â hwy o dan enw ei nai John Owen. Nid ymgais i ochrgamu heibio cyfraith gwlad oedd hon, gan ei fod o fewn ei hawliau i fod yn bartner yn y fenter. Ond ac yntau eisoes yn dra amhoblogaidd ymhlith y tir-feddianwyr bonheddig lleol, barnai mai doethach oedd gwneud hynny yn enw ei nai 16 oed. Amod y les oedd y byddai'r Goron yn derbyn deg swllt am bob tunnell o fwyn plwm a gloddid, a chyfrifoldeb Lewis oedd gwerthu'r mwyn plwm, diogelu'r arian a dderbynnid o'i werthu a sicrhau y byddai'r Goron yn cael ei chyfran hithau. Er gwaetha'r holl gostau, roedd y wythïen gyfoethog yn sicrhau cryn lwyddiant i'r leswyr. Yn ôl a ddeallai William Morris ym mis Medi 1752, roedd y mwynglawdd yn dwyn elw o 'fil o bunoedd bob chwarter'.[44] Ychydig flynyddoedd yn ddiweddarach, cyfaddefodd Lewis fod ganddo un tro £8,000 o arian y Goron yng Ngalltfadog. Diau mai gwir oedd disgrifiad William o'i frawd yn haf 1752: 'Mae'r Tew yn ymdrobaeddu mewn cyfoeth dros ei ben a'i glustiau.'[45]

Ym mis Gorffennaf 1752 daeth William yr holl ffordd o Fôn i Allt-fadog lle'r arhosodd am ryw dair wythnos, ac yna hebryngodd Ann Morris ar y daith hir i Fôn, a barodd dridiau, lle cafodd hithau gyfle i gyfarfod ei mam-yng-nghyfraith am y tro cyntaf (roedd eisoes wedi cyfarfod â'i thad-yng-nghyfraith a'i chwaer-yng-nghyfraith yn 1750). Ar ôl rhai dyddiau ym Mhentre-eiriannell, treuliodd Ann wythnos yng nghartref William yng Nghaergybi. Yn ystod y cyfnod ym Môn, daeth i gyswllt â nifer o bobl. Yn eu plith roedd Marged (neu Pegi fel y gelwid hi) ac Elin, dwy ferch Lewis o'i briodas gyntaf, ac roedd y tair yn ffrindiau o fewn dim o dro. Wedi'r cyfan, gydag Ann bryd hynny yn 28 oed, nid oedd fawr o wahaniaeth oedran rhyngddi a Pegi 21 oed ac Elin 20 oed.

Ond nid Ann oedd yr unig un i wneud argraff ar yr hynaf, Pegi. Yn y cwmni a deithiodd o Alltfadog i Fôn ac yn ôl roedd Dafydd Morgan, gŵr ifanc o ardal Llanafan, Ceredigion. Roedd ef yn un o'r tri a ddaeth o hyd i lawer o fwyn plwm yn Esgair-y-mwyn yn 1751. Felly roedd Dafydd Morgan eisoes yn adnabod Lewis yn dda, ac erbyn i'r osgordd fach gychwyn ar y daith yn ôl i Geredigion ar 10 Awst, roedd ganddo adnabyddiaeth reit dda hefyd o Pegi. Blodeuodd y garwriaeth ymhen amser, er mawr rwystredigaeth i Lewis a oedd yn gryf o'r farn y gallai ei ferch ddewis cymar amgenach na Dafydd Morgan.

'I hope she reached Gallt Vadawg last night', meddai William am Ann mewn llythyr at Richard ar 13 Awst. 'Hi gadd dywydd go afreolus a hithau debygwn i yn magu mân esgyrn.'[46] Roedd William lygatgraff yn llygaid ei le – roedd ei chwaer-yng-nghyfraith yn feichiog unwaith eto. Tystiodd Edward Hughes, cefnder i Lewis a mab i Huw Prichard, brawd ei dad, fod Ann yn achub ar bob cyfle i adrodd hanes y daith i Fôn. Roedd hi'n hael ei chanmoliaeth o William, ond roedd ganddi lawer i'w ddweud hefyd am dlodi a budreddi'r hofelau a welodd ar hyd ymylon ffyrdd culion yr ynys. Roedd clustiau Edward Hughes, Monwysyn o ran ei enedigaeth mae'n debyg (ond un a fagwyd yn Nhegeingl), yn atsain wrth glywed y Gardïes, nad oedd yn hoff iawn ohoni sut bynnag, yn traethu'n huawdl am yr agweddau negyddol ar y sir, ac roedd yn gas ganddo feddwl amdani'n lledaenu'r stori ymhlith ei 'chymydogesau'. (Diddorol yw nodi y bu Ann ym Môn eilwaith ddiwedd 1759.)

Pan ddirwynodd y les a roddasid i Lewis a'r tri gŵr o Lanafan i ben ar ôl blwyddyn, daeth y Goron yn unig feddiannydd mwynglawdd Esgair-y-mwyn. Ond penodwyd Lewis gan y Trysorlys ym mis Gorffennaf 1752 yn asiant a goruchwyliwr Esgair-y-mwyn, ac unrhyw weithiau mwyn eraill a ddarganfuwyd ganddo neu a ddarganfyddai eto yn y dyfodol ar diroedd comin ym maenorau'r Goron. Y gweinidogion a arwyddodd y ddogfen yn ei benodi oedd Henry Pelham, George Lyttelton a George Grenville, ac roedd yntau wrth ei fodd â'r penodiad. Yn fuan, serch hynny, dechreuodd ei ymdeimlad o fod yn fodlon â'i fyd bylu. Fis ar ôl ei benodiad, fe gollodd ei fam. Roedd marwolaeth Marged Morris, ym Mhentre-eiriannell, Môn, ar 16 Awst 1752 yn 81 oed yn ergyd aruthrol i'r teulu cyfan, yn arbennig i'r gŵr. Ysgrifennodd William yn alaethus at Richard ei frawd: 'Our poor father, whose loss is inexpressible, for few people loved one another so well, and lived so long without any broiles and contentions.'[47] Ac yng ngeiriau Goronwy Owen:

Deuddyn un enaid oeddynt,
Dau ffyddlon, un galon gynt.[48]

Ymfalchïodd William Morris yn y parch a ddangoswyd iddi gan ei chyfeillion a'i chydnabod. Yn wir, daeth cymaint o bobl 'o bob cwr i'r wlad' i'w hangladd ar 18 Awst 1752 fel bod eglwys Penrhosllugwy yn rhy fach, ac 'felly bu raid dyfod a'r allor i'r fynwent a darllain ag offrymmu yno'.[49] Ysbrydolwyd Goronwy Owen i lunio cywydd marwnad a oedd, mewn modd Cymreig clasurol, yn fwy o ddathliad nag o alarnad. Er y tristwch am ei marwolaeth, pwysleisiwyd iddi fyw yn dda ac iddi gysegru ei bywyd i fagwraeth ei theulu nodedig ac i gynorthwyo eraill.

Gorchwyl Lewis yn ei swydd newydd oedd gwarchod tiriogaethau'r Goron rhag hapfasnachwyr trachwantus a thirfeddianwyr lleol. Yn fuan, cafodd ei hun mewn helyntion cythryblus oherwydd y dadleuon ynglŷn â gwir berchenogaeth y mwyn plwm yng ngwythïen gyfoethog Esgair-y-mwyn. Roedd ei benodiad fel clwtyn coch i darw i berchenogion y tir a ffiniai ag Esgair-y-mwyn, oherwydd credent fod y Goron yn dwyn yn ddigywilydd oddi arnynt. Felly roedd hon yn swydd eithriadol o anodd iddo, ac yn ei adael yn teimlo fel petai o dan warchae. Honnodd y boneddigion lleol nad oedd Esgair-y-mwyn ar gytir y faenor ac nad oedd felly yn perthyn i'r Goron – i'r 'Morthwyl Mawr' fel y cyfeiriodd Lewis weithiau at Siôr II. Yn draddodiadol bu tirfeddianwyr Cymreig yn elyniaethus i hawliau'r Goron ar ddiffeithdiroedd a thiroedd agored.[50] Penderfynodd sawl un ohonynt frwydro yn erbyn y Goron, yn eu plith Illtyd Evans o Aberystwyth a dau ynad heddwch o bawb, sef yr uchelwr Herbert Lloyd o'r Foelallt ger Llanddewibrefi a George Jones, Rhoscellan, Clarach. Aeth pethau'n draed defaid (chwedl y Morrisiaid am faterion yn mynd o chwith) pan orymdeithiodd y tri, gyda mintai o weision cyflog a chefnogwyr eraill, i'r gwaith mwyn ar 23 Chwefror 1753, gan fygwth bywyd Lewis, yr asiantwyr a'r mwynwyr os na throsglwyddent yr hawl i weithio'r mwyn yn ddiymdroi. Daliwyd gwn llwythog wrth arlais Lewis gan Herbert Lloyd, a fu'n ddraenen arbennig yn ei ystlys, gan fygwth ei lofruddio yn y fan a'r lle – a Lewis o fewn pedwar diwrnod i'w ben blwydd yn 52 oed.[51] Herwgipiwyd ef gan y dorf a'i gludo ar gefn ceffyl i Aberteifi lle cafodd ei daflu i'r carchar. Byr iawn fu ei gyfnod dan glo. Yn ôl tystiolaeth ceidwad y carchar, George Evan, trosglwyddwyd Lewis i'w ofal ar 24 Chwefror ac fe'i rhyddhawyd ef o fewn chwarter awr ar fechnïaeth, gan orfod aros o fewn cyffiniau'r fwrdeistref. Ar 8 Mawrth y cyrhaeddodd y newyddion am yr helynt yn Esgair-y-mwyn glustiau William Morris a'i bryder ynghylch ei frawd 'ydoedd iddo (mewn ond odid wylltineb) daraw neu ladd rhywun, ac felly iddynt ei ddihenyddu o'r achos'.[52] Yn Aberteifi y bu Lewis tan 13 Mawrth pan aeth yn ôl i Alltfadog yng nghwmni George Evan, ceidwad y carchar, ac oddi yno, o dan oruchwyliaeth y ceidwad o hyd, i Lundain i geisio cyfiawnder. Yn y cyfamser, adfeddiannwyd Esgair-y-mwyn gan filwyr y Goron. Hyderai William Morris 'fod y Llew ar y ffordd i gael ei ryddid, a'i wynfyd ar ei gaseion, mawl i'r Gorucha' Dduw am Ei drugareddau'.[53] Ymddangosodd Lewis o flaen Syr William Lee, arglwydd prif farnwr Mainc y Brenin, ac ar 4 Ebrill 1753 cafodd ei draed yn rhydd, ar ôl ymrwymo i ymddangos ger bron llys Mainc y Brenin yng ngwanwyn 1754 i amddiffyn hawl y Goron ar Esgair-y-mwyn. Yng nghyd-destun yr helyntion hyn, nid yw'n gymaint o syndod na cheir cyfeiriad yn llythyrau'r Morrisiaid (a gadwyd) at enedigaeth Jane, merch gyntaf Lewis o'i ail briodas, a welodd olau dydd tua Chwefror 1753.

Felly roedd ganddo flwyddyn i baratoi ar gyfer yr achos cyfreithiol. Arhosodd yn Llundain tan fis Awst gan roi ei feddwl ar waith ynghylch sut i ostegu'r dymestl a godwyd ynghylch Esgair-y-mwyn. Gwyddai y byddai'n beryg bywyd iddo ddychwelyd i Geredigion. Yn wir, cafodd ar ddeall fod William Jones, un o asiantau'r Goron yn Esgair-y-mwyn, wedi cael rhybudd oddi wrth Evan Lloyd i beidio â mynd yn agos i Aberystwyth 'or in yᵉ way of yᵉ rioters, for that he and other persons that he named are to be destroyd if they can be found in a convenient place for that purpose'.[54] A chyda helynt y mis bach yn fyw yn ei gof, llwyddodd Lewis i ddarbwyllo'r Trysorlys i drefnu i fintai o filwyr i ddiogelu Esgair-y-mwyn a'r holl weithwyr a chafodd achos i ddathlu yn haf 1753 pan ddiswyddwyd Herbert Lloyd a George Jones o fod yn ynad-on heddwch am eu camwri. Ond ar wahân i hynny, nid erlynwyd yr un o arweinwyr y terfysg. Roedd gwleidyddiaeth yn dechrau dylanwadu fwy-fwy ar yr ymrafael am y les ar y mwynglawdd. Llwyddodd Lewis i ddarbwyllo neb llai na'r Prif Weinidog Henry Pelham i'w gefnogi, ond llesteiriwyd ei obeithion gan y ffaith fod Pelham ymhell o weld lygad yn llygad â William Augustus, sef Dug Cumberland a thrydydd mab Siôr II, fel y soniodd Lewis mewn llythyr at y brawd Gwil ar 18 Awst 1753:

Mae Duc Cumberland yn erbyn Pelam gymaint ag allo, mewn lecsiwn a phob peth, ag yn pallu gyrru milwyr i gadw mwyn Sir Aberteifi, felly mae'n debyg y bydd raid mynd at yr hen frenin yr hwn yw'r mwrthwl mawr a eill yrru'r hoel, ond na ddwedwch mo hyn i'r bobl a fydd yn carrio chwedlau; canys mae'r Duc yn dwedyd fod yn ffittiach i fab y brenin gael lease o'r Esgair Mwyn na mab Pelam, etc.[55]

Er ei fod wedi ennyn cefnogaeth y prif weinidog, parodd natur ddrwgdybus Lewis iddo amau ei gymhellion: 'Mr Pelham is . . . considering upon this affair how to do for the best, *iddo ei hun a'i deulu, ag nid i neb arall.*'[56]

Pan ddechreuodd Lewis lunio llythyr at William ei frawd ar 23 Hydref 1753 roedd Jane, y ferch fach a aned iddo ef ac Ann y flwyddyn honno, yn brwydro am ei bywyd 'in a quincy on ye point of death', ond daliai i obeithio am wyrth.[57] Pan ailgydiodd yn y llythyr drannoeth roedd Jane wedi marw. 'Her mother is very disconsolate, being extream fond of her.' Soniodd hefyd yn yr un llythyr am y cyfreitha ynghylch Esgair-y-mwyn a oedd ar ei anterth, a hefyd am y ffaith flinderus iddo ef fod Elin ei ferch ar fin priodi gyda Richard Morris o Fathafarn, Llanwrin ger Machynlleth. Gwnaethant hynny fis Tachwedd 1753. O gofio hyn oll, nid yw'n syndod iddo ddweud, 'I write with a head as muddy as a pool on ye high road, and as fluctuating as the tide in ye race of ye Head – all things in confusion and hurry.' Er gwaetha'r meini melin hyn o gwmpas ei wddf, neilltuodd ofod yn y llythyr i drafod cregyn môr, gan ddiweddu: 'You may say that a man who can spare time to think of such light things is either light himself, or hath no troubles, no, no, I have my hands full, my back loaden, my head on ye rack.' Cafodd ergyd bellach yn Nhachwedd 1753 pan dyngwyd affidafidion gan 18 o bobl yn parddu'o'i gymeriad gan geisio darbwyllo'r Trysorlys i archwilio'i gyfrifon oedd yn ymwneud ag Esgair-y-mwyn. Methiant oedd yr ymgais hon gan ei elynion i'w erlyn yn niwedd 1753, ond roeddynt yn benderfynol o geisio eto yn y man.

Ddiwedd 1753 clywodd Lewis achlust fod William ei frawd ar fin priodi am yr eildro (er na ddigwyddodd hynny), a rhybuddiodd ef i droedio'n ofalus oherwydd amryfal wendidau'r rhyw deg. 'But we must be dabbling with them, and nature requires it.'[58] Credai ei fod ef ei hun wedi bod yn ffodus. Gydag Ann Morris ar flaen ei feddwl dywedodd, 'Women have taught me patience and humility, and teach me daily. Those are fools that advise us to beware of them entirely; we may as well beware of our hands and feet which we cannot be without.' Anodd yw peidio â gwenu wrth ddarllen ei honiad fod merched wedi dysgu amynedd a gwyleidd-dra iddo, o gofio iddo geryddu Ann am brynu mân bethau yn ffair Machynlleth ac yntau ar y pryd yn suddo eu harian yn ofer mewn gweithfeydd mwyn plwm.

Ni châi lonydd yng nghanol yr helyntion llys a gofid a phryder teuluol i gefnogi beirdd addawol. Yn 1753 anfonodd Ieuan Brydydd Hir, a oedd yn dal yn fyfyriwr yng Ngholeg Merton, Rhydychen, lythyr at Richard Morris yn gofyn iddo fynd ar ofyn Lewis i adnewyddu'r gyfeillgarwch a fu rhyngddynt gynt, oherwydd 'I shall ever have a great regard for him for what he has done me, and on account of his incomparable learning esteem it an honour to be his acquaintance.'[59]

Bu misoedd cyntaf 1754 yn flinderus iddo, gan fod yr achos cyfreithiol yn Llundain, a fyddai'n penderfynu unwaith ac am byth ai'r Goron neu'r tirfeddianwyr lleol oedd â'r hawl ar waith Esgair-y-mwyn, yn gwgu ar y gorwel. Synnodd Lewis fod yr Arglwydd Lisburne o'r Trawsgoed wedi ymuno â'r gynghrair a wrthwynebai'r Goron. Roedd swyddogion y Trysorlys yn Llundain yn pwyso'n drwm arno i sefydlu'n derfynol hawl y Goron ar y gwaith. I'r perwyl hwnnw, aeth ati i gyfweld llawer o ardalwyr Esgair-y-mwyn, a'u holi a'u stilio ynghylch hen arferion yr ardal yn gysylltiedig â'r cytir yr oedd gwaith Esgair-y-mwyn yn rhan ohono. Baich arall a osodwyd arno gan y Llywodraeth oedd lletya a gofalu am fuddiannau y corfflu o'r Ffiwsilwyr Cymreig a ddanfonwyd i warchod y mwynglawdd tra bod ei ddyfodol yn y glorian. Er bod y milwyr yn ei amddiffyn ef, cyfeiriodd atynt fel hyn mewn llythyr at William ei frawd ym mis Tachwedd 1753: 'I do assure you a veteran soldier told me today that the Highland rebels were honest people in comparison to these.'[60] Rhwng popeth, nid syndod yw iddo ddatgan mewn llythyr arall at William ddiwedd Ionawr na ddisgwyliai noson o gwsg dwfn hyd fis Mehefin!

Ar ddechrau mis Mai 1754, ar ôl yr holl baratoi gofalus, cychwynnodd am Lundain mewn oes pan oedd teithio yn dipyn o brawf dygnwch gyda thua 70 o ardalwyr Esgair-y-mwyn yn ei ddilyn, y mwyafrif ohonynt yn oedrannus (un yn 'ganmlwydd namyn pump'[61]) ac yn medru tystio mai eiddo'r brenin fu'r tir comin yr oedd gwaith Esgair-y-mwyn wedi'i leoli arno ac mai dyna'r tro cyntaf i rywrai ei hawlio yn eiddo iddynt hwy. Â'r Trysorlys yn talu am y cludiant o Gymru ac am letya'r tystion am ymron fis yn Llundain, roedd pob enaid byw yn yr orymdaith ryfeddol hon yn meddu ar ryw ddarn o dystiolaeth a fyddai, yn ôl gobaith Lewis, yn sicrhau hawl y Goron ar y gwaith. Bu farw un hen ddyn yn Llundain. Lluniodd Goronwy Owen awdl ar batrwm ieithwedd a mydryddiaeth y Gogynfeirdd, â'r teitl 'Brut Sibli', yn gwawdio un o brif wrthwynebwyr Lewis, William Powell o Nanteos, ac yn proffwydo buddugoliaeth i Lewis yn ei frwydr yn y llys.[62] Cynhaliwyd y gwrandawiad llys ar 24 Mai 1754 a bu'n rhaid aros hyd 1 Mehefin am y dyfarniad terfynol pan enillodd y Goron yr achos. Gorymdeithiodd tystion lu y Goron adref 'drwy berfedd Lloegr goch a'r tlws yn eu hettiau' a diogelwyd sefyllfa Lewis fel goruchwyliwr y mwynglawdd.[63] Dychwelodd yn fuddugoliaethus i Alltfadog, mewn da bryd ar gyfer genedigaeth ei ferch, Elizabeth, ym mis Gorffennaf.

Melys oedd ei ymweliad â ffair Ystrad Meurig ddiwedd Mehefin 1754 oherwydd cafodd groeso twymgalon – roedd y cof am y fuddugoliaeth gyfreithiol yn fyw ym meddyliau pobl, a'r 180 o fwyngloddwyr a gyflogid yn Esgair-y-mwyn yn ddiolchgar iddo am sicrhau eu bywoliaeth. Gan nad oedd yn gyfarwydd ag ennyn y fath deimladau ffafriol, mae'n siŵr yr hoffai fod wedi costrelu'r profiad er mwyn ei agor yn awr ac yn y man. Mae ei fwynhad yn pelydru trwy'r geiriau wrth iddo ddisgrifio'r achlysur i'w frawd William:

> Ni fu'r fath *lachio* erioed yn Llanerchymedd ag a fu yma yn ffair Ystrad Meurig yr wythnos ddiwaethaf; fe ddarfu ein pobl ni drwy nerth *cocâdes* a'r cwrw ei sgwrrio nhwy'n *Deifis* ag yn Wyddelod drwy'r ffair yn ôl ac ymlaen, dros bedair battel a wnaethont. Roedd yno gantoedd o gloliau cochion i bawb a waedda 'Bowel for ever'. 'King George a Mr Morris for ever' oedd yn ei charrio hi yn deg . . . Fair honest dealings and punctual payments, and an open behaviour hath outdone all their schemes and villanies, and hath brought the body of ye country of our side.[64]

Arweiniodd y digwyddiadau pwysig hyn, ac yntau at ei geseiliau yn yr helynt, at draethiad dychanol Saesneg, 'The 1st book of the Cronicles of ye mines', sy'n gofnod gafaelgar o'r cythrwfl a'i ganlyniadau.[65] Fe'i lluniwyd yn Llundain yn 1754 ar ôl i'r llys barn ddedfrydu o'i blaid. Ceir 12 pennod yn y traethiad hwn, un o'r meithaf iddo'i lunio. Mae'r gwaith hunangofiannol yn adlewyrchu arddull Llyfr y Cronicl yn yr Hen Destament a darnau eraill o'r Beibl. Egyr y traethiad drwy ddweud bod 'mine eskar' (Esgair-y-mwyn) yn eiddo i'r Brenin Siôr II, a benododd weision (a Lewis yn un ohonynt) i weithio'r mwyn. Dywedir bod gweision y brenin wedi cael eu trin yn gywilyddus gan dorf afreolus a oedd yn ceisio meddiannu'r mwynglawdd, ac am 'Herbert McWalter', sef Herbert (ap Walter) Lloyd, dywedir: 'in his fury he hath held pistols to their heads, in his madness hath imprisoned them without a cause, and in his pride hath tread upon pregnant women.' Ceir cymariaethau trawiadol: 'As the ape taketh the cat's paw to draw potatoes out of the hot embers, so thou takest the hands of thy friends and laughest at their burning their fingers.' Petai'n cael ei gythruddo'n ddigonol, gallai Lewis fod yn sylwebydd gwenwynig. Roedd ganddo dafod miniog ac ni fyddai'n dioddef ffyliaid yn hawdd. Defnyddir cyfres o gymariaethau er mwyn tynnu braslun bywiog o gymeriad Herbert Lloyd:

> Herber McWalter the mighty hunter, thy legs are like two pillars of a building, thy feet are full of motion, and thy fingers ready for exercise. Thy face shines like a polished freestone, and thy forehead like cast brass, thy teeth are like a forest of old oak and thy nose like the mountain vesuvius.

Llysenwir, ymysg eraill, George Jones, Rhoscellan, yn 'Jones sad dog the Kellanite' a'r Parchedig William Powell, Nanteos, yn 'Jehu the priest'. Eir ymlaen i roi geiriau yng nghegau Herbert Lloyd a'i ddilynwyr, gan ddangos eu cymhellion hunanol yn effeithiol:

> Let hypocrisy be our cloak and profit be our religion. Let faithful servants be imprisond and let women in childbed tremble. Let a calf of gold be my supreme God, and cakes of silver my angels of light. Let my eternal felicity be in shafts & levels, and let my soul for ever inhabit the inward recesses of mines.

Gan ladd ar gyfreithwyr, cyfeirir at ddychanwaith y nofelydd a'r dramodydd Sbaeneg mawr Cervantes: 'Come therefore join with me and defy the king's power . . . we will divide the king's mineral treasures among us, and Don Quixote your lawyer shall have one third part of the spoil.' Croeswyd cleddyfau wedyn yn llysoedd Llundain: 'And they brought these people to Jerusalem the Great City to be examined by the Scribes, and Pharisees, and to see if they could be made use of to overturn the king's witnesses, and they were in number 45.'

Yn ystod yr anghydfod hwn bu'n rhaid i Lewis ddioddef artaith meddyliol ac ymosodiadau milain ar ei gymeriad a'i enw da. Ond roedd yn barod i ddioddef yr holl bardduo, gan ddweud 'who would not fight for yᵉ finest mine in Europe?'[66] Ei fwriad yn y traethiad hwn, heblaw am ei ddiddanu ei hun ac eraill, oedd amddiffyn ei weithredoedd fel gwas i'r Goron a thynnu sylw at gamweddau eraill a'r anghyfiawnder a wnaed iddo ef. Roedd ganddo gopi o'r *Dunciad*, a gyhoeddwyd yn gyntaf yn

1728, sy'n fodel ardderchog ar gyfer ymarferion mewn hunanamddiffyn. Difyr yw nodi iddo gael breuddwyd ryfedd bedair blynedd i'r noson y rhoddwyd ef yng ngharchar Aberteifi, fel yr adroddodd wrth y brawd Gwil:

Ar y noson hon mi freuddwydiais fy mod yn y môr hyd fy mogail, a'r tonnau yn curo o'm deutu, a phwy fyddai yno yn y dŵr gyda fi ond y Brenin a llawer o'i swyddogion, a mi yn y dŵr yn ymoeri yn braf, fe ddaeth yr awen a'r ddau fraich trwsgl hyn i'm pen, ac a'i deliais i'm cof pan ddeffroais – Dyma'r haf, le braf i'r Brenin / O ŵr tew i oeri tin.[67]

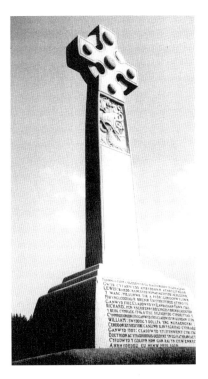

1. Y gofgolofn deilwng i'r Morrisiaid a godwyd yn 1910 ar dir Pentre-eiriannell.

2. Eglwys blwyf Penrhosllugwy, lle claddwyd Marged Morris, mam Lewis.

3. Tyddyn Galltfadog, lle bu Lewis yn byw o 1746 hyd 1757.

4. Y gofeb ar dyddyn Galltfadog. Y symud o Alltfadog i Benbryn a
esgorodd ar y gerdd 'Gallt y Gofal'.

TLYSAU

YR HEN OESOEDD:

sef, Gwaith Doethion y Cynfyd.

yn cynwys

Rhan o Gywreinrwydd yr Hên Frutaniaid.

Gwedi eu cafglu allan o amryw fgrifenadau, er mwyn difyr-
rwch i'r fawl a'i chwenycho, ag er mwyn cadw coffadwriaeth
am yr Hên Wyrda Doethion gyrt, a ymdrechafant mor gal-
onnog dros e'u Hiaith a'u Gwlâd.

Nid wrth ei bîg y mae prynnu Cyffylog.

Well-founding Verfes are the Charms we ufe,
Heroick Thoughts and Virtue to infufe.
Things of deep Senfe we may in Profe unfold,
But they move more, in lofty Numbers told. *Mr Waller.*

Argrâphwyd Ynghaer-Gybi ym Môn. 1735.

---

5. Wyneb-ddalen *Tlysau yr Hen Oesoedd*, y cylchgrawn a sefydlodd
Lewis yn 1735. (Drwy ganiatâd Llyfrgell Prifysgol Cymru, Bangor)

6. Tudalen o lawysgrif LlGC 604D yn dangos llun o bysgodyn a dynnwyd gan Lewis. (Drwy ganiatâd Llyfrgell Genedlaethol Cymru)

Araith Llewelyn Ddu.

Gweithredoedd yr hên Farchog penwyn o Gaerwedros ymro
gyredigion, a aeth i ganu gweddw gyfoethog uchelwaidd o
Ardudwy ym meirion, gan dwyn gyda ef Loyddel yn
Lattai, yr hwn dwy gythundeb oedd i ddyblygu ar ei lw
bob peth a ddywedai 'r marchog ynghylch ei gyfoeth ai
gampau.

y marchog. Henffych well, ebr ef gan syrthio ar dal ei liniau, ai
gledyf yn un llaw ai heulbhaud yn y llall) Bryd ferthwch
y ddaiar, Brenhines y Tegwch, Harddwch yr Elfennau,
Angyles y goleuni. Gwir lun fin mam Eva yn ei llawn
ogoniant pan ddaeth o law ei gwneuthurwr; ni thywynnodd
houl er y dydd hwnnw hyd heddi ar un wyneb bryd Cyffel
– yb iti.

y gwas By the Lord, Madm my master hath hit it, you are twice fairer
than Eve, when God finished her, and two suns never shone
upon such a Beauty.

y marchog. Y, Mae 'r ddaiar yn dadfeinio o gongl bwygilydd och
dahoni aich rhinweddau aich glendyd, a Minneu a
ddaethym yma o wlad Ganmidir o Belder, ar
draws mynyddoedd diroeg, Anialwch Angherddedig,
trwy Ladron arfog, anifeiliaid Gwylltion, Tylwyth teg –
– ag ysbrydion, im Cynnyg fy hun yn wr Priod ichwi
os gwelwch yn dda fy nerbyn ieh mynwes a chalon
howddgar gardig. ————

8. Wyneb-ddalen *Plans of Harbours, Bars, Bays and Roads in St George's Channel* (1748). (Drwy ganiatâd Llyfrgell Genedlaethol Cymru)

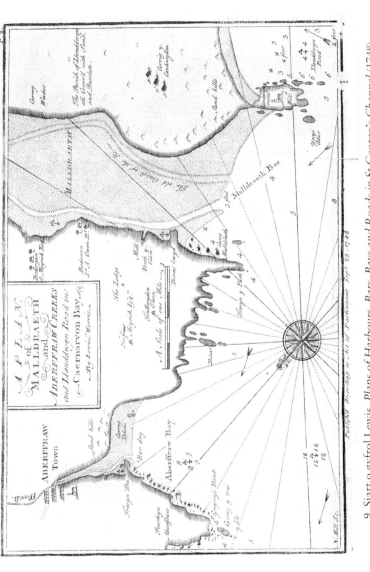

9. Siart o gyfrol Lewis, *Plans of Harbours, Bars, Bays and Roads in St George's Channel* (1748).
(Drwy ganiatâd Llyfrgell Genedlaethol Cymru)

10. Penbryn, Goginan. Yn ei lythyrau, darluniodd Lewis Benbryn fel paradwys digymysg.

11. Llechen i goffáu'r Morrisiaid a osodwyd gan Gymdeithas y Cymmrodorion yn 1944 ar ymyl y ffordd ym mhlwyf Penrhosllugwy, Môn.

7 ᝓ 'Dyma finne yn llyngcu mwg a niwl, a phob afiechyd, ag yn cael fy ngwasgu rhwng dannedd fy ngelynion', 1754–1757

Lluniodd Lewis Morris ddwy gerdd dda tua'r un cyfnod yn 1754, 'Caniad Melinydd Meirion' a'i dilyniant 'Caniad Hanes Henaint'. Mae gan y gerdd 'Caniad Melinydd Meirion', sy'n defnyddio cyfarpar y felin a gwaith y melinydd yn effeithiol fel *lingua franca* serch, yr is-deitl canlynol: 'Wrote on occasion of a very old man's intending to marry a very young woman.' Rywbryd cyn 24 Tachwedd 1754, anfonodd Lewis gopi o 'Caniad Melinydd Meirion' at ei dad gweddw ym Môn ac roedd yn chwilfrydig iawn i gael ei ymateb. Holodd ei frawd William:

> Ai nid oedd gair o sôn am *Ganiad Melinydd Meirion* sydd ym Mhentrerianell? Hen felinydd a gododd felin newydd i falu peccaid. O achos y newydd a ddaeth yma'r dydd arall fod ŵyr imi ym Mathafarn [sef cartref Elin, merch Lewis, ger Machynlleth] mi drewais atti (er gwaetha trafferth y byd) i ganu *Caniad Hanes Henaint*, canys fe fydd peth canu yn dyfod arnaf ymbell dro, ac mae'r caniad hwnnw yn burion yn ail ran i *Ganiad Melinydd Meirion*, ac mi a'i gyrraf i 'nhad pan glywaf pa fodd y mae'n leicio y cyntaf. Fe allai mai digio a wna, ond yn wir nid oes le i ddigio, oblegid mae'n ddigon gwir ac a bery byth yn wir, ac yn'r un modd Hanes Henaint. Both new subjects I suppose.[1]

Hir yw pob aros, a bron fis yn ddiweddarach ar 19 Rhagfyr 1754, bu'n rhaid iddo holi ei frawd drachefn: 'I long to hear how Father digested *Caniad Melinydd Meirion*. If he doth not like it, he cannot take amiss *Caniad Henaint*.'[2] Atebodd William ar 9 Ionawr 1755 gan ddweud 'Wala, wfft o ddigrifed y ddwy ganhïan yma i Henaint. Mae'r bobl agos a thynnu fy llygaid am danynt.'[3] Bu Morris Prichard yn weddw ers mis Awst 1752, a bu sïon yn dew ymysg ei feibion ei fod yn ei henaint yn ffansïo gwraig o Fodafon.[4] Felly Morris Prichard oedd yr hen felinydd yn y gerdd er nad ailbriododd, fel y digwyddodd. Yn eironig ddigon, Lewis ei hun a gawsai felin newydd, sef ailbriodi gyda merch gryn dipyn yn iau nag ef. Fel y dywed pennill olaf 'Caniad Melinydd Meirion':

> Os gofyn neb trwy'r gwledydd,
> Pwy ganodd i'r melinydd?
> Gŵr, ac ynddo nerth i'w thrin,
> A gododd felin newydd.

(DT, tt. 161–8)

Roedd cwestiwn o'r fath yn ddull cyffredin o orffen cerddi gwerinol a cheir ymadroddion stoc eraill y canu gwerin yn y gerdd hefyd, megis 'Gwrandewch y Cymry cywraint'. Mewn llythyr at William Vaughan dyddiedig 14 Tachwedd 1754, darluniodd Lewis gefndir y gerdd gan ddweud y gallai fod:

> of service to some old fellows, to prevent them from being shipwreck'd upon the rock of a young woman. The occasion of the song was, a particular friend of mine in Anglesey who hath great grand children hath taken a whim in his head to talk of marrying a wench, and the subject was given me by a lady, who upon the report of my going to be married to my present wife, about 5 years ago, told me it was a silly thing to go and *erect a new mill to grind a peck of corn*; but she did not know that I had several pecks to grind, as hath appear'd by the sequel.[5]

Thema draddodiadol mewn llenyddiaeth Gymraeg yw perthynas henwr a merch ifanc. Roedd y cysylltiad yn y ddelweddaeth boblogaidd rhwng gwaith y melinydd a maswedd hefyd yn mynd yn ôl flynyddoedd maith – er enghraifft, 'The Reeve's Tale' gan Chaucer a'i ffynonellau Ffrengig ac Eidalaidd – ac nid oedd yn anghyffredin yn y canu poblogaidd Saesneg yn y ddeunawfed ganrif. Pan luniodd Milton bamffled ar bwnc ysgaru (1643), yn seiliedig yn bennaf ar ei brofiad diweddar gyda phriodferch ddideimlad, soniodd am gael ei gondemnio i 'grind in the mill of an undelighted and servil[e] copulation'.[6] Roedd y cysylltiad rhwng bodloni menyw a llafurio mewn melin yn parhau yn ei feddwl pan ysgrifennodd ei drasiedi newydd-glasurol *Samson Agonistes* (a gyhoeddwyd yn 1671):

These rags, this grinding, is not yet so base
As was my former servitude, ignoble.[7]

Roedd y melinydd hefyd yn destun difyrrwch a dychan mewn baledi
Cymraeg a Saesneg ac mewn caneuon gwerin poblogaidd. Gan fod
rhyw yn aml yn bwnc tabŵ, mae wastad wedi gwahodd y defnydd o
drosiadau. Rhoddodd Lewis yn yr ail bennill arwydd clir o'r defnydd
'damhegol' y gallai'r darllenydd ei ddisgwyl:

Fe fyddai'r hen brydyddion,
Yn canu ar ddamhegion;
Edrychwch gartref, bod ag un,
Oes yma'r un yr awron.

Rhoddir ystyron rhywiol i eirfa dechnegol crefft y melinydd:

A'r felin wen, aflonydd,
A drôi o gŵr bwygilydd;
A'i chlap yn curo ddydd a nos,
Chwi a'i clywech hi dros y gwledydd.

Roedd eisiau cant o bethau,
Gwerthydoedd a chocysau,
A phin ei phaladr aeth yn fain,
Rhaid cael y rhain yn ddiau.

Wrth grynfa yr olwynion,
F'âi'r drosten gyda'r afon;
Ni fedrai'r hen felinydd brau,
Mo drin ei chafnau gwylltion.

Fe ddwedai'n drwm ei galon,
Mi fûm yn esmwyth ddigon;
Melin newydd, a hen ddyn,
Ni byddant gytûn fodlon.

Mae chwant rhywiol anferthol y ferch ifanc ddeniadol yn profi'n ormod
i'r hen felinydd. Gyda cherddi awgrymog dros ben fel hyn, daeth Lewis â
direidi a chellwair i fyd llenyddol a allai fod yn fyglyd. Mae llithrigrwydd
mesur y triban yn ychwanegu at apêl y gerdd ond rhaid cydnabod ei bod
yn colli peth o'i heffaith drwy fod yn rhy hir, a rhai o'r 50 triban heb

ychwanegu dim. Ar y cyfan cynhelir y gyfatebiaeth gydag afiaith a
gwreiddioldeb, ond o bryd i'w gilydd mae ei ddychymyg yn llesgáu.
Mewn rhai o'i gerddi, mae math o ganu masweddus a geid mewn canrif-
oedd blaenorol yn cael ei ymfywiogi gan draddodiad mwy gwerinol. Ni
cheir yn y gerdd hon eiriau sydd yn annerbyniol yn gymdeithasol ac ni
ddywedir dim byd anweddus yn agored. Am y rheswm hwnnw, mae'r
gerdd wedi osgoi triniaeth lawdrwm sensoriaid Anghydffurfiol cyfoes.[8]
Er bod ganddo sawl cerdd aflednais arall, mae hon yn nodedig am
hanner cuddio yr afledneisrwydd trwy'r ddelweddaeth. Hynny yw, y
mae'n llenyddol well.

Er y ceir llawer o gyfeiriadau at ei farddoniaeth ei hun yn ei lythyrau,
y gerdd y cyfeirir ati fynychaf yw 'Caniad Hanes Henaint'. Cyhuddwyd
ef gan ei frawd William o fod ag obsesiwn â henaint ac o boeni amdano
cyn bod raid.[9] Ddiwedd 1754 ganed cyntafanedig ei ferch Elin ym
Mathafarn, a'i alw'n Lewis. Yr oedd nid yn unig yn ŵyr cyntaf i Lewis,
ond yn or-ŵyr cyntaf i Morris Prichard yn ogystal. Llonnwyd calon ei
dad-cu yng Ngalltfadog, ac ar ôl ymweld â'r Morrisyn diweddaraf
tarodd bin ar bapur i gyfleu'r newydd i'r brawd Gwil: 'Dyma fi gwedi
bod ym Mathafarn yn gweled fy ŵyr Lewis Morris, gwych o'r cynnyddu
y mae'r enw hwnnw, pwy ŵyr na fydd gorwyrion etto o'r enw?'[10]
Cyfaddefodd wrth William Vaughan mai profiad digon rhyfedd oedd
cael ei ŵyr cyntaf:

> The news of which was so odd to me that the *Awen*, encouraged by a
> good bowl of punch, fell to work and made a new and entire new piece of
> it . . . I never met with an author that made *Henaint* a real person, and so
> describd him as a lodger that could not be drove out of possession. But as
> there is nothing new under the sun, somebody may have hit upon it.[11]

Mae'n amlwg fod ganddo beth o optimistiaeth awdur a oedd yn hyderus
ei fod ar gefn ton newydd; roedd yn awyddus i wneud rhywbeth nad
oedd wedi ei wneud o'r blaen. Mewn gwirionedd roedd llawer o
awduron mewn Cymraeg a Saesneg wedi 'taro arni', gan greu ym-
ddiddan rhwng Henaint ac Ieuenctid neu berson ifanc.[12] Fe ddaeth y
profiad boddhaus o fod yn dad-cu â chanfyddiad newydd o'r nifer o
flynyddoedd a oedd ar ôl iddo yn y bywyd hwn. Adlewyrchir y ffaith
iddo synfyfyrio tipyn ynghylch treigl y blynyddoedd, ynghyd â'i duedd-
iadau pruddglwyfus, yn fyw ac yn lliwgar yn ei lythyrau. Ymddengys
fod thema gorthrwm amser a marwolaeth a breuder bywyd dynol wedi
gweiddi'n groch am ei sylw. Fe ddaeth i'r golwg mewn modd cofiadwy

yn 'Caniad Hanes Henaint'. Gwneir trindod pan ddaw Henaint i ym-
weld â drws Lewis liw nos 'heb na chân na chennad', ac fe'i disgrifir gan
y gwas:

> Mae'n edrych yn o salw,
> Fel rhywbeth hanner marw,
> Ac yn ei enau nid oes daint,
> A Henaint yw ei enw . . .
>
> Mae'i lechwedd wedi llwydo,
> A chorun moel sydd iddo;
> Y mae e cyd ei farf â bwch,
> Yn rhodd edrychwch arno.

(DT, tt. 170–6)

Delweddir Henaint yn ddigrif:

> Mae'n droetrwm ac yn drwstan
> A'i fol yn gnap fel crochan;
> Ychydig bach a'i teifl i lawr,
> Ni chyfyd e awr ei hunan.

Pan ofynnwyd i Henaint pa neges sydd ganddo i'w chyfleu, mae'n
cyhoeddi ei fod am aros gyda Lewis. Nid yw hualau Henaint, meddir
wrthym, yn gwahaniaethu rhwng y da a'r drwg, y mawr a'r bach, y
cyfoethog a'r tlawd. Mae Lewis yn apelio ar i Henaint wneud eithriad
ohono a gadael llonydd iddo gan ei fod yn fardd a hoffai barhau i ganu:

> Gad lonydd i brydyddion
> I ganu mwyn benillion,
> A bod yn ieuanc yn eu byw,
> Ni cheir y cyfryw ddynion.
>
> Os byddi di mor weddol,
> Di haeddi gael dy ganmol,
> Pawb dan rod dy glod a glyw,
> Caf finnau fyw'n dragwyddol.

Yma, fel mewn cynifer o'i gerddi, unwaith yr oedd wedi canolbwyntio ar
ryw wirionedd ffeithiol, gallai fynd yn ei flaen i greu ei wirionedd
barddonol artistig o'i gwmpas. Mae'r gerdd yn darllen yn rhwydd, er ei

bod yn llai cryno nag y gallai fod. Mae'n gerdd dda, ond mae'r driniaeth ychydig yn ailadroddus a llafurus.

Mae cerddi megis 'Caniad Melinydd Meirion' a 'Caniad Hanes Henaint' yn dyst i'w hoffter o fesur y triban a'i ddeheurwydd yn ei ddefnyddio, a hefyd i ddylanwad yr hen benillion. Roedd yn feirniad llenyddol treiddgar, a thrafododd fesur y triban mewn llythyr at William Vaughan ar 10 Rhagfyr 1754.[13] Pwysleisiodd hynafiaeth y triban a datganodd: 'it is not such a mean thing as people that know no better would have it to be.' Eglurodd y gair 'triban' gan gyfeirio at un o benillion 'Caniad Melinydd Meirion':

> The right way of writing a Pennill Triban is thus, in three lines or *bans*, and not in 4 as usual

> Roedd hon yn felin wisgi,
> Yn troi â dŵr o tani,
> a dwy obenydd a'i phont bres; yr oedd hi'n llafnes lysti.

Credai Lewis yn gyfeiliornus fod perthynas agos rhwng y triban a hen fesur yr englyn milwr a bod trydedd linell y triban yn un a ychwanegwyd at yr englyn milwr, 'when poetry and music came to be acquainted'. Ychwanegodd:

> Our ancients wrote their Englyn Milwr thus

> Fy newis bethau er yn was,
> Merch i estron, a march glas,
> a heddyw nid ynt gyfaddas.

> . . . the Englyn Milwr was before really a Triban. Yet by the gravity and uniformity of it, was called an Heroic Englyn, i.e. *Englyn Milwr*, which is the true meaning of the expression, *Heroic Poetry*. But when extended to follow the music it was called Triban, and you'll see how easily the Englyn Milwr glides into a Triban.

> Fy newis bethau er yn was,
> Merch i estron, a march glas,
> A heddyw'n wir fe ddarfu'r nwy', nid ydynt hwy gyfaddas.

Cydnabyddir heddiw mai cyfuniad o ddau fesur yw'r triban, sef yr awdl-gywydd a'r traethodl.

Newidiodd yr hinsawdd wleidyddol gryn dipyn drwy farwolaeth Henry Pelham ar 6 Mawrth 1754, er gwaetha'r ffaith mai ei frawd, Dug Newcastle, a'i holynodd fel prif weinidog. Ym mis Rhagfyr 1754, ysgrifennodd Lewis at William ei frawd: 'The change threatn'd in y° ministry is more like to hurt me than all the *bygythion* and *peryglon* of this country.'[14] Sylweddolodd hyn o weld agwedd wahanol y Trysorlys tuag ato. Ond er gwaetha'r ffaith iddo fod yn asiant Esgair-y-mwyn am dros ddwy flynedd, nid oedd wedi rhoi cyfrif i'r Trysorlys o'i wariant a'i dderbyniadau wrth gyflawni'r swydd. Datgelodd yn ddiweddarach mai ei resymeg oedd iddo fod wrthi fel lladd nadredd yn paratoi achos Esgair-y-mwyn ar ran y Goron ac iddo farnu mai synhwyrol oedd cau pen y mwdwl ar y mater hwnnw cyn cyflwyno'r cyfrif. Hanner cyfle yn unig oedd ei angen ar ei elynion ymhlith y tirfeddianwyr lleol a gollodd y dydd gyda'u hymgyrch i hawlio gwaith Esgair-y-mwyn i geisio pardduo'i enw, ac aethant ati i ledaenu amheuaeth a sibrydion maleisus ynghylch ei gymeriad a'i addasrwydd i drin arian cyhoeddus. Ar 3 Ionawr 1755, ac yntau wedi ei ddadrithio gan y datblygiadau diweddaraf ac yn wynebu cyfnod o ansicrwydd, gorchmynnodd Lewis fod mwyngloddio yn Esgair-y-mwyn yn peidio, gan daflu'r gweithwyr ar y clwt. Ar 21 Ionawr dechreuodd ef, yng nghwmni ei nai John Owen a fu'n gweithredu fel cyfrifydd iddo am dymor yn Esgair-y-mwyn, ar y daith yn ôl i Lundain (ei drydydd ymweliad mewn tair blynedd) er mwyn cyfiawnhau ei gyfrifon.

Ym mis Mehefin 1755 anesmwythwyd ef gan y modd yr oedd y Llywodraeth yn gweinyddu ei nawdd pan apwyntiwyd un o weision William Powell, Nanteos – un o'i brif wrthwynebwyr – yn gychwr yn adran dollau porthladd Aberystwyth, gan mai braint Lewis gynt oedd argymell i'r Bwrdd Tollau pwy ddylai ddal swydd o'r fath. Credai i'r apwyntiad ddigwydd drwy ddylanwad Gwynn Vaughan, un o naw comisiynydd y Bwrdd Tollau. Cyfaddefodd wrth William ei frawd:

Ond dyma finne yn llyngcu mwg a niwl, a phob afiechyd, ag yn cael fy ngwasgu rhwng dannedd fy ngelynion, ag heb wybod pa bryd y ceir yn rhydd. Etto rhaid yw ymdrech, and obstinately resist . . . I am like a llwdn dafad mewn drysi, cant o fieri a gafael yn fy ngwlân. Have made surprizing defences here, and God visibly helpd me by unsearchable ways . . . rwy gwedi blino yn ymdrech a'r byd croes yma; ond dyma fal y bydd yn dragywydd. Ped fuaswn i yn tyfu gan llawr fal mieren, yn lle ceisio bod yn dderwen, ni fuasai'r gwynt yn cael dim craff arnaf; ond o'r tu arall buasai'r anifeiliaid yn fy mathru tan eu traed – opposition and envy kick some people upstairs, but I don't know how it will be with me. Yn *llaw Dduw* mae rhannu.[15]

Ym mis Gorffennaf 1755, symudodd Lewis o Charing Cross i letya i ardal Tower Hill, ond roedd yr awyr afiach a anadlai yn Llundain yn ei boenydio: 'I thought I should have expired last night in going from home to Tower Hill in a coach through the fog and smoak just at ye edge of night, it kept me a vomiting and coughing all the way.'[16] Ni adawodd Llundain i ddychwelyd i Alltfadog tan fis Tachwedd, ac roedd y 10 mis hynny yn Llundain yn afrwydd. Rhaid cydymdeimlo ag ef wrth iddo sôn mewn llythyr at William ym mis Mai 1755 am ei ymarweddiad yng nghwmni uchelbwysigion y Trysorlys, sy'n hunanbortread da:

> Pwnnio'r byd, a miloedd ar filoedd o bunau'n berwi o nghwmpas i, ag etto nid oes ond ychydig yn glynu wrth fy mysedd o eisiau medru celfyddyd cyfrwystra a gwasgu'r gwan, etc. Ni fedrafi moni oll, na gwenheithio i'r cryf chwaith, mean spirited people can do both. I have a kind of spirit that cannot bend, and now they call me here about ye offices the *proud hot Welshman*, oblegid er fy mod yn Llundain er dechreu Chwefror, nid eis i etto i ymddangos nag i ymostwng i un o wŷr y Treasury, er cymmaint ydynt. Nid oes ryfedd ynteu fy mod yma cyhyd . . . mi af i Ffraingc, mi af i Fflandrys, mi af i Gaerdroia, cyn y caffont y gair i ddwyedyd fy mod i yn dwyllwr nag yn rhagrithiwr.

Yn fuan wedyn daeth newyddion da o Alltfadog, sef genedigaeth mab arall, a enwyd Richard ar ôl ei frawd. Wrth ysgrifennu i gyfleu'r newydd i William ei frawd, ceisiodd ei gysuro trwy ddweud mai ar ei ôl ef yr enwid y nesaf. Trwy gyd-ddigwyddiad, cafodd Lewis lythyr oddi wrth ei wraig ychydig ddyddiau'n ddiweddarach lle nododd ei bod yn awyddus i gael mab arall i'w alw yn William. Wrth sôn am hynny wrth ei frawd yng Nghaergybi, meddai'n llawen, 'I am a prophet, and have foreseen and foretold abundance of things.'[18] Codwyd hwyliau'r alltud yn fawr gan y newydd am ei fab bychan, ac er nad oedd yn un i hau canmoliaeth yn afradlon, dywedodd wrth ei frawd gweddw William, 'Gochelwch godi melin newydd [hynny yw, ailbriodi], medda fi, nid pawb a dery wrth y cyfryw fenyw wirion ag sydd gennifi.'

Roedd gobaith yn crynhoi o'i fewn hefyd y gallai lwyddo yng ngwaith mwyn Cwmerfin-bach, ac roedd y pwnc yn codi ei ben yn aml yn y llythyrau a ysgrifennodd yn Llundain yn 1755. Yr hyn a lesteiriodd ei obeithion oedd bod Edward Hughes, gofalwr y gwaith a chefnder y

Morrisiaid, yn ddioglyd ac yn or-hoff o ymollwng yn gwbl afradlon i'r ddiod gadarn: 'Ned Hughes yn feddw felldigedig . . . ffei ffei, Iorwerth, Iorwerth, yn meddwi yn lle agor *shaffts* yr hen *Roman rake*, lle mae digon o fwyn plwm ag arian.'[19] Disgrifiodd Lewis ef fel 'sucanwr pendeneu a hwyaden sychedig, blerwm bolerog a glafoeriwr chwydlyd'. Mae'r disgrifiad hwnnw yn ein hatgoffa mai dyn o deimladau cryfion oedd Lewis Morris, a meddai ar ddawn ddigymar i wneud gelynion. Esgorodd hyn ar dymhestloedd o ddifenwi yn ei lythyrau, fel pe bai mewn gornest enllibio. Yn aml mae'r ymosodiadau personol a'r pardduo fel halen yn rhoi blas ar y llythyrau, gan eu bod yn aml yn fachog a digrif: 'rhywbeth meddal gwirion diddaioni ydyw'; 'dyn bawaidd drewllyd di-ddaioni'; 'nid yw ond creaduryn digon diedrych, a digon diwybodaeth . . . Lloercan yslyfan bendew'; 'chwiffler brwnt'; 'rhyw grancleuan front'; 'rhywogaeth llysowenod llithrig'.[20] Roedd yr ymddiriedaeth a fodolai rhwng aelodau Cylch y Morrisiaid yn gweithredu fel haen amddiffynnol yn erbyn eithafion o lymder wrth chwedleua, tra bod natur bersonol a phreifat llythyr yn ffafriol i gyfnewid cyfrinachau, gan gynnwys sylwadau dirmygus ynghylch eraill.

Cyn hir, daeth sŵn y brwydro yn y Rhyfel Saith Mlynedd yn islais yn llythyrau'r Morrisiaid. Meddai Lewis o Lundain yn 1755 wrth i baratoadau at ryfel fynd rhagddynt: 'We expect an invasion here from France. Batteries ordered along shore, guardships in y^c offing.'[21] Fel hyn yr ysgrifennodd yn Chwefror 1755:

A war, we think, is unavoidable, for the hurry we are in seems to show we have been too slow in preparing . . . But some wise men that pretend to see through the designs of providence, say that when the French see that we are ready to fight them, *they* will retire into their dens, fal cath goed a fyddai'n chwythu ag yn 'sgyrnygu dannedd. Others say now is the time for us to follow our stroke while we are strong and they weak, for it is agreed they are very poor. Dyna i chwi *bolitics* yn lle sgrifennu peth sydd reitiach.[22]

Ym mis Awst 1755 cafodd Lewis newydd ingol o boenus ynghylch ei fab bychan newyddanedig Richard na welsai erioed, sef na châi gyfle i'w weld mwy. Fel yr eglurodd yn ddiweddarach i William, 'The chincough killd him at two months old.'[23] Ac yntau'n ceisio ymdopi â'r brofedigaeth o'i alltudiaeth yn Llundain, gwaedai ei galon dros ei wraig:

especially as the whole weight is upon your self, and that it is not in my power to administer you any comfort in your trouble . . . Have patience then, my dear, for either God will give you another in his room, or will take us to Him to the same place with this innocent child, when He thinks proper to do it . . . I pity you with all my heart and soul as you have not one real friend in the world to advise with, or to comfort you; I hope to God to be with you before winter. [24]

Carreg filltir arall yn ymwneud Lewis â'r gweithfeydd mwyn oedd penodiad dau berson gan y Trysorlys yn niwedd Medi neu ddechrau Hydref 1755 i archwilio'i gyfrifon ar ran y Goron. Dewiswyd John Tidy, stiward i Iarll Darlington, un o arglwyddi'r Trysorlys, a John Paynter. Roedd Lewis yn fodlon â'r dewis gan ei fod yn adnabod Paynter ers y cyfnod pan oedd Paynter yn asiant stad y Penrhyn, Bangor yn y 1740au. Daeth ar ei draws eto ar ôl symud i Geredigion gan fod Paynter yn rheolwr ar waith mwyn yng Nghwmsymlog, ac roedd y berthynas rhyngddynt yn ddigon cyfeillgar. Atebodd Lewis ymholiadau'r ddau archwiliwr a chafodd awgrym clir ganddynt y byddai'r adroddiad yn un ffafriol. Teimlai yntau hyder yn crynhoi o'i fewn, ac edrychai ymlaen at weld cymylau Esgair-y-mwyn yn cilio. Serch hynny, ymhen amser, dechreuodd ddigalonni. 'Rwy'n ffyddlon gredu nad oes dan haul ddynion dylach yn ceisio trin materion mawrion', meddai wrth William ei frawd.[25] Daeth ergyd arall drachefn. Oedodd y ddau archwiliwr rhag llunio a chyflwyno eu hadroddiad i'r Trysorlys a syfrdanwyd Lewis pan gyhuddwyd ef o'u rhwystro rhag gweld rhai dogfennau pwysig ac o beidio â chydweithredu gyda'r archwiliad. O ganlyniad, aeth y ddau archwiliwr ar orchymyn ysgrifennydd y Trysorlys rhag blaen i Geredigion i fwrw llygaid dros gyfrifon a dogfennau eraill. Gwawriodd ar Lewis fod Paynter ac eraill yn y Trysorlys yn gobeithio cymryd awenau Esgair-y-mwyn oddi arno. Penderfynodd ddychwelyd ar unwaith i Esgair-y-mwyn, gyda'i nai, ond cyrhaeddodd yr archwilwyr o'i flaen gan fwrw ymlaen â'u gwaith. Ond un cysur iddo oedd y medrai dreulio Nadolig 1755 yng Ngalltfadog ymhlith ei anwyliaid. Ond nid oedd dianc rhag cysgod Esgair-y-mwyn ym misoedd cyntaf 1756, a phrinhau a wnaeth ei lythyrau. 'Oes, oes', meddai William Morris, 'mae imi arall frawd nas gwn mwy o'i hanes na'i gyflwr, nag y gŵyr Brenin Ffrainc fy hanes innau.'[26] A gwyddai'r derbynwyr pa bwnc a fyddai'n llywodraethu ei lythyrau, gyda'r 'Iddew Brych', sef John Paynter, o dan y lach.

Ar 26 Chwefror 1756, y diwrnod cyn ei ben blwydd yn 55 oed, clwyfwyd balchder Lewis yn ddirfawr pan ddisodlwyd ef o fod yn oruch-wyliwr mwynglawdd Esgair-y-mwyn. Gwireddwyd breuddwyd Paynter o ennill rheolaeth ar y mwynglawdd. Profwyd teimlad greddfol William

ynghylch 'yr Iddew Brych' yn wir: 'Ni allasai'r Llew fyth daro wrth ben-
nach cnâ na'r Paintiwr, roedd o yn broliaw gormodd o hono, a minnau ni
fedrwn yn fy myw gredu y deuai ddaioni byth oddiwrth ymhel a'i fath.'[27]
Byrdwn adroddiad y ddau archwiliwr a gyflwynwyd i'r Trysorlys oedd
bod ar Lewis rhwng £2,910 a £3,460 yn ddyledus i'r Goron, dyled a
grynhodd fel caseg eira yn ystod y cyfnod byr y bu yng ngofal y gwaith.
Lledodd y stori trwy Geredigion fel tân gwyllt, a'i dynged yn amrywio
o'r naill berson i'r llall yn ôl John Owen: 'Torri clustiau gan rai, crogi gan
un arall, transportio gan y lleill, yn y pilori gan y nall &c. a'r fath sŵn yn
ddigon a byddaru dyn truan a fyddai gantho ddim i'w wneuthur â
Llewod.'[28] Ar ôl eu hymchwil yng Ngheredigion, dychwelodd Tidy a
Paynter i'r brifddinas a rhaid oedd i Lewis ddychwelyd i faes y gad yn
Llundain hefyd i wynebu erlyniad posibl gan y Goron ar ôl dim ond
tri mis cythryblus yng Ngalltfadog. Gadawodd John Owen yng
Ngheredigion y tro hwn, a chyrhaeddodd ben y daith ar 22 Mawrth 1756.
Yno yr arhosai am y flwyddyn a deng mis nesaf, hyd 11 Ionawr 1758. Yn
ôl William roedd pob copa walltog ym Môn ar dân eisiau clywed y
diweddaraf am yr ymrafael ffyrnig rhwng Lewis a'r 'Iddew Brych':
'mae'r ewyllyswyr da a'r ewyllyswyr drwg ddialedd am gael 'r hanes, a
minneu'n tewi a sôn ac yn gadael iddynt â gwyneb llawen a chalon drom
gennyf.'[29] Ei ofid mawr oedd y byddai rhywun tafodrydd 'cyn i nemawr o
ddyddiau fyned heibiaw . . . fod mor drwyadl a dywedyd i'r hen ŵr ein
tad, rhaid a myned ffordd honno gynta gellir i roddi carreg ar y ffagl'.

Y swydd a barodd leiaf o drafferth iddo yn ystod y blynyddoedd hyn
oedd cynullwr tollau porthladd tawel Aberdyfi. Penodwyd ef i'r swydd ar
25 Chwefror 1752 ac arhosodd ynddi am bedair blynedd a hanner. Ni fu'n
rhaid iddo symud i fyw i Aberdyfi oherwydd dim ond ymweld â'r porth-
ladd o dro i dro oedd angen, a hynny er mwyn sicrhau cywirdeb y llyfrau
cyfrifon. Plethwyd ei ymwneud â mwyngloddiau Ceredigion o dan y Goron
â'i swydd yn gynullwr tollau Aberdyfi (ac Aberystwyth yn sgil hynny) yn
daclus dwt am gyfnod, yn enwedig ar ôl ei benodiad yn oruchwyliwr
Esgair-y-mwyn ar 15 Gorffennaf 1752, oherwydd rheolai holl weithgarwch
Esgair-y-mwyn, gan gynnwys allforio'r mwyn plwm. Ond ym mywyd
Lewis Morris, nid oedd dedwyddwch yn beth sefydlog a phan ddiswyddwyd
ef o fod yn oruchwyliwr Esgair-y-mwyn ar 26 Chwefror 1756, roedd yr
ysgrifen ar y mur, yn arbennig wrth iddo orfod treulio misoedd yn Llundain,
gan golli rheolaeth ar y gweithgareddau yn Aberdyfi. Digwyddodd yr an-
ochel pan ddiswyddwyd ef o fod yn gynullwr tollau ar ddechrau Awst 1756.
Mor greulon oedd colli dwy swydd o fewn pum mis, a hynny ar ben gorfod
byw'n alltud yn Llundain ymhell o'i deulu.

Cafodd newyddion da ar ddiwedd 1756, serch hynny, pan aned merch yng Ngalltfadog, yr ail o'r ddwy Jane a aned iddo o'i ail briodas. Adroddodd John Owen yr hanes wrth Edward Hughes ar 14 Rhagfyr 1756. ('Y Capten', neu weithiau'r lluosog 'Y Capteniaid', oedd y ffugenw a ddefnyddiai John Owen ar gyfer Ann Morris, a defnyddiai'r rhagenwau 'ef' ac 'yntau' amdani fel petai'n ddyn. Roedd 'Capten' yn deitl cyffredin i oruchwyliwr mewn gwaith mwyn yn ogystal ag i'r sawl a lywiai long, a gwyddai John Owen am gryfder cymeriad Ann a sut yr oedd hi'n cadw trefn ar ei theulu ac ar y morynion a'r gweision, yn aml yn absenoldeb Lewis):

> Myn y fagddu fawr, och o finneu, mi dyngais hefyd! Dacw'r Capten wedi dischargio ei gargo er 10 o'r clychau neithiwr! A pheth tebygach ydyw ond lodes, mi wrantaf fal ei mam. Bid a fynno, mae ef ei hunan yn llabi yn ei wely ar asgwrn ei gefn, ac nid oes arno nac eisiau na bwyd na diod. A'r hen Nans [Clocker, bydwraig yr ardal] a'i hysbectol ar draws ei thrwyn yn ei dendio.[30]

Cwynodd John Owen fod yr holl bobl a oedd yn galw yng Ngalltfadog i weld Ann a'r newydd-ddyfodiad yn aflonyddu arno:

> Y diawl a goto'r holl fenywod yma sydd yn tramwy yn ôl ac ymlaen! Pedfai gennyf awdurdod i roddi llidiart ar risiau llofft y Capten, a chael 6d gan bawb ag y sydd yn myned i'w gweled, o myn Duw, chwedl y Capten, mi fyddai gennyf arian ac aur.[31]

Trwy lenydda a darllen llenyddiaeth gallai Lewis ddianc rhag helbulon ei fywyd beunyddiol, blinderau 'Gallt y Gofal'. Yn 1756, nyddodd gywydd byr unodl ar destun 'Gwig Llanfigel', sef coedwig ym mhlwyf Llanfigel a oedd yn rhan o etifeddiaeth Jane, gwraig ddiweddar William Morris, ac a oedd yn gyrchfan boblogaidd gan y Morrisyn hwnnw. Cyhoeddwyd y gerdd yn 1763 o dan y teitl 'Canu a gant Llywelyn Ddu, tros ei frawd Gwilym, i Wîg-Lanfigel, ym Môn, yn ei Feddiant ef'. Megis y swynwyd William gan y llecyn hwnnw o dir, felly hefyd yr ymbleserodd Lewis yn sain yr enw 'Llanfigel' gan ei ddefnyddio i ddiweddu pob yn ail linell:

> Gwlych dy big yn Llanfigel,
> O fab! mewn diod o fêl!
> Yn tyfu yng ngwig Llanfigel,
> Mae afalau mau a mêl . . .

Dwfr Alaw 'ngwig Lanfigel,
Trwy'r haf a lifeiria fêl.

(*DT*, tt. 191–2)

Symbylodd y gerdd hon Hugh Hughes o Landyfrydog ac Ifan Lloyd o Faes-y-porth i lunio cywyddau byr ar yr un pwnc. Ym mis Tachwedd 1756, bu'n rhaid i Lewis amddiffyn cynnyrch beirdd Llundain rhag anghymeradwyaeth ei frawd William: 'You don't like the London poetry I sent you, and I am surprized at your want of taste . . . This happens to be my entertainment that fills up the vacant spaces of my present life.'[32] Mae'n amlwg nad oedd wrth ei fodd yn Llundain, dinas ar ei thwf. Ysgrifennodd mewn llythyr at William ar 9 Mawrth 1757:

Ni cheir yma ddim bwdran llygadog, na diod fain chwibsur, na dŵr ffynon redegog yn rhedeg at godiad haul, nag uwd ag ymenyn o dan yr ordd, na llymru a llaeth gafr unlliw, na llaeth enwyn sur a phytatws, na brithylliaid afon Melynddwr, na sil y gro, na chant o ddanteithion gida hynny a gaid yno.[33]

Mae'r sylwadau hyn yn dwyn i gof nofel epistolaidd Tobias Smollett, *The Expedition of Humphry Clinker* (1771) lle mae Matthew Bramble, gydag atgofion angerddol o'r fferm yng Nghymru y mae newydd ei gadael, yn beirniadu bwyd a diod y brifddinas; mae hefyd yn dwyn i gof 'Kowydd i ddangos mae uffern yw Llundain' gan Tomos Prys, sy'n cofnodi sawl agwedd annymunol ar y ddinas.[34] Cymharer y paragraff dolefus uchod â geiriau bodlon a chlodforus Lewis o Geredigion mewn llythyr at ei frawd William dair blynedd ynghynt ar ôl llenwi ei fol mawr â llymru:

Wele hai etto, dyma fi newydd ddarfod swppera ar fwdran llygadog, y bwyd goreu a brofais i erioed. Ni fyddai ddyn farw gan mlynedd, tra gallo fo fwytta llonaid ei fol o fwdran llygadog. Ped fae gennyf amser mi wnawn Ganiad Bwdran Llygadog. O the high life of feeding on bwdran llygadog!![35]

Roedd yn ysu am gael troi ei gefn ar Lundain, fel y dengys llythyr a ysgrifennodd at Dafydd Jones o Drefriw ar 2 Medi 1757, lle mae'n dyfynnu cwpled o'i 'Cywydd i gwyno dros glefyd Wiliam Fychan':

ni wn i mwy nag y gŵyr *Bili Bangor* pa bryd y caf fyned o'r *Llwyndrain* yma:

Llwyn drain yw Llundain i'r llu
A gwlanog ynddo'n glynu.

Ond fe gyll ei *wlân* wrth ymdroi yma yn hir.[36]

Cwblhaodd y cywydd hwn drwy ddifrïo Llundain fel lle peryglus, dinistriol ac anwaraidd:

Llwyn malltod yn llawn melltith,
Brysia rhag y pla o'u plith:
Llwyn dirfawr, llawn o derfysg,
Lle mae llaw y Fall i'w mysg:
Allor Baal, a llawer byd
O addolwyr i'w ddilyd:
Lle ca Satan ran i'w raid,
Tanwydd o gyrff puteiniaid:
Dyma le sy dan ei lwyth,
Gad y diawl gyda'i dylwyth.

(*DT*, tt. 135–7)

Dyfais glyfar a phoblogaidd a ddefnyddiwyd yn yr ail ganrif gan un o'r cyndadau mwyaf difyr, Lucian o Samosata, oedd y llythyr oddi wrth y meirw at y byw, yn ei *Dialogi Mortuorum*, a roddodd iddo'r cyfle i ddychanu gwendidau a breuder bodau dynol. Cyfieithwyd rhai o'i ymddiddanion o Roeg i'r iaith Ladin gan Syr Thomas More, a llwyddodd dychan Erasmus, *Encomium Moriae*, i sicrhau fod ei glod a'i enw yn ymestyn ledled Ewrop. Diolch i *Life of Lucian* (1711) gan Dryden, roedd gan ddarllenwyr y ddeunawfed ganrif bron iawn holl gorff ei waith mewn fersiwn hylaw. Mae'r syniad hwn o gyfathrach â'r byd arall wedi cael ei ddefnyddio, yn uniongyrchol neu'n anuniongyrchol, gan lawer awdur mewn llawer gwlad, gan gynnwys Quevedo, L'Estrange, Fontenelle, Fenelon, yr Arglwydd Lyttelton, Tom Brown ac Ellis Wynne. Mae'r ddyfais yn rhoi cyfle arbennig i ddychan gan fod marwolaeth yn amddifadu pobl o lawer o'r rhithiau y maent yn eu defnyddio i'w cynorthwyo i ymdopi â phwysau bywyd. Fel y nododd Fontenelle, gellir tybio fod y meirw yn meddu ar feddyliau dwfn, yn rhesymoli yn well nag a wnaethant yn ystod eu hoes oherwydd eu bod yn gallu edrych ar ddigwyddiadau yn fwy diduedd.[37] Mae un o lawysgrifau Lewis yn cynnwys dyfyniadau o gyfrol o gyfieithiadau gan John Hughes, *Fontenelle's Dialogues of the Dead* (1708).[38] Roedd ganddo hefyd gopi o'r *Dunciad* lle ceir, yn Llyfr 3, ymweliad â'r isfyd. Trafodwyd ym mhennod 4 y traethiad a luniodd Lewis yn 1735, 'Llythyr Mari Benwen', a ysgrifennwyd ganddi o Annwfn. Mae dyfais debyg, sef ymddiddan rhwng y marw a'r bardd, yn gyffredin yn y traddodiad barddol Cymraeg, fel yn y cywydd marwnad enwog ar ffurf ymddiddan rhwng y byw a'r marw a luniwyd ar gyfer Gruffudd Hiraethog gan ei ddisgybl Wiliam Llŷn yn 1564. O'r 18 marwnad a luniwyd gan Huw Morys (hoff fardd gan Lewis), mae pedair ar ffurf ymddiddan rhwng y byw a'r marw, gan gynnwys y farwnad benigamp i Barbara Middleton.

Addasodd Lewis un o ymddiddanion y diddanwr paganaidd Lucian am yr isfyd, sef 'Y Celwyddgi'. Roedd Goronwy Owen wedi cyfieithu'r stori hon yn uniongyrchol o'r Roeg i'r Gymraeg ac wedi anfon ei gyfieithiad ato pan oedd y ddau ohonynt yn Llundain yn haf 1757, ond ym marn Lewis roedd yn 'too stiff, being too literal a translation, and the Greek hard and unconcocted names retaind, enough to break a man's teeth'.[39] Ailwampiodd Lewis y cyfieithiad. Newidiodd yr enwau priod Groegaidd, megis Tychiades, Philocles ac Arignotus i Rhydderch ab Ednyfed a Cynfelyn Goch, ac enwyd Ogof Llanddulas yn lle teml danddaearol Isis. (Cymharer ei gyngor i Ieuan Brydydd Hir mewn llythyr diddyddiad: 'I would have you try to translate or imitate some of ye most natural things in Theocritus, but take care that your shepherds have Welsh names.'[40]) Fe'i hysgrifennodd yn arddull yr hen 'writers of chwedlau, such as Iarlles y Ffynon, y Llong Voel, Doethion Rhufain etc'.[41] Ceir darn o'i addasiad llwyddiannus mewn llythyr at ei frawd William ar 30 Mehefin 1757. Gellir cymryd mai'r fersiwn wreiddiol ganddo yw'r 'Lucian's Dialogues by L.M. 8vo' a geir yng nghatalog y llyfrau yn ei lyfrgell.[42] Mae'r dyfyniad isod yn adlewyrchu ansawdd y gwaith:

Ond tra roeddwn ar y dŵr fe ddigwyddodd fod gida ni yn y llong ŵr o Degeingl, un o'r beirdd sanctaidd rhyfeddol o ddoethineb, ag yn gwybod holl ddysg y morforwynion, y tylwyth teg a'r Aiphtiaid, ag fe ddywedid ei fod gwedi byw dair blynedd yn Ogof Maengymrwd, a thair blynedd hefyd dan y ddaiar yn Ogof Llanddulas yn dysgu celfyddyd dewiniaith a thrin y sêr a'r planedau gan y Dr Dafydd Ddu o Hiraddug.

'Y Gwyddyl Gorr oedd hwnnw mi dynga,' ebr Cynfelyn Goch, 'fy hen feistr a'm hathraw i wyti yn ei feddwl, gŵr santaidd dysgedig gwedi ei eillio, ag yn gwisgo dillad lliain, ag yn siarad Gwyddeleg a Lladin yn ddilediaith gan rhiccled a'i bader. Dyn byr llydan, a thrwyn ysmwt gwefldew, go eiddil ei goesau.'[43]

Mae'r disgrifiad gan Cynfelyn Goch yn effeithiol, yn adlewyrchu dawn i ddarlunio cymeriad mewn brawddeg neu ddwy. Nid dynwaredwr nac echwynnwr yn unig mo Lewis, yn hytrach mae'n siarad gyda'i lais ei hun. Ei arfer fel cyfieithydd oedd gwyro yn eofn o'r gwreiddiol pan oedd hynny'n gyfleus iddo ef, gyda'r bwriad uwchlaw popeth o greu gwaith rhyddiaith newydd ac annibynnol yn Gymraeg. Mae hyn yn cyd-fynd â barn John Dryden ar gyfieithu. Ym marn Dryden, fe ddylai'r cyfieithydd drosi yn rhydd syniadau ac ysbryd y gwreiddiol. Ni ddylai orfod glynu'n dynn wrth y testun, ac yn wir, mae'n well iddo fod yn anghymwys yn iaith y gwreiddiol nag yn ei iaith ei hun, oherwydd fe ddylai'r cyfieithiad fod yn waith ar gyfer cyfnod y cyfieithydd.[44] Cymerodd Lewis gyfieithiad Goronwy a'i ddiwygio'n rhyddiaith Gymraeg fodern, ddealladwy ac ysbrydoledig. Diddorol yw nodi yr ymddengys fod Ieuan Brydydd Hir wrthi yn 1767 yn cyfieithu un o ymddiddanion Lucian.[45]

Pwysleisiodd Lewis mai pwrpas ymddiddan Lucian oedd dychanu hygoeledd dynol. Nododd yn ei lythyr: 'Nid codi celwyddau mae Lucian, ond dangos i'r byd lowned o gelwyddau ag ofergoelion, dewiniaeth, hen chwedlau ynghylch ysprydion, etc.'[46] Gwaetha'r modd, ni chadwyd cyfieithiad Goronwy nac ychwaith gopi cyflawn o addasiad Lewis ohono. Honnodd Lewis fod yr ymddiddan rhwng 'Gronwy and Llewelyn', sy'n dwyn i gof arfer Lucian o ddefnyddio ei ffugenw Lycinus neu gymeriadau yn ei ddelwedd ei hun megis Tychiades neu Momus. Defnyddia Lewis ddeunydd tra amheus er mwyn codi gwên, a chan gysuro'r darllenydd y gallai brofi'r hyn a ddywed pe bai rhaid: 'hi a ddywedodd imi ddewiniaeth gan gerdded hyd y môr ag adrodd saith air, a phe bai achos mi fedrwn ddywedyd i chwi'r geiriau.'

Daeth beirniadaeth lenyddol yn weithgarwch cyffredin tua diwedd yr ail ganrif ar bymtheg, ac roedd John Dennis ymhlith eraill yn fwy adnabyddus fel beirniad yn hytrach nag ysgrifennwr creadigol yn ymostwng i feirniadaeth. Nid edrychid ar feirniaid fel pobl barasitig, yn tyfu'n dew fel gelod ar waed y creadigol. Gan fod Lloegr yn bell o fod, yng ngeiriau Rymer, 'as free from criticks, as it is from wolves', daeth y beirniad i fod yn agos at yr awdur creadigol o ran statws.[47] Gellir olrhain beirniadaeth lenyddol Gymreig fodern i lythyrau aelodau Cylch y Morrisiaid.[48] Roedd safonau Lewis Morris, at ei gilydd, yn unol â rhai newydd-glasuriaeth, yn rhoi pwys mawr ar rannu barddoniaeth yn 'fathau' arbennig, a'r mathau hyn yn dilyn rheolau gwahanol. Er enghraifft, wrth annerch y Cymmrodorion yn ei lythyr cyflwyniadol i 'Gywydd y Farn' Goronwy Owen, nid oedd yn siŵr ym mha ddosbarth o ganu y dylid gosod y cywydd. 'It is, perhaps, too short, and hath not action enough for a heroic poem, though the matter and style are purely heroic.'[49] Teimlai rheidrwydd i ddod o hyd i gynsail, felly fe'i cymharodd â 'Paradise Regained' Milton. Teimlodd Lewis ei bod yn ddyletswydd arno i osod y gerdd yn ei dosbarth cywir, ac nid oedd y fath bwyslais yn anghyffredin. Gan wynebu'r un ystyriaeth, diffiniodd Dryden *Annus Mirabilis* (1667) yn ei ragair fel cerdd hanesyddol; nid oedd yn arwr-gerdd am nad oedd unoliaeth ynddi o ran y gweithrediadau, ac roedd yn rhy fyr yn ogystal. Serch hynny, roedd y gweithrediadau a'r gweithred-wyr 'as much heroick, as any poem can contain'.[50] Credai Dryden fod barn gadarn ar faterion llenyddol yn ddibynnol ar ddealltwriaeth o'r 'rheolau'. Ac yn eu tro roedd dilysrwydd y 'rheolau' yn deillio o weithiau mawrion y gorffennol. Fel yr ysgrifennodd Pope:

> Learn hence for Ancient Rules a just Esteem,
> To copy Nature is to copy them.[51]

Bodolai perthynas cas a chariad yn aml rhwng llenyddiaeth glasurol a llenorion yr oes newydd-glasurol, yn enwedig yn Lloegr: 'Condemnation of classical values is pandemic in the eighteenth century, even among putative Augustan neoclassicists.'[52] Ni chyfyngwyd yr adwaith hwnnw i Loegr. Pan oedd Goronwy Owen ar drywydd y mesur a'r ffurf addas ar gyfer arwrgerdd Gymreig, fe'i hysbrydolwyd yn bennaf drwy ddarllen Homer a Fyrsil. Serch hynny, cwynodd Goronwy nad oedd ymddygiad ei arwyr bob amser yn teilyngu statws modelau.[53] Nid oedd awdurdod clasurol bellach yn gysegredig na heb ei feiau. Rhydd llythyrau Lewis syniad da inni o'i ymagweddu tuag at awduron clasurol. Meddai wrth Ieuan Brydydd Hir: 'As for your sheltering under Horace's wings, I mind it as nothing. He was a stranger to our methods, handed down to us by his masters, the druidicial bards who knew how to sing before Rome had a name.'[54] A dywedodd wrth Edward Richard, gan led-gellwair: 'I appeal from their Court [awduron clasurol Groeg a Rhufain] to that of Cynddelw Brydydd Mawr, Dafydd ap Gwilym, and others of our own people.'[55] Ffafriai 'reolau' oherwydd plediai'r hen ddysgeidiaeth fod celfyddyd yn dynwared natur. Credai fod pobl yn cael eu hysbrydoli mewn celfyddyd gan yr hyn sy'n eu hysbrydoli mewn natur, a chan fod natur yn gyson, rhaid i gelfyddyd hefyd fod yn gyson:

> If you copy nature you'll always please. Poetry, as one of our wits said, is nothing but prose *run mad*, or is like a person dancing in fetters. But you must dance to some tune, or else you'll be counted mad indeed. That tune

is what nature sings. Poetry without a strict regard to nature is like a man with a laced coat & laced hat & a sword on, without britches or stockings. There is something beautiful in that man's dress, but it is not coherent, a plain countryman in an uniform habit looks far more decent.[56]

Roedd ymadroddion fel 'copy nature' yn ystrydebau mewn beirniadaeth lenyddol yng nghyfnod y Dadeni, heb sôn am yn y ddeunawfed ganrif. Roedd yn un o ddwy egwyddor ganolog yr athrawiaeth newydd-glasurol (y llall oedd y dylai barddoniaeth ddiddori a goleuo). Ysgrifennodd John Dennis yn argyhoeddiadol yn 1701 yn ei 'Epistle Dedicatory' i'w gyfrol *The Advancement and Reformation of Modern Poetry*:

There is nothing in nature that is great and beautiful without rule and order; and the more rule and order and harmony we find in the objects that strike our senses, the more worthy and noble we esteem them. I humbly conceive that it is the same in art, and particularly in poetry, which ought to be an exact imitation of nature.[57]

Wrth feirniadu cerdd gan Ieuan Brydydd Hir, adleisiodd Lewis y gyfatebiaeth enwog yn *Ars Poetica* Horas, 'Ut Pictura Poesis': 'Poetry is like painting or ought to be; both copiers of nature. It would be madness to describe an old witherd whore like a young Venus, &c.'[58]

8 ∝ 'Lle bo calon, ac amynedd, ceir i Ben y Bryn o'r diwedd', 1757–1762

Pan ddechreuodd y Rhyfel Saith Mlynedd yn 1756, brwydr ydoedd rhwng Prwsia ar y naill ochr a Ffrainc, Awstria a Rwsia ar yr ochr arall, ond ymunodd Prydain ac eraill ar ôl hynny, ac yn y pen draw prif ddiddordeb y rhyfel i drigolion yr ynys hon oedd yr ymrafael rhwng Prydain a Ffrainc yng ngogledd America. Canodd Ieuan Brydydd Hir awdl i Ffrederig Fawr, Brenin Prwsia, ar ôl ei fuddugoliaeth ef yn erbyn Ffrainc ac Awstria yn Rosbach yn 1757. Brwydr ar y tir oedd honno, ond mae'r rhan fwyaf o'r cyfeiriadau at y rhyfel yn llythyrau'r Morrisiaid yn ymwneud â'r brwydro a fu ar y môr. Nid annisgwyl hynny o gofio am wybodaeth Lewis a William am borthladdoedd Cymru, y ffaith fod Richard yn gweithio yn Swyddfa'r Llynges, a bod perthynasau a chydnabod iddynt yn tramwyo'r môr yn ystod y rhyfel mewn cyfnod pan ddaeth Prydain Fawr i deilyngu'r teitl 'Meistres y Moroedd'.

Erbyn mis Ebrill 1757, credai Lewis fod y rhagolygon yn ddigon du. Barnai fod Prydain yn anfon ei milwyr i frwydro mewn gwledydd tramor ac yn dibynnu ar filwyr tramor i'w gwarchod rhag ymosodiad gartref. Pan ysgrifennodd o Lundain, bron iddo roi'r argraff y dymunai ffoi i Gymru am noddfa: 'Cadwed Duw'r ychydig weddillion sydd yn y mynydd, a Duw wnel i minneu gael diangc yno, oblegid nid da calon Sais wrth Gymro, chwedl yr hen ddyn.'[1] Yn 1757 penodwyd Ned Edwards yn gapten ar y llong *Viscount Falmouth*, a oedd i gludo milwyr Prydeinig i Ogledd America. Ceir enw Ned Edwards yn aml yn llythyrau'r Morrisiaid er pan fu yntau, yn ddyn ifanc, ar y llong ryfel *Torbay* yng nghwmni John Morris, ar y daith y bu farw'r Morrisyn ieuengaf yn 1740. Disgrifiwyd Ned Edwards gan Lewis fel 'pendew fyth', 'broliwr a dwndriwr fal tonnau'r môr', a chyda'r sylw mwy cymedrol y gallai 'possibly do tolerably, for he doth not want spirit, though he wants learning'.[2] Bid a fo am hynny, y Capten Edward Edwards a roddwyd yng ngofal y *Viscount Falmouth* yn 1757. Galwodd

Lewis am forwyr o Gymry i'r llong ('Now for Welsh sailors thick and three fold',[3] meddai wrth William Morris ar 12 Awst 1757) ac yn naturiol roedd y capten yn awyddus i sicrhau gwasanaeth morwyr y gallai ymddiried ynddynt ar gyfer y gad. O ganlyniad, lluniodd Lewis hysbyseb Gymraeg a gyhoeddwyd yn y *Public Advertiser* ar 16 Awst 1757:

At longwyr Cymry y rhai ydynt yn Llundain, ac at wŷr tir o Gymry a ewylliasant ddysgu llongwriaeth ac ymladd â gelynion Brydain Fawr . . . Gwell gan y Cadpen gael Cymru na phobl o un genedl arall dan haul, oblegyd ni chilia Cymro yn nydd y frwydr, eithr ef a gyrch y gelyn drwy'r mellt a'r taranau, fel llew rhuadwy yn chwannog i'r ysglyfaeth.

> Ni wnawn i'r Ffrancod duon, Fynd ar eu gliniau noethion:
> Gwae nhwy erioed y dydd a fu, Ffyrnigo Cymru a Saeson.[4]

Mae'r pennill uchod, un o'r ychwanegiadau i 'Caniad y Cymmrodorion', yn tystio ei fod yr un mor deyrngar i'r uniad â Lloegr ag oedd pan luniodd y rhaglith at ei gydwladwyr yn 1729.

Mewn llythyr at ei wraig o Lundain ym mis Gorffennaf 1756, roedd Lewis wedi crybwyll y posibilrwydd y byddai trigolion Galltfadog – Ann, y plant a'r gwasanaethyddion – yn symud cyn hir ryw filltir a hanner i Benbryn, neu Benbryn y Barcud fel y cyfeiriai ato weithiau, hen gartref Ann Morris ym mhentref Goginan: 'I would have you go on the same as you did, makeing all the improvements you can at Penbryn as if you were going to live there immediately, for that may happen.'[5] Ceir awgrym cynnil yma nad o'u gwirfodd y byddai'r teulu yn hel eu pac, ond bod y mater yn rhannol yn nwylo eraill. Mae John Owen yn taflu rhagor o oleuni ar hyn yn ei lythyr at ei ewythr Edward Hughes, dyddiedig 19 Mawrth 1757: 'gwae fy nghadach, fe gafodd y Capten *notis* ers dyddiau i ymadel ac hanner galltvadog ne dalu 15£ yn y flwyddyn! Ac yn awr mae parodtoi ym Mhenbryn i fynd yno galanmai.'[6] Tebyg i Lewis esgeuluso talu'r rhent i deulu Hicks, efallai o ganlyniad i'r holl gostau cyfreithiol a'r cyfnodau hirion o alltudiaeth yn Llundain ddrudfawr, heb anghofio'r pentwr iddo wario yn ei anturiaethau mwyngloddio. Daeth ei denantiaeth o hanner Mrs Hicks o'r fferm i ben, ond ymddengys iddo barhau i amaethu ei ran ef o fferm Galltfadog ar ôl symud i Benbryn. Tystiodd John Owen fod cryn ddadlau wedi torri allan rhwng Ann Morris a Mrs Hicks, ac roedd y posibilrwydd y byddai Lewis yn rhoi'r gorau i amaethu pe gorfodid iddynt adael Galltfadog yn 'becso' Ann oherwydd na fyddai hi wedyn yn cael 'mo'r cimaint o rwysg a lle i lio ei fysedd'.[7] Ar gais Lewis, aeth William Griffith, y prif was, i Benbryn i fyrddio'r llofft a gwneud pa bynnag bethau eraill a oedd yn angenrheidiol. Parodd hyn hefyd rwystredigaeth i Ann yng Ngalltfadog oherwydd 'bachgen gwych oedd Wil am negesau a chorddi &c.'.[8]

'My wife is moving to Penbryn as fast as she can', ysgrifennodd Lewis at William ei frawd ar 8 Ebrill 1757, a theimlai'n flin nad oedd yn gallu estyn cymorth.[9] Ar 6 Mai roedd Ann wedi cwblhau y symudiad i gartref ei mebyd, ac yn ei hachos hi peth hawdd a braf iawn oedd cynnau tân ar hen aelwyd. Chwedl Lewis mewn llythyr at William gyda'r dyddiad 21 Mai ar ei dalcen, 'Ie'n wirionedd, Paradwys y Deheu, neu Baradwys Ceredigion yw Penbryn y Barcud; pwy nad ae i baradwys pei cae? My wife begins now to be pleasd with it and to despise Galltvadog.'[10] Ni lwyddodd Lewis i ymuno â'i wraig ym Mhenbryn tan Ionawr 1758 pan ddychwelodd o Lundain.

Gwelwyd eisoes fel y gallai achlysuron personol dwys beri i awen ysgafn Lewis sobri. Felly y digwyddodd yn achos y symud o Alltfadog i Benbryn, a esgorodd ar y gerdd 'Gallt y Gofal'. Bu'n byw yng Ngalltfadog o 1746 hyd 1757 ac yno y ganed ac y maged eu chwe phlentyn cyntaf (ond bu farw dau ohonynt yn eu plentyndod), a mudodd y teulu i Benbryn yn nyffryn afon Melindwr lle y ganed tri phlentyn arall a lle y bu farw eu hail fab, John, yn 12 oed. Ceir chwarae ar enwau'r ddwy fferm yn y gerdd sy'n gweithredu ar ddwy lefel, nid yn unig yn disgrifio'n uniongyrchol y mudo o Alltfadog i Benbryn, ond hefyd yn cyflwyno alegori yn darlunio'r treialon y mae'n rhaid i rywun eu hwynebu wrth ddringo'r Bryn tra'n goddef baich trwy gydol yr amser. Cyfunodd y ddau edefyn hyn i greu cynnyrch a wewyd ynghyd yn gelfydd. Erbyn hynny, roedd yn agosáu at ddiwedd ei fywyd, pan oedd wedi profi llawer a heb anghofio dim o'r dioddefaint. Gobeithiai y byddai'r symudiad i Benbryn yn ddechreuad newydd yn ei fywyd; yn ei lythyrau fe ddarluniodd Benbryn fel paradwys digymysg.[11]

Dechreua drwy ddefnyddio delwedd gyfarwydd, sef bywyd fel taith, yn yr un modd â John Bunyan yn *The Pilgrim's Progress* (1678–84), yr oedd cyfieithiadau ohono yn niferus a phoblogaidd yng Nghymru'r ddeunawfed ganrif.[12] Egyr y gerdd:

> Dyma daith y gwanddyn meddal,
> Aeth i ddringo Gallt y Gofal,
> Drwy anialwch y byd yma,
> I geisio ym Mhen y Bryn orffwysfa.

(*DT*, tt. 169–70)

Mae'r ffaith fod heneiddio'n anorfod yn codi myfyrdod ar ddiwedd bywyd ac yn arwain at fwrw golwg yn ôl dros y bywyd hwnnw. Gan fod y gerdd wedi ei seilio ar brofiad personol, gyda'r symud o Alltfadog i Benbryn, gallwn dybio fod y gerdd i raddau helaeth yn hunangofiannol. Ar yr olwg gyntaf, felly, daw'r disgrifiad o'r gwanddyn meddal yn rhywfaint o syndod gan nad oedd Lewis fel arfer yn dioddef o ddiffyg hunan-barch. Ond mae nodwedd *genre* y pererin neu'r henwr yn llesgáu yn gweithio ar ddwy lefel – y corfforol (henwr) a'r ysbrydol (pererin). Yn yr ail bennill mae'n cyfleu'r hen syniad Cristnogol a diwinyddol fod Duw yn gosod rhwystrau yn ffordd dyn er mwyn ei brofi, a'i fod Ef hefyd yn rhoi'r nerth i'w gorchfygu. Wedi'r cyfan, ni all pobl ddangos amynedd na dewrder heb adfyd. Lleisiodd Lewis y farn hon mewn llythyr at ei wraig: 'We are to expect nothing in this world but rubs and misfortunes daily, for God hath put us here to try us, and to see what we can bear.'[13] A phan aeth simnai eu hystafell wely ar dân, a Lewis yn sâl ar y pryd, dywedodd wrth Edward Richard: 'This fever and fire were two heavy blows, but they were rods which God thought proper to shew with a gentle hand for my good no doubt.'[14] Goresgynnodd broblemau dirifedi yn ystod ei fywyd, ac roedd ganddo anian a ymatebai gydag ystwythder cydymdeimladol i'r ddihareb Aeschyleaidd fod Duw yn cynorthwyo'r rheiny sydd yn eu cynorthwyo eu hunain, yn enwedig gyda'r dasg o ddysgu sut i oroesi a pharhau i fyw yn y byd hwn pan fo pob ergyd newydd yn gwanhau dros dro y cymhelliad i fyw. Credai William Morris nad oedd digwyddiadau na dioddefaint ar hap, a bod popeth yn cefnogi perffeithrwydd cynllun daionus y bydysawd. Ceisiodd William ddarbwyllo ei nai John Owen o'r optimistiaeth gyffredinol hon trwy ddyfynnu llinell enwog Pope y 'prydydd goreu yn ei ddyddiau': 'Whatever *is*, is right.'[15] Mae ymdrechion Pope i gyfiawnhau ffyrdd Duw i ddyn a phrofi fod cynllun y bydysawd y gorau o'r holl gynlluniau posibl, yn achub y blaen ar ymdrechion Pangloss yn chwedl athronyddol Voltaire, *Candide* (1759). Cyfeiriodd A. O. Lovejoy at gred yr athronydd Spinoza: 'Everything becomes endurable to us when we once see clearly that it never could have been otherwise.'[16] Dyma hefyd yr athrawiaeth y mae Samuel Johnson yn cyfeirio ati yn rhif 184 o'r *Rambler*. Dywed un o lyfrau mawr y ddeunawfed ganrif, *A Serious Call to a Devout and Holy Life* gan William Law (1728), y dylai'r credadun hyd yn oed ddiolch i Dduw am bob adfyd a helbul gan y byddai, ymhen amser, yn troi'n fendith ac yn ddaioni. Mae 'Gallt y Gofal' yn awgrymu bod Lewis yn cytuno â'r ddiwinyddiaeth Gristnogol gonfensiynol hon o ddealltwriaeth ymarferol a goddefgar o adfyd. Geilw am wydnwch yn wyneb cystudd, ac yn arbennig am y prif rinweddau, sef nerth enaid ac amynedd wrth ddringo gelltydd blin gofalon:

> Blin yw dringo creigiau geirwon,
> Blina' gelltydd yw gofalon;
> Duw ei hun a'u rhoes hwy yno,
> A Duw roes y nerth i'w dringo.

> Profedigaeth yw blinderau,
> Profir pwy yw'r dringwr gorau;
> Lle bo calon, ac amynedd,
> Ceir i Ben y Bryn o'r diwedd . . .

> Cropian decllath ar i fyny,
> Llithro naw yn ôl o hynny;
> Caffael codwm, methu codi,
> Nes cael help, ac ymwroli . . .

> Yno dringo fal malwoden,
> A dal gafael mewn rhedynen;
> Fe ddôi pwff o wynt, dan chwyrnu,
> Ac a'm taflai â'm tor i fyny.

> Wrth hir gropian, ac ym'wino,
> Cael i Ben y Bryn, dan gwympo;
> Rhoi yno 'mhen i lawr i orwedd,
> Mawl i Dduw am bob trugaredd.

Yng nghwpled cyntaf y pennill olaf ceir gwrthgyferbyniad rhwng dringo a chwympo. Mae'r llinell olaf ond un, yn gyson â'r gerdd gyfan, yn gweithredu ar ddwy lefel. Mae'n cyfeirio ar un lefel at farwolaeth ar ddiwedd bywyd caled ac ar lefel arall at fwriad yr awdur i dreulio gweddill ei ddyddiau ym Mhenbryn. Yn y llinell olaf mae'n diolch i Dduw am y noddfa a geir ym Mhenbryn a hefyd am yr holl drugaredd a gafodd yn ei fywyd. Taenir emosiwn personol dros y gerdd wrth iddo adlewyrchu'r ffaeledigrwydd, y cythrwfl a'r cyfyngiad sydd yn nodweddu bywyd dynol. Mae'n enghreifftio'r syniad fod celfyddyd yn cyflwyno trefn ar gyfer anhrefn bywyd. Mae'r gerdd, a luniwyd yn null yr hen benillion telyn ond sy'n hollol ddigellwair, yn gorffen gyda llygedyn o obaith ac yn dangos sut mae'r awdur yn datgan ei ffydd yn naioni creadigol a gwaredigol Duw wrth i'r pererin gyrraedd pen y daith. Mae Lewis yn ein trosglwyddo o lefel bersonol i un sy'n mynd y tu draw i'r byd hwn, yn estyn allan i dragwyddoldeb. Mewn cerddi megis 'Gallt y Gofal' mae anian Lewis a'i amcanion llenyddol yn gweithio i'r un cyfeiriad, ac adlewyrchir yn y gerdd hon ei lygaid craff a phrofiadau bywyd helbulus. Alegori ydyw, ac er ei fod wedi cael y nodwedd honno o'r Beibl, *Taith y Pererin* ac ati, dengys fel y gall ddefnyddio'i hoffter o eiriau mwys ac ystyron dwbl i ddwysáu'r alegori drwy ddarlunio'r symud o allt 'Gofal' i Ben y Bryn. Trawiadol hefyd yw'r defnydd o fesur y pennill telyn, oherwydd ni cheir y parch hwn at y mesur wedyn tan y bedwaredd ganrif ar bymtheg yng ngwaith awdur megis John Blackwell (Alun). Mae'r chwarae clyfar ar y ddwy lefel, ynghyd â chrefftwaith diamheuol y gerdd, yn sicrhau mai cerdd fawr yw 'Gallt y Gofal'.

Gwrthwynebai Lewis yn llwyr y Seisnigo yn yr ysgolion cylchynol, ac roedd yn llym ei feirniadaeth – fel Ieuan Brydydd Hir yntau – o'r 'Esgyb Eingl', sef yr esgobion hynny yng Nghymru a gredai mai ymuno â Lloegr o ran iaith yn ogystal â llywodraeth oedd y ffordd ymlaen i Gymru: 'what can you expect from bishops or any officers ignorant of a language which they get their living by, and which they ought to cultivate instead of proudly despising.'[17] Roedd Lewis yn ymwybodol o gyflwr yr eglwys a difrawder llawer o'r esgobion ar y naill law a bygythiad tybiedig y Methodistiaid ar y llaw arall. Ym mis Mehefin 1757, dadlennodd ei farn am grefydd mewn llythyr at William ei frawd mewn modd di-flewyn-ar-dafod:

> Nid oes yma un cyngor ynghylch Eglwys Vigel [Llanfigel], ag o'm rhan i ni fyddai waeth gennifi ferddyn capel i gael o'r plant le i chwarae, na chael gwasanaeth cylch unwaith mewn tair wythnos a hwnnw'n bader buan, di bregeth, di grefydd, etc. Fe dderfydd y dreth eglwys gwedi hynny mi debygwn, ond bid a fynno gan nad oes neb ond chwi eich hunan yn y plwyf sy waeth ganddo pa un ai bod tŷ i Vigel a'i peidio, mi debygwn i na fyddai wiw sgrifennu at yr esgob yn ei chylch. Nid ydynt ond disgwyl gan yr eglwysydd syrthio a'u pennau ynddynt i gyd, ag yno fe gae'r personiaid lai o drafferth yn gweddïo ag yn ymdrafferthu. Religion in this country is quite out of taste, it is such an old fashiond thing. I am positive if Mahomet had any daring fellows to preach him here, he would gain ground immediately, or any merry religion like that. And if Sadlers Wells and the play houses could be brought in as branches of a new religion it would have abundance of converts and would take extremely well.[18]

O Lundain câi Lewis olwg o'r newydd ar grefydd gyfundrefnol, er iddo ailafael ynddi cyn diwedd ei fywyd.

Oherwydd bod John Owen wedi chwarae rhan yng ngwaith Esgair-y-mwyn, fe'i llusgwyd i ganol yr helynt gan yr awdurdodau yn Llundain i egluro agweddau ar y cyfrifon. Er gwaethaf difrifoldeb y sefyllfa gallai Lewis fforddio chwerthiniad bach dirmygus ynghylch ymateb ei deulu. 'My Treasury enemies caused him to be served with an Exchequer writ [ym mis Mai 1757]', meddai wrth William ei frawd, '. . . and this hath frightened him and my simple family there out of their wits.'[19] Ar 18 Mehefin 1757 anfonodd Lewis orchymyn i'w nai gychwyn am Lundain yn ddi-oed, ac erbyn 23 Gorffennaf roedd wrth ei ochr. Rhyfeddai John Owen mai genynnau yr un rhieni a drosglwyddwyd i Lewis a Richard Morris. Yng ngolwg John Owen roedd Lewis yn hunanol, anniolchgar ac, uwchlaw pob dim, yn farus am arian a Richard yn hael a serchog. Yn ei farn ef roedd Lewis

> yn ymgadw yn glos fal ag arferol heb achos yn y byd, a phentwr o arian wrth ei drwyn, ac yr wyf yn meddwl ei fod yn eu haddoli fal yr Israeliaid efo'r Llo Aur ers llawer dydd, a'i fod yn tybied nad oes dim difyrrwch na hapusrwydd i'w gael yn y byd yma heb goded o arian, byddent ar gam neu ar yr union wedi eu cludo ynghyd! Yr Arglwydd Dduw! Y rhagor sydd rhwng y ddau frawd yma, mi fyddaf fi yn meddwl nad yr un gŵr a ysgydwodd ei din amdanynt.[20]

Y dyddiad 9 Medi 1757 oedd ar dalcen y llythyr hwn gan John Owen at Edward Hughes. Llai na thri mis yn ddiweddarach roedd y Llew tew tyn yn dweud wrth Dafydd Jones nad oedd ganddo yr amser na'r cymhelliad i ymgymryd â'r dasg o gyhoeddi gweithiau Goronwy Owen: 'o'm rhan i ni rof na bys na bawd arno, oblegid natur dyn pan bwyso tua diwedd ei oes yw pentyrru cyfoeth rhag anghaffael mewn gwendid; a rhag dywedyd fal Llywarch hen, *main fy nghoes nid oes duddedyn*.'[21] Mae'r sylwadau hyn yn dwyn i gof 'Cywydd y Geiniog' lle mae Lewis yn ymgrymu i addoli'r geiniog:

> Ceiniog o gyflog i'r gŵr,
> I'w ddelw fe â'n addolwr.
>
> (*DT*, tt. 123–4)

A chyfeiria at y geiniog fel Duwies sawl tro yn y cywydd: 'Duwies wyt dan dewi sôn', 'Duwies fwyn, O! dewis fi'.

Ym mis Chwefror 1757, ar ôl ymddiddori a cheisio ers tro, sicrhaodd Iarll Powis y les ar Esgair-y-mwyn gan y Goron. Roedd yn ychwanegu at y les ar diroedd y Goron yng nghymydau Mefenydd a Chreuddyn, Ceredigion, a gawsai fis ynghynt. O gofio ei gyfeillgarwch â Iarll Powis ers haf 1753, gobeithiai Lewis y byddai pennod newydd gyffrous yn gwawrio yn ei fywyd, a'r cwbl fyddai ei angen i hyrwyddo hynny oedd i'r Iarll ei benodi yn ben ar Esgair-y-mwyn. Ysywaeth, wrth i'r flwyddyn fynd rhagddi, synhwyrodd yn raddol fod rhyw ddrwg yn y caws. Trodd y berthynas agos gynt yn un oerach o dipyn, ac yn y cyfamser cryfhau a wnaeth perthynas Iarll Powis â John Paynter, a gafodd ei gefnogaeth i barhau yng ngofal Esgair-y-mwyn. Roedd hyn yn bilsen anodd iawn ei llyncu i Lewis, a phlymiodd ei hwyliau o ganlyniad. Hawdd credu nad oedd yn gwmni diddan yn ystod y cyfnod hwnnw, a phan benderfynodd ddychwelyd i Gymru cyn y Nadolig sbardunwyd John Owen i ddathlu'r ffaith mewn triban:

> Mi glywais newydd digri
> A wnaeth i'm calon lonni,
> Fod Llew'n mynd adre o nerth ei draed,
> Y grigwch – aed i'w grogi.[22]

Ond er gwaethaf ysfa Lewis i dreulio Nadolig 1757 ym Mhenbryn, ac er mor awyddus yr oedd John Owen ac eraill yn Llundain i weld ei gefn, dal i fod yn y brifddinas yr oedd pan wawriodd 1758. Ond ar 11 Ionawr 1758, ar ôl blwyddyn a 10 mis o alltudiaeth gostus, cychwynnodd am Gymru. Porthwyd dychymyg John Owen gan ei lawenydd o'i weld yn ymadael, fel y gwelir yn ei lythyr at Edward Hughes lle mae'n awgrymu mai un rheswm pam yr arhosodd Lewis yn Llundain cyhyd oedd ei fod yn ofni dychwelyd at ei wraig, 'y Capten': 'fallai nid heb achos o ran diau gennyf y bydd cryn ysgwyd bontin uwchben y fath greadur annigonawl a honno, sy'n awr ers dwy flynedd heb gael ei brathu unwaith.'[23] Ac yn wir, yn fuan ar ôl i'r Llew fynd adref i Benbryn, roedd Ann yn feichiog unwaith yn rhagor. Pan ysgrifennodd John Owen at Edward Hughes ym mis Gorffennaf, roedd y Capten 'â'i bola mawr cy'wch â'i llygaid', a mis yn ddiweddarach roedd Ann 'yn dorrog ddigon, fal y dywedant'.[24] Pan aned mab arall ym Mhenbryn ar 25 Tachwedd 1758, cywirodd Lewis yr addewid a wnaeth i'w frawd William, gan enwi'r newyddanedig ar ei ôl ef.

Felly ffarweliodd Lewis â'r brifddinas am y tro olaf pan adawodd dŷ Richard ei frawd yn Pennington Street i'r dwyrain o Dŵr Llundain ar 11 Ionawr 1758. Penbryn fyddai ei drigfan barhaol wedi hynny. Yno, yn ystod misoedd cyntaf 1760, y ganed pedwaredd ferch Lewis o'i ail briodas, Mary. Cyn hir, synhwyrodd Lewis fod 'un arall mae'n debyg yn dyfod yn y blwch' a chyrhaeddodd yr olafanedig, Pryse, yn haf 1761. Er na wireddwyd ei ddymuniad taer i weld yr holi ynghylch ei gyfrifon yn Esgair-y-mwyn yn diflannu megis tarth y bore, lleihau a chilio a wnaeth ynghyd â'r cyhuddiadau iddo guddio dogfennau, gan na lwyddwyd i hoelio arno unrhyw gyhuddiad pendant. Rhoddodd yntau heibio bob gobaith o gael ei godi'n ben ar Esgair-y-mwyn gan Iarll Powis.

Barnodd Lewis Morris mai canu serch oedd fwyaf cydnaws â chyfnod ieuenctid tra bod angen cryn brofiad ac aeddfedrwydd i ganu am flinderau bywyd.[25] Ac yntau yn drwm yn ei bumdegau ac yn dal yn gorffog, roedd bywyd yn ymdrech ddyddiol i ymladd anwydau, pesych-iadau ac afiechydon eraill. Roedd salwch a chlefydau yn bryderon holl-bresennol i bobl yng Nghymru'r ddeunawfed ganrif, yn enwedig i Lewis bruddglwyfus. Cyfeiriodd at rai o'r dulliau a ddefnyddiwyd i orchfygu'r dwymyn yn 'Cywydd y wrach ddigywilydd, sef y Cryd, neu'r Ddeirton'. Dethlir y ffaith fod ei frawd William wedi gwella'n llwyr o'r clefyd:

> A Gwilym, ni bu gulach
> Ei rudd, er dyrnod y wrach.
> Ond dwrdiodd hel y gelach
> O'r wlad, er rhuad y wrach;
> Gyrrodd i goll y ffollach,
> Cawr oedd o ryw, curodd wrach!

(DT, tt. 192–3)

Cyfeiriodd Lewis at 'y wrach' sawl tro yn ei lythyrau, gan fynnu y dylid ei thrin gyda ffyrnigrwydd, a bod yn rhaid ymdrechu'n galed i'w threchu.[26] Mewn llythyr at William ei frawd ar 8 Ebrill 1757, soniodd am yr hyn a ddigwyddodd ar ôl iddo lunio'r gerdd uchod, gyda'r dwymyn yn dial arno.[27] Mewn llythyr arall at William ar 21 Tachwedd 1757, anfonodd bedwar pennill, 'Yr Ymdrech rhwng y Bardd a'r Peswch', wedi ei rhagflaenu â'r sylw, 'Rhwng cysgu ag effro y boreu heddyw, wrth beswch, eb yr Awen'.[28] Ychydig ddyddiau'n ddiweddarach, nyddodd bum pennill ychwanegol gan alw'r gerdd gyfan yn 'dirif, commonly wrote dyrif, pl. dyrifau'.[29] Dechreuir gyda darlun diddanus ohono'i hun yn ymaflyd â'r peswch, weithiau'n ennill, weithiau'n colli, gan greu gwawdlun o henaint:

> Dyn wyf fi'n ymaflyd codwm
> Â rhyw beswch, hwyrdrwch, hirdrwm,

> E geid aml ymgodymu,
> Weithiau i lawr ac weithiau i fyny.
>
> Heddiw'r peswch sydd yn isa',
> Ac yn crecian â'i gefn crwca,
> Ni wybod pwy fydd uchaf 'fory,
> Gwaith anwadal yw ymgodymu.
>
> (DT, tt. 177–8)

Aeth William Morris ati hefyd yn aml i bersonoli amryw anhwylderau, yn enwedig yr annwyd.[30] Roedd cynhyrchu a defnyddio 'meddyginiaeth' yn y cyfnod hwn yn dal i fod yn ddychrynllyd o elfennol. Byddai meddyg gwlad yn dal i wneud ei feddyginiaeth ei hun, ac efallai hefyd yn hawlio peth cydweddiaeth â grymoedd goruwchnaturiol. Yn fyr, roedd gwyddoniaeth meddygaeth yn ddiymadferth yn wyneb y rhan fwyaf o beryglon cyfoes i iechyd.[31] Cymerid pob math o gymysgedd er mwyn darbwyllo afiechydon i symud ymlaen, gan gynnwys 'Trobenius's Ætherial Spirit, good for asthmas. It is mentioned by Sir Isaac Newton and Mr [Robert] Boyle'.[32] Cafodd Lewis ymweliadau cyson gan 'Mr Peswch' cras – 'yn crecian â'i gefn crwca' – oherwydd 'a fault in the constitution originally, perhaps in the glands, perhaps in the lungs, perhaps in the heat of the stomach'. Cyfeiria yn y gerdd at rai meddyginiaethau a fyddai'n cynnig dihangfa:

> Yfed surfedd o'r besychlys,
> Yfed potel o'r gwin melys;
> Codi i fyny, dan ymsgrytian,
> Ow! Llewelyn, saf dy hunan.

Sylweddola ei archolladwyedd a diweddir ar nodyn gwangalon, gyda phesimistiaeth ymostyngol, dawel:

> Tebyg yw wrth hir ymglynglyn,
> Mai colli'r maes a wna Llewelyn,
> Ac mai cryfa' cair y peswch,
> Yn cau dyrnau mewn cadarnwch.

Roedd yn awyddus i ddarbwyllo Edward Richard i gyfieithu'r gerdd i'r iaith Ladin ond roedd yntau'n amharod i ymgymryd â'r dasg.[33] Nid ymddengys iddo wneud hynny.

Carai Lewis Gymru yn angerddol, ond gallai'r Cymry beri rhwystred-igaeth iddo. Roedd ganddo'r ddawn i weld ochr wan ei gydwladwyr, fel y dengys ei lythyr at Dafydd Jones o Drefriw ar ôl i hwnnw fod ar daith yn 1757 yn casglu enwau tanysgrifwyr i'w gyfrol uchelgeisiol a helaeth, *Blodeu-gerdd Cymry*:

Difyr oedd gennif glywed hanes eich taith, ond difyrrach a fuasai, pei cawsech well croeso gan eich cydwladwyr. Mi ddywedais i chwi ers dyddiau natur ein cydwladwyr, mi a'u hadwaen yn rhydda; lle gwelo Gymro un Cymro arall yn debyg i wneuthur rhywbeth nad allo ef ei hun, fe gyfyd rhyw genfigen fach yn ei galon, ag a rwystra'r llall os geill, yn lle ei helpu fal cenhedloedd eraill. Ond dyna ryw naws melltigedig yn tyfu o falchter a rhodres wan! Ffei, ffei, fe aeth y byd yn bennau edafedd; mi ddisgwyliaswn i chwi gael llawer o bobl ym Môn ac Arfon a groesawasant gerddlyfr Cymraeg, ond mae'n debyg mai fal y maent yn ymgyfoethogi y maent yn mynd yn gnafeiddiach, gnafeiddiach.[34]

Cyn i Dafydd Jones fynd ar y daith hon, dywedodd Lewis wrtho: 'Felly'r gwaith cyntaf a wnewch yw trafaelio ar draws ag ar hyd Cymru yn enwedig y gogledd, nid oes fawr flas gan bobl y deheu yn eu hiaith.'[35]

Cafwyd gohebiaeth gyson, o ddechrau 1757 ymlaen, rhwng Lewis a Dafydd Jones ar ôl iddo yntau gysylltu â Lewis i ofyn am gyngor a chymorth i lunio ac argraffu blodeugerdd. Ar ôl clywed syniad Dafydd Jones, ceisiodd roi arweiniad iddo: 'You should have mentiond what your proposed book is to contain, whether ancient poetry or modern, and whose works, for no body will subscribe to a book without knowing its contents, let it be ever so cheap or so good.'[36] Gwirfoddolodd i olygu a chaboli taflen apêl Dafydd Jones, ac er mwyn gwneud hynny roedd arno angen 'a full account of ye work in a letter, that I may help to put it in a form fit for ye public'. Nid oedd am i Saesneg carpiog Dafydd Jones roi cyfle i'r Saeson wawdio'r Gymraeg a'r Cymry. Dywedodd mewn llythyr arall: 'Mi dybygwn mai gwell i chwi brintio eich *Proposals* yn ôl y pappir sydd yn hwn fal na chaffo plant Alis a rhyw goegion Gymru le i chwerthin am ei ben.'[37] Rhoddodd Lewis ei air y byddai ef a'i frawd Richard yn gwneud 'ein goreu i geisio i chwi *subscribers* ond gyrru o honoch rai o'r *Printed Proposals* fal y cyfarwyddais chwi at fy mrawd, ni wiw gofyn i bobl *subscreibio* heb *Broposals*'. Erbyn 2 Mai 1757, llwyddwyd i argraffu'r daflen apêl, yn y wedd derfynol a roddodd Lewis arni. Ysgrifennodd at Dafydd Jones:

Dyma ryw fesur o'r *Proposals* gwedi dyfod a chwedi eu dangos, ag fe geir ymbell un a *subscreibia*, ond pan fo'r llyfrau'n barod gwedi eu printio ag i'w dangos yn y gynulleidfa o Gymmrodorion fe fydd haws ymadel â 80 neu gant o honynt na chael deg o *subscribers* cyn gweled beth yw'r llyfr, oblegid fod yn Llundain gynifer o bobl yn twyllo eu gilydd â gau addewidion, a chael arian i'w dwylo ag heb byth ddangos dim am danynt.[38]

Derbyniodd Richard Morris lythyr oddi wrth ŵr o'r enw R. Saunders, dyddiedig 13 Awst 1757, yn gofyn iddo am ddwsin o linellau gan 'the most ancient British author that you can procure . . . to be inserted in an *Historical Performance*, which a gentleman of Cambridge is now going to oblige the public with'.[39] Fis yn ddiweddarach, 13 Medi, soniodd Lewis am gais R. Saunders mewn llythyr at William ei frawd:

> Pa bryd y bydd Gronwy yn sgrifennu *Notes on the Ancients*? Ni chlowais ddim sôn, ac rwy'n ofni na fydd hynny byth. Here is a letter from a Welsh clergyman . . . But I have drawn a letter for the Society of Cymmrodorion to refuse him, because Gronow is publishing things of that nature, and to let him and the Cambridge man know that a member of yᵉ Society is going to publish a book called Celtic Remains.[40]

Felly Lewis a luniodd y llythyr yn ateb R. Saunders a anfonwyd yn enw Richard, gydag awdurdod 'Anrhydeddus Gymdeithas y Cymmrodorion' y tu ôl iddo. Achubodd ar ei gyfle i roi cyhoeddusrwydd i'w gyfrol arfaethedig ei hun ac i ganmol y Cymmrodorion. Aeth i'r drafferth yn y llythyr i egluro fod meistrolaeth o'r Gymraeg a gwybodaeth helaeth am gynnwys y llawysgrifau yn anhepgor er mwyn trafod hanes Cymru. Go brin y credai y byddai Goronwy yn llunio nodiadau ar yr hen feirdd, er mwyn chwyddo maint y llyfr o farddoniaeth Gronwy Ddu yr oedd Richard Morris a John Owen yn gobeithio gweld ei gyhoeddi. Ar 18 Medi 1757 aeth John Owen i Northolt, pentref ar gyrion Llundain bryd hynny, i weld Goronwy, ar gais Lewis ei hun mae'n debyg, 'ond ni fyddis fawr well' meddai Lewis wrth William y diwrnod hwnnw.[41] Roedd Lewis am wybod a oedd Goronwy wedi bod yn gweithio ar ei lyfr. Chwe diwrnod yn ddiweddarach ar 24 Medi, nododd mewn llythyr arall at William yr ymateb a gawsai:

> John Owen is returnd from Gronwy, he says he has some preparations towards the book. It would have no chance of comeing out if the money was receivd by Gronwy, so what subscriptions are recev'd must be

secured for the printer. How many subscribers do you think will be got in Anglesey, that we may guess at the number of books to be printed? I don't think above two hundred and fifty will go off as they are so dear.[42]

Wedi clywed gan ei nai fod Goronwy wedi bod yn gweithio ar ei lyfr, magodd Lewis agwedd besimistaidd tuag at yr holl gynllun, gan ragweld gwerthiant isel.

Mae esboniad arall am y ffaith nad oedd calon Lewis yn llwyr y tu ôl i'r fenter. Roedd yn gryn gamp i gasglu tanysgrifwyr er mwyn cyhoeddi cyfrol Gymraeg yn y cyfnod, ac annoeth fyddai ceisio cyhoeddi dwy gyfrol tua'r un pryd. Dywedodd mewn llythyr at William ei frawd fod Dafydd Jones yn bryderus 'bod llyfr Gronwy yn rhwystr iddo'.[43] Ceisiodd Lewis leddfu ofnau Dafydd Jones:

> Fe ddigiodd Goronwy lawer un gyda gwŷr Môn, ond gan nad oes mo'i fath ar wyneb y ddaiar, mae ef fal Alecsander fawr, yn meddwl y geill wneud y peth a fynno'n ddigerydd. Mi wranta y newidia Gronwy a chwi lyfr am ddau; ond duw a wnel *i'w lyfrau ef* ddyfod allan.[44]

Ychwanegodd na ddylai anfon 'i Ronwy ddim englynion i'w lyfr, nes y gwelom a ddaw llyfr ai peidio; llawer plentyn a fu farw yn yr enedigaeth, a haeddai gywydd marwnad yn lle croeso i'r byd'.

Rhoddodd ragor o gymorth ymarferol i Dewi Fardd (Dafydd Jones) hefyd. Er mwyn hwyluso'r casglu arian yng Nghymru, anfonodd gyfieithiad Cymraeg o'r daflen apêl at yr argraffydd. Gofynnodd i sawl argraffydd yn Llundain am amcangyfrif o'r gost o gynhyrchu'r flodeugerdd, a throsglwyddodd yr wybodaeth iddo. Er gwaetha'r holl gymorth, coleddai Lewis agwedd ddifrïol tuag ato. Nid heb gael ganddo gymwynasau lu yn ôl yr âi i drafferth drosto. Roedd Lewis wedi ailgydio yn y dasg o baratoi ei *magnum opus* arfaethedig, 'Celtic Remains', a disgwyliai i Dafydd Jones wneud llawer o ymchwil drosto. 'Dewi Fardd o Drefriw a yrrodd Gywydd i'r Cymmrodorion, dan obaith cael *subscriptions* i ryw lyfr cân o waith Huw Morus, Edward Morus, etc., a minneu a'i rhois ar waith i hela afonydd, a nentydd a chornaint!'[45] Dyma'r hyn a ddisgwyliai i Dafydd druan ei wneud drosto:

> I am an entire stranger in your parts of ye country, and can give you no plainer directions, but for some particular reasons I should be very glad of having the names of all ancient places about the river Conwy, such as

old forts or castles, old houses, ruins of towns, villages, names of mountains, of vallies, churches, chapels, or ruins of churches, high roads, if they have any old names, passes thro' mountains, lakes as Llyn dulynn etc. and what tradition you have of ye etymology of ye names of your village.[46]

Mewn llythyr arall ato, dyddiedig 14 Ebrill 1757, dywedodd Lewis ei fod wrthi hefyd 'yn casglu enwau holl afonydd Prydain a Ffraingc a'r Eidal yr un modd', a rhoddodd ragor o bwysau ar Dafydd Jones drwy gyflwyno naw o englynion yn egluro 'i ba bwrpas yr ydych yn ceisio enwau gwythiennau afon Gonwy, a hen enwau ffynhonydd, aberoedd, mynyddoedd etc.':

> Olrhain yr wyf, caffwyf pob coffa hen,
> A hanes gan wyrda,
> Enwau llefydd, defnydd da,
> Trigolion cyntir *Galia* . . .

> Dewi Fardd da yw dy fod i faneg
> Afonydd a physgod,
> A llynnau henwau hynod,
> Glynnoedd a mynyddoedd nod.

> Gyr Dewi imi, mae amod, henwau,
> Hanes mawr ryfeddod,
> Conwy a'i cheinciau hynod,
> A'i chlir wythiennau, a'i chlod.

> Cei dithau'r gair, myn Mair, mewn mwy gorchwyl,
> Gorchest fawr pan gaffwy',
> Am chwilio'n llwyr, pawb' ŵyr pwy,
> Afonydd cynnydd Conwy.[47]

Ceisia gymell Dafydd Jones eto fyth, mewn llythyr dyddiedig 24 Mehefin, i weithio ar ei ran:

Oni welwch 'i wrth yr englynion a yrrais i chwi, fy mod yn casglu enwau pobl a lleoedd yn Ffraingc a Phrydain a'r ynysoedd (gorchwyl na wnaeth neb erioed o'r blaen), fal y dealler ystorïau'r teyrnasoedd hynny ac y caffo'r hen iaith ei gwir barch a'i chymeriad.[48]

Felly roedd gan Lewis fwy i ennill ei hun drwy ochri gyda Dafydd Jones yn hytrach na Goronwy. Dyfnhaodd y diffyg ymdrech ar ran Lewis i gynorthwyo yn y dasg o gyhoeddi cyfrol Goronwy y gagendor a oedd wedi tyfu rhwng y ddau.

Roedd y rhwyg ar fin dyfnhau eto fyth. Clywodd Lewis y newyddion fod Goronwy yn bwriadu ymfudo i Virginia ar ôl cael cynnig swydd athro yn yr ysgol ramadeg a oedd ynghlwm wrth Goleg William a Mary yn Williamsburg. Credai Richard Morris y gallai'r ymfudo fod yn dro-bwynt er gwell ym mywyd Goronwy – llechen lân i fyw bywyd gwerth chweil. Anghytunai Lewis yn llwyr. Meddai wrth William:

> Dyna lle bydd meddwi ac ymdrabaeddu mewn ffosydd, fal y bu'r dydd arall pan fu Siôn Owen yn Northall. Duw gyda ni ag a'n cadwo rhag y fath ddyn anfoesol afreolus. The oddest mixture upon earth! My brother says he is sure he'll change his way of living when he is in high life, and his wife too, but I insist he will grow worse and his wife too, and that they will be a discredit to the Cambrians.[49]

Taflai sen ar Goronwy a dŵr oer ar ei gynlluniau ym mhob llythyr yn y cyfnod cyn ei ymadawiad. Tanwydd ychwanegol iddo oedd y byddai Goronwy yn cael ei gludo ar y *Tryal*, llong a ddefnyddid i fynd â drwg-weithredwyr i'r Trefedigaethau. Meddai wrth William:

> Wele daccw Ronwy yn myned gyda llong sy'n carrio drwg weithredwyr (people transported to ye plantations), ac yn disgwyl am y gwynt yn deg. So you see the *awen* hath committed some damnd misdemeanour, and is transported into Virginia, yn iach *awen* Ynghymru na Lloegr bellach.[50]

Barnai Lewis nad oedd Goronwy allan o le ymhlith y gwehilion cymdeithasol a fyddai ar y llong:

> Grono goes to ye other world with thieves and malefactors, and so is he as bad as some of them. He prevailed on my brother Richard to answer for him for twelve guineas in his necessity, and is now as saucy as a beggar, and the little children here cannot afford to give such sums of money to a scoundrel. I am quite out of patience with that motley breed, etc. Perhaps you never saw a prouder, saucier fellow, and, like a goose, thinks all mankind are to feed him.[51]

Er mwyn codi arian tuag at ei daith, aeth Goronwy ar ofyn llu o unigolion yn ogystal â Chymdeithas y Cymmrodorion. Roedd gan rai pobl, megis Richard Morris a John Owen, gydymdeimlad â'i sefyllfa, ond roedd Lewis yn galongaled:

> My brother R. and Jo. Owen are surprizd that I don't sympathize with the poor man in his poverty, and I am surprizd how any man that pretends to have common sense can supply such a fellow with money to get drunk along with his wife, when their own children at the same time are in want of ye money lent so foolishly. Aye, but he is a surprizing genius, and should be assisted for the honour of our country, and let our children who [are] no geniuses be without assistance. No, says I, he is a scandal to the country and to the religion he pretends to teach, and if an angel from heaven was to behave after the manner he doth with the juice of the chewd tobbacco running down his chin, I should insist he was an angel from hell, and though that angel could write a *cywydd* and an *awdl* as well as Dafydd ap Gwilym I should despise him. Onid gwaed yr eurychod (nage'r tinceriaid) crachlyd a'r cardowtwyr cadachog, sydd yn berwi ynddo yn drechaf ag ni wiw disgwyl daioni o hono. If he doth not bite my brother for more pounds before he goes off I wonder. [52]

Tarodd yr hoelen ar ei phen wrth honni y byddai Goronwy yn godro pobl am bob ceiniog a oedd ganddynt pe medrai. Ond mae'r darn yn adlewyrchu'n wael ar Lewis hefyd, oherwydd bod y sylwadau ar gefndir Goronwy yn amlygu ei snobeiddiwch cymdeithasol. Cyfuniad o ddiffyg doethineb Goronwy a diffyg amynedd Lewis a arweiniodd at y fath ddweud.

Ym mis Mai 1757, anfonodd Goronwy Owen 'erthyl o gywydd', chwedl ef ei hun, at Richard Morris. 'Cywydd i Ddiawl' ydoedd (a drafodir isod), a wawdiai Lewis yn ddidrugaredd.[53] Nid oedd Goronwy wedi clywed gair oddi wrth Lewis ers cryn amser ac roedd hynny'n ei 'ddigalonni'n gethin'.[54] Datgela Goronwy mai'r rheswm am y distawrwydd o du Lewis oedd ei fod yntau wedi gweld Goronwy yn yfed ac yn ysmygu yn drwm yn un o gyfarfodydd y Cymmrodorion. Roedd un o reolau'r Gymdeithas yn gwahardd meddwdod yn ystod y cyfarfodydd, ond ni lynid yn dynn wrth y rheol o bell ffordd. Cywilyddiai Lewis wrth feddwl am ymddygiad rhai o'r aelodau. 'Last night was the Cymmrodorion meeting for August . . . and at eight they meet and seldom part till twelve or two in the morning – all boozy.'[55] Gobeithiai eu bod yn cuddio'r gwendidau hyn rhag y Saeson. 'The wisest thing they ever did is to admit no strangers among them.'[56]

Nid oedd Richard ychwaith yn gosod esiampl. 'I am afraid', meddai Lewis wrth William eto, 'that foolish meeting of Cymmrodorion will make an end of him, for he stays there till one, two, three or four in the morning, and sometimes comes as far as his door (or has done it), and there sleeps till the watch awake him, or did use to sleep drunk on the vault for four or five hours and afterwards cough for a month.'[57] Yn y llythyr hwn at William, tynnodd ddarlun da o'i frawd Richard, gan resynu ynghylch ei haelioni afradlon a'i fod yn rhy barod ei gymwynas. Cofier i Richard gael ei yrru i garchar Mainc y Brenin yn Southwark i'r de o afon Tafwys am flwyddyn yn 1735/36 wedi i ddihiryn, a ffodd yn fuan wedyn, ei arwain i lofnodi darn o bapur a'i gwnaeth yn ddyledwr. Mae'r darlun hefyd yn datguddio ychydig ar Lewis:

Hwyl fab ei dad yw Rhisiart, nid da gantho a'i cynghoro, ag etto fe ŵyr fod y cyngor yn dda, ag ai canlyn fe allai ond ei gael wrth siawns. Positive, precipitate, indefatigable, quick enough and ingenious, but too credulous; loves his country to excess, and for that reason his countrymen, who all impose upon him that he deals with, and he chuses to deal with them because they are his countrymen, and I would for my part sooner deal with a Turk or a Jew than with a London Welshman . . . Fe roe fenthyg i gnaf brwnt pan fyddai ei deulu ei hun mewn eisiau, and I believe he has refused some of them lately.

Serch hynny, daeth i'r casgliad fod y 'brawd yn gawr, nid oes un o'ch ustusiaid, er cynnifer sy o honynt, yn edrych mor foneddigaidd ag ef ynghadair y Cymmrodorion, gwedi ei oreuro drosto'.

Y ddeunawfed ganrif oedd oes aur llyfrgelloedd preifat Cymru, a phe bai'r Cymmrodorion wedi gwireddu'r syniad a wyntyllwyd yn y Gosodedigaethau o greu egin llyfrgell genedlaethol, a fyddai wedi bod cymaint yn well na'r oes o chwalu casgliadau o lyfrau a llawysgrifau a ddilynodd, y tebyg yw y byddai Llyfrgell Genedlaethol Cymru wedi gallu tynnu ar hen gasgliadau sefydlog fel y digwyddodd yn achos cynifer o lyfrgelloedd cenedlaethol Ewrop yn y bedwaredd ganrif ar bymtheg. Brawychwyd Lewis i'r fath raddau pan welodd gyflwr llyfrgell ei frawd Richard fel yr aeth ati i geisio adfer y sefyllfa. Hysbysodd William ar 23 Awst 1757, 'I am now making a library for brother R.M., i.e. in plain words putting his books in order, for he is like an old miser that hath a good deal of money but doth not know where it is.'[58] Gan fod y farchnad lyfrau yn ei babandod, roedd catalogau gwerthiant yn hanfodol bwysig. Gwnaeth Lewis ddefnydd helaeth ohonynt. Dywed mewn llythyr at

William Morris yn 1757 iddo dderbyn holl gatalogau Llundain 'of any consequence'. Roedd Richard ei frawd yn ffynhonnell werthfawr yn y cyd-destun hwn.

Erbyn canol Mehefin 1757 derbyniodd Lewis lyfrau yr oedd wedi eu rhoi ar fenthyg i Goronwy yn ôl a chyda hwy anfonodd Goronwy y cyfieithiad o un o ymddiddanion Lucian y cyfeiriwyd atynt tua diwedd pennod 7. Soniodd Lewis am hyn mewn llythyr at y brawd Gwil, ac mae blas casineb ar y geiriau:

Dyma ni newydd gael y llyfrau a fenthycciasom i Gronwy gelwyddog, mi a feddyliais â maint ei ystumiau a'i esgusion na ddaethent byth adref ... I wonder how the poor devil of an *offeiriad* goes on now. I don't hear anything of his being to be turnd out, I suppose they don't drink as much as they did, poverty hinders them, and the alehouse will not give them credit. Nawdd Duw rhag y fath ddyn! A surprizing composition! What poet ever flew higher? What beggar, tinker, or sowgelder ever groped more in the dirt? A tomturd man is a gentleman to him. The juice of tobbacco in two streams runs out of his mouth. He drinks gin or beer till he cannot see his way home and has not half the sense of an ass, rowls in ye mire like a pig, runs through the streets with a pot in his hand to look out for beer; looks wild like a mountain cat, and yet when he is sober his good angel returns and he writes verses sweeter than honey and stronger than wine. How is this to be solved? His body is borrowed or descended from the dregs of mankind and his spirit from among the celestial choir, what a stinking dirty habitation it must have.[59]

Cydnabyddai, fel arfer, allu rhyfeddol Goronwy fel bardd, ond roedd gwendidau ei gymeriad yn ormod iddo. Barnai fod Goronwy yn eithriadol o anystyriol ac anniolchgar. Rhaid cofio ei fod wedi darllen 'Cywydd i Ddiawl' (y gerdd alegorïol a luniasai Goronwy er mwyn dychanu'r Llew) cyn ysgrifennu'r geiriau hyn, sy'n rhannol gyfrifol am y gor-ddweud. Mae dawn ddychanol Lewis hefyd ar waith yma, yn cymryd elfen o wirionedd a'i chwyddo yn afresymol. Mae'r darn yn cadarnhau ffaith drist – fod perthynas Lewis a Goronwy yn anadferadwy.

Felly, erbyn haf 1757 cawsai Goronwy lond bol ar addewidion a geiriau gwag. Roedd yn llwm ei fyd a theimlai fod ei obeithion am gael bywoliaeth yng Nghymru yn chwilfriw mân. Cymerodd lw i ymwrthod â'r awen am byth a phenderfynodd fynd yn alltud 4,000 o filltiroedd i ffwrdd yn America. Ymhlith y fintai o droseddwyr, methdalwyr a phuteiniaid a ymgasglodd ar fwrdd llong y *Tryal* ym mis Rhagfyr 1757 ar gyfer y daith hir dros gefnfor yr Iwerydd, roedd y clerigwr ifanc 34 oed hwn a oedd yn fardd Cymraeg mwyaf ei gyfnod. Erbyn i Goronwy a'i deulu hwylio ymaith ar y *Tryal*, 'y llong sydd i'w dros-glwyddo ymaith nid am ei ddaioni', roedd Lewis yn argyhoeddedig na ddylid bwrw ymlaen â'r gyfrol o farddoniaeth Goronwy.[60] Barnai nad oedd agos ddigon o ddeunydd, 'ag ynddo dybygwn gynifer o ganiadau ag a wnae dair sheet neu bedair'. Awgrymodd ei frawd Richard a'i nai John Owen wrtho y gellid cynnwys peth hen farddoniaeth Gymraeg yn y llyfr, gan adlewyrchu syniad gwreiddiol Lewis ei hun. Er hynny, taflodd ddŵr oer ar y cynllun oherwydd heb nodiadau arnynt, meddai,

> they'll be but miserable performances and better let alone, and the whole scheme looks to me like a man that had found a bag of nails on the road, and would buy timber and all other materials to build a house of those nails.[61]

Ystryw arall, rhyfeddol ac annisgwyl, a ddefnyddiodd i ddarbwyllo pobl y dylid rhoi'r gorau i'r syniad oedd edliw iddynt ddiglemdod Goronwy fel bardd. Er mwyn gwneud hynny, rhoddodd y farwnad i fam y Morrisiaid, Marged Morris, o dan y chwyddwydr a cheisiodd chwythu'r gerdd yn deilchion. Gweddnewidiodd ystyron rhai geiriau gan gam-liwio'r gerdd yn llwyr mewn llythyr at William ei frawd:

> Gronow's works will not make above a 3d. pamphlet as they are, but I see the loadstone and magic that is in them is the *Cywydd Marwnad Marged Morris* and some silly empty encomiums on her sons, which should be perpetuated to future ages in these poems which must live for ever. But if the sons can make nothing else perpetuate their memories, I (as for my part) would chuse this ill expressed poem would never do it, for I should be ashamed of it; as much ashamed as I was of the advertisement formerly put in the newspapers about *yr allor yn y fonwent*, for it would make people look empty and vain, and ready to swallow the flattery of fools and indigent beggars. Suppose only your own case as you are described in that cywydd, a most miserable botanist –
>
> 'A allai fod (felly ei fam),
> Deilen na nodai William!'

That is in plain English: he was as good a botanist as an old woman. Wonderful indeed! 'Chwiliai ef yr *uchelion*,' in the clouds I suppose. But if he means by *uchelion* the tops of mountains for *dail*, why not *iselion* too, 'a môr a thir am wyrth Iôn.' Our grand-children, from this blind account, can only gather that William gathers *dail* from *môr a thir*, and so makes *elion* ac *olewon* of them as his mother did, and as most good old women doctors do. Lewis's station is to watch the Welsh awen, '*Gwarcheidwad Awen*,' an excellent post! And he is fit for nothing else, and for aught our grand-children may know, might have been a *clerwr* from house to house.

> 'Rhisiart am gerdd bêr hoywsain
> Hafal ni fedd Gwynedd gain.'

No poet in North Wales to be compared to him. Is not this a lying rascal? The man never wrote a poem in his life. But he would be glad that the world should believe he did, and so would have this lie published.[62]

Daeth penderfyniad Goronwy i gefnu ar Gymru ar adeg wael ym mywyd Lewis. Pwysai'r byd fwyfwy ar ei ysgwyddau wrth i 1757 fynd yn ei blaen. Erbyn diwedd y flwyddyn roedd wedi cael llond bol ar Lundain a hiraethai am ei deulu, a oedd wedi mudo o Alltfadog i Benbryn yn y gwanwyn. Mynegodd ei gŵyn wrth William ei frawd: 'Wele hai, dyma fi gan glafed a phastai, ag yn ffaelio sgrifennu, a chwedi cwbl diflasu ar fy myd; och fi am fynydd ag awel deneu, a golwg ar fy nheulu.'[63] A hyn oll ar ben yr helyntion cyfreithiol. Pa obaith oedd o ennill cydymdeimlad a chymorth y Llew er mwyn cyhoeddi llyfr Goronwy? Ond yr hyn a wnaeth y berthynas rhyngddynt yn anadferadwy oedd 'Cywydd i Ddiawl'. Roedd William yn amau nad apeliadau diddiwedd Goronwy am gymorth ariannol yn unig a ddigiodd Lewis. 'Aïe arian a barodd i'r Llew ddibrisiaw barddoniaeth yr offeiriad? A ddarfu ddim cerdd hefyd ei ddigiaw?'[64] Ychwanegodd yn yr un llythyr at Richard ei frawd: 'Gerwin o'r troad, nid oedd ac ni fasai erioed hafal Grono, cyn troseddu.' Roedd y gerdd yn fêl ar fysedd John Owen, ac anfonodd gopi at ei ewythr, Edward Hughes, ar 8 Rhagfyr 1757 a 'Goronwy wedi hwylio am Virginia ers dyddiau'. Mewn llythyr diweddarach, sicrhaodd John Owen ei ewythr mai Lewis oedd gwrthrych y cywydd:

Ie, yn ddigon gwir ichwi mai y Llewod oedd y Ronwy yn ei feddwl pan sgrifennodd y cywydd melltigedig hwnnw, ond nid oedd ddim yn chwennych ei enwi fallai am ryw achos dirgeledig, ond ettwa fe ddigwyddodd i'r Llew weled y gwaith yn rhywle ac nid eill o byth aros sôn am Gronwy druan. Ni thâl gwaith Gronwy faw yr awron! Ond ai nid cof gan bobl onest ddiragrith diymffrost fal chwi a minnau, (neu ryw wŷr eraill defosionawl o'r fath) fod gwaith Ronwy gynt fal *Salmau Dafydd* yngolwg Llewod, ac na basai erioed y fath ddyn celfyddgar ar wyneb y ddaearen o'r blaen? Ond yn awr, na soniwch am dano rhag ofn drwg. Dyn meddw, cas, anfoesawl, heb arno un gamp odidog mwy nag ar ryw anifail arall, ac yn ddiau y bydd raid iddo drigo mewn ffos a drewi o eisiau lluniaeth cyn ei fynd o'r byd yma!⁶⁵

Yn 'Cywydd i Ddiawl' lluniodd Goronwy bortread o ddyn annymunol ac anfoesol:

> Dyn yw, ond heb un dawn iach
> Herwr, ni bu ddihirach;
> Gŵr o gynneddf anneddfawl,
> Lledfegyn, rhwng dyn a diawl.
> Rhuo gan wŷn, rhegi wna,
> A damio'r holl fyd yma; . . .
> Cofier nad oes neb cyfuwch,
> Nid oes radd nad yw Syr uwch;
> Marchog oedd ef (merchyg ddiawl);
> Gorddwy, nid marchog urddawl;
> Marchog gormail, cribddail, cred,
> Marchog y gwŷr a'r merched.
>
> (*DT*, tt. 62–6)

Awgrym y llinell olaf uchod yw bod Lewis yn hel dynion yn ogystal â bod yn ferchetwr, ond mae'n bur debyg mai dialedd Goronwy sydd yma yn ceisio paentio darlun du ohono gan wau cymysgedd o wir ac anwir. Honnir yn y gerdd fod ganddo nifer o ffaeleddau, gan gynnwys rhegi a godinebu, ac amlygir yr un gwendidau yn y Llew mewn llythyr gan ei nai John Owen at Edward Hughes, a gyfleodd ddarlun miniog ohono fel un a ganlynodd forwyn gydag afiaith blysig:

Myn D---l, mae yn bur wir ichwi, ei fod ers dyddiau wedi bod yn lletyfa dipyn o'r dref mewn tŷ hen Gymraes, a rhyw noswaith, mae'n debygol, e gytunodd â'r forwyn am ei neges, a'r bore drannoeth efo a hithau a godasant oboitu pump o'r gloch (cyn pryd arferawl i eraill godi yn y teulu) y bore, ac ati hi yr aed, gan osod y lodesig ar draws rhyw fwrdd oedd yn y tŷ, ond yn rhywfodd fal yr oedd anlwc iddynt, yr oedd yn lletyfa yn yr un tŷ ddyn arall, yr hwn a ddigwyddodd godi ynghynt na phob amser, ac aeth i lawr y grisiau ac a'u daliodd yn ei gweithio hi yn dingrych. Bid a fynno, nid aeth y dyn ddim i'w rhwystro, ond ar ôl edrych tipyn arnynt fe aeth allan i'r drws arall heb iddynt hwy oll ei weled. Nid oes mo'r llawer er pan glywais i hyn, ond y mae'n bur wir. Dyna hen anlladwr onidê? Ac nid oes neb arall onid ef yn onest. Hwrs, puteiniaid, lladron &c yw yr holl fyd. Beth ped fai Capten yn clywed y fath ystori â hon yna? Mi wrantaf y byddai ym Mhenbryn ryfel bentan.[66]

Cofier mai stori ail-law yw hon am gyfathrach Lewis â morwyn yn Llundain. Ond tebyg oedd ergyd John Owen mewn llythyr arall: 'Rôgs, lladron &c. yw'r holl fyd ond y fo ei hunan, medd ef, medd pawb eraill mai y fo ydyw'r gwaethaf o'r cwbl.'[67] Aeth Goronwy ymlaen yn ei gerdd i ymosod ar ariangarwch a diawlineb cyffredinol Lewis, gan gynghori'r Diafol i beidio a'i dderbyn i blith ei ellyllon.

Roedd yr hyn a nododd Lewis ar 13 Awst 1760 yn wir trwy gydol ei fywyd: 'I never want employment, if I am provided with pen, ink and paper.'[68] Gweithgaredd amser hamdden oedd barddoni a llenydda iddo, dihangfa rhag trafferthion 'Gallt y Gofal'. Fel y dywedodd wrth William Vaughan wrth yrru copi o 'Caniad Hanes Henaint' ato: 'How the Devil (says you) can this man, among all his troubles in Cardiganshire, write upon such light subjects?'[69] Atebodd y cwestiwn: 'The *Awen*, which raises my imagination above the Gross Material Creation, is to me the greatest friend in adversity.' Mae hyn yn rhannol esbonio pam fod cymaint o'i weithiau yn tueddu i fod yn llon heb fod ynddynt na gofid na galar. Serch hynny, ceir sawl cerdd heb yr afiaith a'r direidi arferol. Enghraifft nodedig yw 'Cywydd Marwnad Llewelyn Morys', ei farwnad i'w nai (plentyn Richard a aned y dydd olaf o Ragfyr 1755) a fu farw yn Llundain ar 2 Mehefin 1758 yn ddwyflwydd a phum mis oed o afiechyd y 'wrach atgas'. Roedd Lewis wedi mwynhau cwmni ei nai bach gryn nifer o weithiau yn ystod ei arhosiad hir olaf yn Llundain. Roedd ei nai mor ifanc fel na allai ynganu 'Llewelyn' (ei enw ei hun ac enw ei ewythr):

> Och am fy nai, ddifai ddyn,
> Ni allai alw Llewelyn,
> Och, angau â'i gleddau glas,
> A nododd ddiniweidwas.

(*DT*, tt. 159–61)

Noder bod 'Ni alla'i alw Llewelyn' hefyd yn ddarlleniad posibl o'r ail linell uchod. Mae 'glas' yn air da i ddisgrifio dur diarbed y cleddau ac yn ddatblygiad crefftus ar yr ymadrodd cyffredin 'angau glas', tra bod 'nododd' yn ffordd effeithiol o awgrymu bod marwolaeth wedi hawlio Llewelyn iddi'i hun fel y mae ffermwyr yn clustnodi defaid i ddynodi perchenogaeth. Roedd y darllenydd yn y ddeunawfed ganrif yn disgwyl, fel yr ydym ninnau heddiw, i farwnad fynegi galar yr awdur, ac nid ei fedr wrth ddefnyddio confensiynau llenyddol yn unig, ac yn y gerdd hon ceir angerdd diffuant. Disgrifir lleferydd ei nai yn ddeheuig:

> Dadwrdd a dechrau dwedyd,
> Araith heb iaith yn y byd,
> A wnâi'r maban bychan bach;
> A fu grefwr ddigrifach?

Mae 'araith heb iaith' yn dra effeithiol oherwydd er bod 'araith' ac 'iaith' yn gysylltiedig o ran ystyr, mae'r negyddair 'heb' yn gwneud synnwyr llwyr yma wrth ddisgrifio'r bychan. Ymelwir ar sain y gynghanedd er mwyn pwysleisio cân a pharabl cofiadwy'r plentyn:

> Duw a alwodd ei deulu,
> Pen cantorion, loywon lu,
> I ganu cerdd gogoniant;
> Ac yn eu plith genau plant.
> A rhaid oedd ar gyhoedd gôr,
> Dynan a ganai denor.

Mae'r gerdd, a oedd mae'n debyg yn isymwybodol gathartig, yn diweddu trwy fynegi gobaith, mewn cwpledi uniongyrchol a chlir, gan arddangos tawelwch meddwl. Colled y ddaear oedd budd y nefoedd:

> Aeth, bereiddlef, i'r nefoedd,
> Mynnai Duw, a mwyned oedd.
> Ac yno'n seraff praffwych,
> Yn gerddor yn ei gôr gwych;
> Lle hylaw, bydd Llewelyn,
> Â'i ddiau gerdd i Dduw gwyn,
> Yn lluosog yn lleisio
> Mewn tragwyddol freiniol fro.

Tystir i ddawn Lewis i gyfleu profiad yn gelfydd mewn geiriau, sef y nodwedd sy'n gwahanu'r artist a'r dyn cyffredin. Rhydd enghraifft brin o ddynoldeb a thynerwch praff yn ei weithiau, gwedd arno na welwn yn aml. Mae'r gerdd yn debyg i farwnad Goronwy Owen i'w ferch Elin, a fu farw yn flwydd a hanner oed yn 1755. Mae Goronwy yn portreadu golau a disgleirdeb (nodweddion a gysylltir bob amser â bywyd, tyfiant a nerth) wrth iddo ddisgrifio ei ferch fel un 'oleubryd' ac yn 'eneth liw sêr' cyn cloi:

> Câi, f'enaid, deg euraid goron – dithau,
> A lle yngolau llu angylion.

(DT, tt. 20–1)

Cysurwyd Goronwy gan y gobaith fod enaid ei ferch wedi esgyn i'r nefoedd (dyna hefyd y gobaith a fynegir ar ddiwedd marwnad Goronwy i fam y Morrisiaid).[70] Ceir adleisiau o farwnad benigamp Lewys Glyn Cothi i'w fab Siôn, gyda'r darlun tyner a chofiadwy o'r plentyn pum mlwydd oed, ym marwnad Lewis.[71] Mynegodd William Morris ei edmygedd o farwnad Lewis mewn llythyr at Richard ei frawd ar 17 Hydref 1758: 'Gwych y canodd y Llew yw nai a thragwych yr odl a roddasoch ar ei fedd.'[72] Mae hon yn un o'r goreuon o'i gerddi dwys. Dadleuodd T. S. Eliot fod cynnwys awdur radical newydd mewn canon llenyddol a sefydlwyd eisoes yn newid ein gwerthfawrogiad o bopeth a aeth o'i flaen.[73] Mae'r hyn sydd yn wir am draddodiad cyfan hefyd yn wir am awdur unigol. Mae pob cerdd yn newid ein canfyddiad o'i rhagflaenwyr (os dim ond ychydig). Mae'r farwnad i'w nai yn arddangos dyfnder teimlad sydd yn braidd yn brin yng ngweithiau Lewis, ond mae hefyd yn ein cynorthwyo i sylweddoli y ceir trwy gydol ei weithiau ysgafnder cyffyrddiad sy'n arddangos sensitifrwydd. Y farwnad hon i'w nai oedd y cywydd olaf iddo ei lunio. Cyfaddefodd wrth Edward Richard ar Galan Mai 1761: 'my vein for cywydds is all spent, digon o waith imi yw gwneuthur pennill trwscl gwirion.'[74] Diddorol mai'r cywydd oedd y mesur a ddewisodd ar gyfer y gorchwyl pwysig o farwnadu ei nai. Er mai ef oedd y beirniad cyntaf i weld rhinweddau'r hen benillion telyn ac er gwaethaf ei hoffter o fesur y triban, roedd ei reddf a'i chwaeth wedi dweud wrtho y tro hwn mai'r hen gyfryngau Cymreig traddodiadol, y cywydd a'r gynghanedd, oedd fwyaf addas ar gyfer marwnad goeth.

Roedd ei fys yn dal i fod mewn sawl brywes ac roedd yn rhyfeddol o brysur. Cyfeiriodd John Owen at hyn yn ei ddull crafog arferol, wrth anfon copi o'r farwnad a luniodd Lewis i'w nai at Ieuan Brydydd Hir ym mis Hydref 1758:

which may give you a taste of the fat man's awen in his old age. I thought
he had dropt his acquaintance with her fairly since the time he involved
himself in law affairs. I remember the time when he used to be a great
lover of music & poetry, and an encourager of everybody that were that
way inclined, but of late I think the thoughts of getting & spending of
money have drove all those good qualifications out of his noddle, nawdd
Duw meddaf i rhag dodi fy mryd yn rhy ddwys ar arian.[75]

Bu carwriaeth ei ferch Pegi â Dafydd Morgan – y mwynwr cyffredin
a ddaeth yn gymharol gyfoethog ar ôl iddo ef a'i frawd ddod o hyd i
wythïen o fwyn plwm yn Esgair-y-mwyn – yn fwrn ar enaid Lewis
Morris o gychwyn y berthynas ym Môn yn haf 1752, yn arbennig
oherwydd iddi wrthod trefniant i'w phriodi gyda thirfeddiannwr bychan
o Blas Rhoscolyn ym Môn, Hugh Hughes. 'The account I have from
Cardiganshire about my silly unfortunate daughter gives me great
uneasiness', meddai'r Llew wrth Ann ei briod, a chan gymharu Hugh
Hughes a Dafydd Morgan ychwanegodd: 'Such a man of sense and
character would have been a credit to be allied with, and might have
made that silly creature happy; but it seems she chooses to be allied with
dirt and rags and ignorance.'[76] 'Rhyw beth a fyn fod ydyw'r carwriaeth
rhwngthynt', meddai Edward Hughes wrth William Morris, a chystal
fyddai i'w thad geisio troi afon Rheidol yn ôl i Bumlumon na chynnig
troi Pegi.[77] Ffynnodd y garwriaeth, fel y tystiodd John Owen: 'Ni wn fi
beth i ddwedyd am y Capt. Cydidach [Dafydd Morgan] ond ei fod yn
ymlyfu efo'r Cidyll [Pegi] yn ddidrangc ag nid oes na dur na haiarn a'u
gwahana.'[78] Serch hynny, gwahanwyd yr anwahanadwy drwy angau.
  Ar farwolaeth gymharol ddisymwth ei chariad Dafydd Morgan ym
mis Chwefror 1757, etifeddodd Pegi £200 ganddo, ac ymhen amser bu
cryn gystadlu am ei llaw. John Owen, yn ei ddull dihafal ei hun mewn
llythyr dyddiedig 6 Chwefror 1759, sy'n rhoi gwybod inni am egin
berthynas arall: 'Mi glywaf gan eraill fod mab Robert Lance yn pidyn-
lonni ar y gyfnither Margaret a hithau mae'n ddiau mor rhywiog i'r
gamp a'r ci i damaid o ymenyn.'[79] Nid am y tro cyntaf, amlygodd Pegi ei
dawn i ffyrnigo Lewis trwy ei chwaeth garwriaethol (am nad oedd
Robert Lance, swyddog tollau yn Aberystwyth a oedd â'r un enw a'i
dad, yn ddigon ariannog mae'n debyg), ond ofer oedd ei wrthwynebiad
unwaith eto. Priodwyd Pegi a Robert Lance ar 16 Mehefin 1759, cyn
plannu gwreiddiau yn Llanbadarn Fawr. Go brin mai derbyn y sefyllfa
yn fawrfrydig a wnaeth Lewis ar ôl y briodas. Fel y tystiodd William
wrth Richard ddechrau mis Gorffennaf 1759: 'Dyma lythyr oddiwrth

Lywelyn yn achwyn ar Fegws am gymeryd gŵr o'r Teifisiaid.'[80] (Yn y cyd-destun hwn, gallwn ddwyn i gof yr hyn a wnaeth Lewis yn 1729, sef priodi merch 15 oed yn groes i ddymuniad ei theulu.) Corddwyd y dyfroedd ymhellach pan deithiodd Pegi i Fôn, yng nghwmni ei gŵr newydd, yn y gobaith o feddiannu rhan o etifeddiaeth ei mam, sef Elisa-beth Griffith, gwraig gyntaf Lewis. Ond siwrnai seithug a gafodd, fel yr eglurodd Lewis yn hunanfoddhaus wrth Richard ar 24 Chwefror 1760:

> They went to Anglesey with an intention of taking possession of Tŷ Wridyn, which Margaret thought was hers since she arrived to 21, but the fact is there was no settlement, and therefore she and her sister [Elin] are co-heiresses, and I hold it as tenant by the courtesy of England during life. These are wise people![81]

Amlygir ei chwerwedd ynghylch priodas Pegi mewn llythyr at Richard ar 27 Mawrth 1761 yn awgrymu bod ei ferch benchwiban wedi dal clefyd gwenerol gan ei gŵr. Meddai wrth sôn am ei ardd:

> Ond fe allai gwedi trin yr holl hadau a'r coed a'r planhigion, mae crachu ag afrowiogi y byddant fal y planhigion plantos o'r eiddom, megys Marged fy merch, yr hon a briododd chwiwgi yn erbyn f'ewyllys, ag mi dybygwn ei fod gwedi rhoi'r clwyf Ffreinig iddi, oblegid mae hi yn bur sâl, ond yn pallu cyfaddef pa glwyf sy arni, er bod yr holl gymdogion yn taeru mae dyna'r achos.[82]

Gwrthododd ymweld â Pegi yn ei chystudd, a bu farw yn fuan wedyn yn 30 oed. Syfrdanol yw'r modd y cyfleodd y newyddion trasig i'w frawd Richard mewn llythyr dyddiedig 9 Ebrill. Yng nghanol y llythyr dywedir: 'Daccw Farged drwstan gwedi ei chladdu. Digon o siampl i blant anufudd. Chwiwgi digydwybod oedd ei gŵr, am ddwyn ei hoedl, a'i pherswadio i wadu'r gwir hyd y diwedd.'[83] Heb oedi ar y pwnc ym-hellach aeth yn ei flaen: 'We are at the brink of our election. I suppose Vaughan will not appear in an opposition.'

Wedi rhai misoedd o ddiweithdra, ymunodd y direidus John Owen â'r Llynges yn 1758 pan benodwyd ef yn glerc o dan y Capten Francis William Drake ar fwrdd y llong ryfel *Edgar*, 'o 64 gwn newydd danllif' meddai yn edmygus.[84] Roedd yr *Edgar* yn un o 14 llong a hwyliodd am y Môr Canoldir ar 14 Ebrill 1759, y cwbl o dan gyfarwyddyd y Llyngesydd Edward Boscawen, â'r dasg o atal paratoadau'r Ffrancwyr i ymosod ar Loegr. Mewn llythyr diweddarach yn adrodd hanes y fordaith wrth

Lewis, dywedodd Richard Morris mai dynion wedi eu presio yn an-
foddog oedd llawer o'r criw, a bod rhai ohonynt wedi eu heintio â
chlefyd. Ysywaeth, cyn i'r *Edgar* gyrraedd Gibraltar ymledodd y
twymyn teiffws gwenwynig a elwid 'jail fever' neu 'jail distemper' yn
gyflym drwy'r llong. Roedd y Capten Drake a'i glerc John Owen ymhlith
y dioddefwyr ac ni wyddai gweddill y criw pa un o'r ddau fyddai farw
gyntaf. Cafodd y Capten adferiad ffodus, ond roedd John Owen yn un o
60 a fu farw ar y fordaith honno. Fe'i collwyd ym Mehefin 1759 ac yntau
heb fod ond 27 oed. Parodd ei farwolaeth annhymig rywfaint o gecru cas
rhwng Lewis a Richard ei frawd. Roedd gwreichion wedi dechrau tasgu
pan adawodd Lewis Lundain i fynd adref i Benbryn gan adael John
Owen ar drugaredd Richard. Swm o £50 'onid chwecheiniog' yn unig a
roddodd Lewis i'w nai fel cydnabyddiaeth o'i wasanaeth yng Ngallt-
fadog a Llundain. Teimlai John Owen ar y pryd fod hyn yn bitw ac iddo
gael ei ddefnyddio yn ddigywilydd. Adroddodd wrth Edward Hughes
fod y Llew wedi dweud wrtho hefyd:

> na byddai dim o'i eisiau mwyach yn Sir Aberteifi ac am iddo wneuthur ei
> oreu o'i ffordd a mynd ar fwrdd *man of war* neu rywle i geisio ei
> fywoliaeth. O'r Diawl a elo â'r fath Lewod. Pan welodd nad oedd dim
> o'm heisiau arno ef, fe'm troes i bant a'r cebyst dros fy ngwar fal hen
> geffyl . . . och yn ei hen din dew, meddaf fi.[85]

Eisoes, cyn i John Owen fynd i'w fedd dyfrllyd, roedd Richard wedi
dweud ei gŵyn wrth William, a chytunai'r ddau ynghylch crintachrwydd
Lewis. Dywedodd Richard ymhellach yn ei lythyr at Lewis fod John, yn
yr ychydig wythnosau y bu ar y môr, wedi gwneud cymaint o argraff ar y
Llyngesydd Boscawen fel iddo gael ei ddyrchafu'n glerc ar long fwy a
gwell na'r *Edgar*. Digwyddodd i'r Llyngesydd anfon amdano i dderbyn
ei warant ar gyfer ei swydd newydd tra oedd ar ei wely cystudd, ond
gwelodd Duw'n dda i rwystro hynny, a'i ddyrchafu i le gwell. Gwelsai
Richard, yn rhinwedd ei swydd yn Swyddfa'r Llynges, lythyr oddi wrth y
Capten Drake at ei asiant yn gofidio iddo golli y clerc gorau a gawsai
erioed, a buasai'n well ganddo fod wedi colli hanner criw'r llong na'i
golli ef. Ychwanegodd Richard: 'It is some comfort to his friends that he
behaved so well in his station, and had he lived, I am persuaded he
would have been grateful to every one that had assisted him.'[86] Trwy
bwysleisio rhinweddau John Owen, roedd hefyd, yn gynnil ac yn graff,
yn edliw i Lewis iddo drin ei nai mor wael. Ni allai Richard osgoi
meddwl y byddai John Owen yn dal i fod ar dir y byw pe bai Lewis yn

dal i'w gyflogi. Roedd haf 1759 yn egr o greulon i Elin, chwaer Lewis a mam John Owen, oherwydd collodd hefyd fab arall, William, o dwymyn ar long ryfel yn Jamaica yn 21 oed. Pan ddychwelodd yr *Edgar* i Loegr, talwyd yr ychydig gyflog a oedd yn ddyledus i John Owen i'w ewythr Richard, a chyda hynny llwyddodd hwnnw i glirio'r dyledion 'i bawb ond myhun, yr hwn wyf yn golledwr oddiwrtho'.[87] Am fisoedd ar ôl hynny roedd John Owen yn bwnc tabŵ yn llythyrau'r Morrisiaid.

Ailagorwyd y clwyf pan drawyd Lewis yn wael ym mis Mehefin 1761. Ysgrifennodd at Richard i ddweud ei fod ar ei wely angau, a gofynnodd yn daer i'w frawd drosglwyddo unrhyw arian a oedd yn ddyledus iddo ar fyrder fel na fyddai ei blant yn amddifad: 'let my poor infants have a fair account with you', meddai, gan ychwanegu'n ddadleuol: 'You claimed something because you lost money by John Owen, it was not with my consent that was done.'[88] Ni allai Richard lai na'i amddiffyn ei hun yn ddi-oed:

> Were you in sound health, I could heartily quarrel with you on those two heads. The first carries a strong suspicion of my honesty; as to the second, you promised before me and my wife to give £100 to John Owen: an acknowledgement that you then looked on yourself so far his debtor. You afterwards gave him £50, left him on my hand – I assisted in fitting him out handsomely on a fine prospect of life; he died, I lost money by him, and if you think in your conscience I deserve it for my good nature, I am well content, and hope his soul is at rest. Had he lived he would have paid me.[89]

Anodd yw osgoi'r casgliad mai Richard yn unig a ddaeth drwy'r helynt a'i enw da yn gadarn.

Ni phylodd diddordeb Lewis mewn ysgolheictod a llenyddiaeth Gymraeg yn ystod y blynyddoedd hyn, a phan aeth Ieuan Brydydd Hir i Benbryn yn 1758 gyda llawysgrif a oedd yn cynnwys 'Y Gododdin', credai'r ddau eu bod wedi darganfod arwrgerdd fawr y Cymry. Roedd hyn yn ddatblygiad eithriadol o arwyddocaol i feirdd ac ysgolheigion y cyfnod oherwydd iddynt hwy roedd yn brawf terfynol o dras a statws y traddodiad barddol Cymraeg, ac yn gofnod o hen orffennol arwrol Cymru. Ni allai Lewis gelu ei lawenydd wrth adrodd yr hanes wrth Edward Richard ar 5 Awst 1758:

> Who do you think I have at my elbow, as happy as ever Alexander thought himself after a conquest? No less a man than Ieuan Fardd, who hath discovered some old MSS. lately that no body of this age or the last ever

as much as dreamed of. And this discovery is to him and me as great as that of America by Columbus. We have found an epic poem in the British [sef yn y Gymraeg] called Gododdin, equal at least to the Iliad, Æneid or Paradise Lost. Tudfwlch and Marchlew are heroes fiercer than Achilles and Satan.[90]

Nid yw ymateb Edward Richard wedi goroesi, ond ymddengys mai pwyllog ydoedd, oherwydd yn ei lythyr nesaf mae Lewis yn ymddiheuro am gymharu cyfres o awdlau byrion y cynfardd Aneirin ag arwrgerddi Homer a Fyrsil.[91]

Erbyn mis Awst 1758 roedd dau fab hynaf Lewis, sef Lewis a John, yn astudio wrth draed Edward Richard yn ysgol Ystrad Meurig, ac yn naturiol roeddynt yn bwnc trafod cyson yng ngohebiaeth doreithiog Lewis a'u meistr o 1758 hyd 1761. Roedd y ddau ddisgybl yn lletya o fewn muriau'r ysgol am dymor cyfan ar y tro, a theimlai Lewis fod perygl i hyn fygu eu hwyliau a'u hasbri cynhenid. O'r herwydd, gwelodd yr angen i'w cadw gartref yn hwy nag y dylai adeg gwyliau'r Nadolig 1758:

> they were grown meer dunces as to the knowledge of mankind, which is always the effect of a solitary life, monasteries, schools &c. Therefore, I let them have their full scope among all the busy lads of the neighbourhood, which I find has raised their spirits and given nature a philip.[92]

Nid oedd ganddo feddwl uchel o'u doniau academaidd ac ymddiheurodd ar eu rhan sawl gwaith i'r ysgolfeistr. Parodd hyn i Edward Richard ladd dau aderyn ag un garreg, gan amddiffyn eu galluoedd hwy a rhoi teyrnged i'w tad:

> why should you doubt their capacity? I have fifty & upward under my care that are not equal to them: I am sure if they have fair play they will make much better scholars than their Master; & for aught I know may in time come up to their father, which I think is sufficient for them or any body else.[93]

Nid argyhoeddwyd y Llew fel y gwelir yn ei ateb: 'Nature has not been so kind to them, they may be excellent for coursing and cock-fighting, the only qualifications of this country; their genius seems inclined to nothing higher.'[94] Talai £12 y flwyddyn am addysg ei blant yn Ystrad Meurig, ond ni rwystrodd hynny iddo eu galw adref am bedwar diwrnod i gynorthwyo â'r cneifio ym mis Gorffennaf 1760. Ond aeth y pedwar diwrnod yn chwech, ac Ann fu'n gyfrifol am hynny, fel yr eglurodd Lewis wrth Edward Richard wrth eu hanfon yn ôl i Ystrad Meurig ar 13 Gorffennaf 1760:

> The boys return after a stay of four days, and two days their mother kept them for which I am not accountable, for tho' Scripture and the Church say man and wife are one, yet if ever you are blessed with a wife you will find yourselves to be two most commonly, especially in disputes about children.[95]

Bu'r bechgyn yn ddisgyblion yn yr ysgol tan 1761. Cwmpasai llythyrau Lewis a'r ysgolfeistr gryn dipyn yn fwy nag addysg Lewis a John, ac roedd barddoniaeth a beirniadaeth yn bynciau bytholwyrdd. Unwaith eto, Lewis Morris, ynghyd ag Ieuan Brydydd Hir (cyn-ddisgybl Edward Richard), a gyneuodd ddiddordeb Edward Richard yn y Gymraeg ac a'i symbylodd i ddechrau barddoni yn yr iaith.

Pan luniodd Edward Richard ddwy gân i'r bont a godwyd ar draws afon Teifi yn Rhydfendigaid, a cheisio barn Lewis arnynt, fe ysgogwyd trafodaeth ddiddorol. Amlygwyd rhagfarn y Llew ynghylch ffurfiau tafodieithol y de: 'The *Songs of the Bridge* would have out done the best things of Hugh Morris, if you had been correct in the language, but still I say for South Wales songs they bear the laurel.'[96] Manteisiodd ar yr hyn a ystyriai fel diffyg purdeb geirfaol y ddwy gân i gyhuddo deheuwyr o esgeuluso'r Gymraeg trwy ei chymysgu â'r Saesneg: 'In South Wales they busied themselves in fighting more than writing.' Ni chytunai Edward Richard â safbwynt Lewis, ac atebodd drwy gyfeirio at feirdd gogledd Cymru a ddefnyddiai odlau tafodieithol, yn enwedig Huw Morys yr oedd Lewis mor hoff o'i waith:

> To make no objections at all were, you very well know, to pronounce me a downright dunce, whose works are too mean for criticism, and the only one you make is my dialect and diction, nor can this hold good any longer than I shall prove from parallel instances that I am justified by the example of all N. Wales bards, and particularly Hugh Morris, in making ae, eu, e &c. rhime to one another, and it is a slip of your memory that you charge him with leading the way, since it is plain by all the old songs, that he walked in the beaten road.[97]

Roedd gan Lewis barch mawr at waith Huw Morys, Pontymeibion, am iddo greu math newydd o ganu caeth drwy arbenigo mewn canu rhydd

acennog wedi ei gynganeddu'n fedrus. Soniodd Lewis amdano ochr yn
ochr â Dafydd ap Gwilym, 'both abounding with pure Nature, and
seemingly not under any obligation to Art; but their great Art was
concealing of Art'.[98]

Mewn llythyr arall, cyfeiriodd Lewis at bobl y de fel 'rhywogaeth
estronol'.[99] Er iddo ysgrifennu mewn llythyr ffurfiol at Gymdeithas y
Cymmrodorion fod y Gymraeg a siaredid yn ne Cymru mor 'bur a
chywir' ag yng ngogledd Cymru, yn breifat credai fod 'the British of
South Wales is notoriously mixed with English'.[100] Roedd honno'n farn
boblogaidd. Er enghraifft, cymharodd y deheuwr Stephen Hughes, yn ei
argraffiad o weithiau Rhys Prichard yn 1672, 'fy nghymraeg wael
saesnigaidd i . . . â'r gymraeg dda sydd ganddynt yng Wynedd'.[101]

Yng ngolwg Lewis Morris, gyda chymysgwch o reddf feirniadol gadarn
a gorawydd i ddifenwi pobl a oedd yn is nag ef ar yr ysgol gymdeithasol,
dwy ochr yr un geiniog oedd Huw Jones o Langwm – 'common ballad
singer' – a Dafydd Jones o Drefriw, 'the dull dog Dewi Fardd y Blawd'.[102]
Roedd diffyg ysgolheictod y ddau gyhoeddwr yn dân ar groen y Morris-
iaid, yn arbennig oherwydd iddynt gynnwys (fel y cawn weld yn y man) eu
gwaith eu hunain yng nghanol cerddi aelodau eu cylch dethol hwy. Diau
hefyd fod llwyddiant y Jonesiaid i gael y maen i'r wal gyda'u cynlluniau
cyhoeddi yn tanlinellu'r anhawster a gâi'r Morrisiaid wrth geisio gwireddu
eu hamcanion cyhoeddi hwy. Er enghraifft, ni lwyddodd Lewis i gyhoeddi
mwy nag un rhifyn o *Tlysau yr Hen Oesoedd*, ac nid oedd yn ffyddiog y
câi'r hamdden na'r gefnogaeth ariannol i wireddu ei obaith o gyhoeddi ei
'Celtic Remains', heb sôn am argraffiad newydd helaethach o eiriadur John
Davies o Fallwyd, cyfrol ar hynafiaethau a natur ym Môn, cyfrol o waith
Dafydd ap Gwilym a chasgliad o ddiarhebion Cymraeg. Wrth i'r gwaith ar
Blodeu-gerdd Cymry Dafydd Jones fynd rhagddo, ceisiodd Lewis ffrwyno
yr hyn a welai fel ffug-ysgolheictod ar ran Dewi Fardd, a dueddai i gyfeirio
at awduron a gweithiau na wyddai fawr ddim amdanynt er mwyn ceisio
creu argraff ar y darllenydd. Fe'i cynghorodd fel hyn:

> na soniwch am *Anatomy of Melancholy*, nid llyfr o barch ydyw ymysg y
> dysgedigion er bod ynddo rai pethau da. Llai o enwau'r beirdd Groegaidd
> a fyddai well, mae llu ohonynt yn edrych fal gwag ymffrost neu ddwyn
> dengnyn i godi baich a allai ddyn godi a'i unllaw.[103]

Serch hynny, ni châi ysgolheictod y flaenoriaeth bob amser yng ngolwg
Lewis. Barnai fod Cymreictod a hunan-barch y Cymry yn bwysicach ac
felly anogodd Dafydd Jones i Gymreigio enwau Saesneg alawon. Nid

oedd am i 'blant Alis' wybod bod y Cymry yn benthyca alawon oddi
arnynt, felly hybodd Dewi Fardd ymlaen:

> A phwy bynnag a roddo yn ei lyfr ddanteithion o *Ging's Ffansi, Lêf Land,
> Hefi Hart, Swît Risiart,* &c. ynghymysg â chaniadau Cymreig, sydd
> debyg i gog meddw a roe ar yr un ddesgyl faw moch, a thom ieir a
> cholomennod a tharr a mefus ac eirin gwynion. Ni pharchodd y Saeson
> mo'r Cymru erioed gan ddywedyd *to the Tune of Morfa Rhuddlan.* Onid
> yw enwau ceingciau Seisnig yn dangos mae penglogau dylion yw'r Cymru
> na fedrant wneuthur caingc eu hunain? . . . Ffei, ffei, na chyfaddefwn mo
> hynny i'r Saeson os y'm mor ddi gelfyddyd.[104]

Pan gyhoeddwyd y gyfrol yn 1759, gresynai William Wynne yn fawr
fod Dafydd Jones – 'that conceited coxcomb' yn ôl Wynne[105] – wedi
Cymreigio enwau'r ceinciau, gan roi'r argraff mai alawon gwreiddiol
Cymreig oeddynt. Barnai fod hyn nid yn unig yn anysgolheigaidd ond
yn dwyll. Dewi Fardd a ddaeth o dan lach William Wynne, ond roedd
Lewis yn rhannol gyfrifol am y drosedd honedig.

Rhagwelai Lewis wendidau yn y gyfrol cyn iddi ymddangos o'r wasg.
Rhybuddiodd ef Edward Richard:

> When you see David Jones's book, you will say I suppose it is a very bad
> collection of mere jargon, worse than ever was done in any other
> language, some of it (and a great deal) wrote by people as ignorant of all
> learning and knowledge as Mathew Wirion or Angau'r Trawscoed.[106]

Trodd ei ofidiau yn ddicter pan ymddangosodd *Blodeu-gerdd Cymry,*
sef casgliad o farddoniaeth o'r ail ganrif ar bymtheg a'r ddeunawfed
ganrif. Ysgrifennodd at Ieuan Brydydd Hir ym mis Rhagfyr yn
ffieiddio'r ffaith fod Dafydd Jones wedi cynnwys cerddi gan brydyddion
eilradd ochr yn ochr â cherddi godidog Huw Morys: 'He has murdered
a good book by inserting in it the works of the greatest blockheads in
the Creation, and the most illiterate creatures that bear human
shapes.'[107] Dri mis yn ddiweddarach, pan anfonodd gopi o'r gyfrol,
'one of David Jones's still-born bastards', at Edward Richard, mynegodd
ei edifeirwch ei fod yn un o'r tanysgrifwyr ac arllwysodd wawd i'w
eiriau:

> The fool to feed his own vanity, hath stuffed the book with his own silly
> poetry, and [that of] others as bad as himself, and left out what he promised to

insert (i.e. all the works of Hugh Morris), and mangled even those he inserted.[108]

Perthynas lugoer fu rhwng Lewis a'i ddisgybl Dafydd Jones fyth wedyn.

Yn 1759 cyhoeddodd Huw Jones, Llangwm, y gyfrol *Dewisol Ganiadau yr Oes Hon*. Yn y rhan gyntaf ceir cywyddau, awdlau ac englynion gan rai o brydyddion dysgedig y cyfnod – Goronwy Owen, Ieuan Brydydd Hir, William Wynne, Rhys Jones, Edward Jones, Edward Samuel a Hugh Hughes – tra cynhwysir yn yr ail ran gerddi carolaidd gan Huw Jones ei hun, Elis Roberts y Cowper a Jonathan Hughes ymhlith eraill. Mae'n amlwg y bu cryn fynd ar *Dewisol Ganiadau yr Oes Hon*, oherwydd cafwyd ail argraffiad yn 1779 a thri arall erbyn 1827. Cyn hir, gyda llwyddiant y *Dewisol Ganiadau* yn hwb iddo, ymgymerodd Huw Jones â'r gorchwyl o baratoi *Diddanwch Teuluaidd*, casgliad o waith beirdd Môn yn bennaf, ac anelwyd aml ergyd ato gan y Morrisiaid o ganlyniad.

Roedd y perygl fod y Cymry yn colli eu cof am orffennol y genedl yn blino Lewis. Roedd hefyd yn rhwystredig ynghylch anwybodaeth ysgol-heigion o wledydd eraill ynghylch materion yn ymwneud â Chymru. O ganlyniad, penderfynodd ymroi i baratoi geiriadur o enwau pobl a lleoedd yn ymwneud â Chymru, cynllun uchelgeisiol yn llinach *Archaeologia Britannica* (1707) Edward Lhuyd ac mor ddifrif a diffuant ag ymgais Theophilus Evans i ysgrifennu hanes Cymru o'r dechreuad. Amlinellodd ei fwriad mewn llythyr at William Vaughan ym mis Ionawr 1757.[109] Manteisiodd ar bob cyfle i ychwanegu at ei 'Celtic Remains': 'The dictionary goes on apace, and I don't know that I have spent an hour idly this month past [mis Mehefin 1757, yn Llundain] except in bed, always writing or reading, and generally antiquity in search of matter for my collection.'[110] Hyd ddiwedd ei fywyd ystyriai y gwaith hwn fel ei orchest bennaf:

These are extracts out of my *Celtic Remains*, which I could wish to see published, but I don't believe I shall be able to live so long. My materials are decayd and I suspect my lungs are hurt. However, I shall trudge on while I live, and if God pleases, I shall be of some service to my country, and to the cause of truth.[111]

Ofnai mai dyfodol erchyll a wynebai'r llawysgrif, o gael ei defnyddio i lapio o gylch tybaco neu ei 'roi dan basteiod fe allai, neu i sychu . . . [*sic*]

penweigion'.[112] Denodd nawdd i sawl gweithgarwch yn ystod ei fywyd –
gan Owen Meyrick i wneud arolwg o diroedd stad Bodorgan, gan y
Morlys i wneud yr arolwg o arfordir gorllewin Cymru ac, mewn ffordd
lai materol, gan Gymdeithas y Cymmrodorion i gyhoeddi y gyfrol
Diddanwch Teuluaidd (1763) lle ymddangosodd peth o'i farddoniaeth
a'i ryddiaith – ond ni chafodd y fath gefnogaeth i'w ymchwil ysgol-
heigaidd. Ni wireddwyd ei obaith o weld y gwyddoniadur wedi ei
gyhoeddi ac ni chwblhaodd y gyfrol i'w foddhad ei hun. Ymroddodd
gant y cant i'r gwaith hwn ac o ganlyniad, ynghyd â'i dueddiadau
pruddglwyfus a ddaeth fwyfwy i'r amlwg tua diwedd ei oes, ysbeidiol
iawn fu ei lenydda yn ei flynyddoedd olaf, er na allai lwyr ymwrthod ag
arfer a fu'n fath gynhaliaeth a chysur i'w ysbryd trwy'i fywyd.

Cyhoeddwyd rhan gyntaf y 'Celtic Remains' yn Llundain gan
Gymdeithas Hynafiaethau Cymru yn 1878 o dan y teitl hunan-
esboniadol a mawreddog: *Celtic Remains: or the Ancient Celtic Empire
described in the English Tongue. Being a Biographical, Critical,
Historical, Etymological, Chronological and Geographical Collection of
Celtic Materials towards a British History of Ancient Times.* An-
foddhaol oedd penderfyniad y golygydd, Daniel Silvan Evans, i fodloni
ar ddefnyddio adysgrif Richard, nai Lewis Morris a mab ei frawd
Richard; dylai fod wedi defnyddio'r copi gwreiddiol, yn llaw Lewis ei
hun, a oedd yn yr Amgueddfa Brydeinig. Mae Cyflwyniad Lewis yn
ymestyn dros 82 tudalen, o dan y teitl 'Some thoughts on the Ancient
History of Britain, and on the materials requisite to compose such a
history, with an enquiry whether the collection now before us is not
the right method to be pursued in providing such materials.' Ynddo,
mae'n beirniadu yn ddi-flewyn-ar-dafod Camden, Edward Lhuyd ac
eraill.[113]

Gwyntyllwyd nifer o'r pwyntiau a wnaeth yn y 'Celtic Remains' yn ei
lythyrau ar hyd y blynyddoedd. Brithir ei lythyrau gan gyfeiriadau at
etymoleg enwau lleoedd, afonydd a mynyddoedd, ac er ei fod yn barod i
gynnig esboniadau fe rybuddiodd yn gall nad oedd geiriau mwy hynafol
i'w cael nag enwau afonydd a mynyddoedd.[114] Mewn llythyr hir at Edward
Richard ym mis Medi 1759, rhybuddiodd fod angen mwy o dystiolaeth
hanesyddol cyn y gallai cefnogi cais Edward Lhuyd i nodi tarddiad
Gwyddeleg i enwau afonydd yng Nghymru a Lloegr. Dysgodd Lewis gryn
dipyn gan Lhuyd am ramadeg a geirfa'r ieithoedd Celtaidd a chan ei ddull
gwyddonol o drafod y defnyddiau, ond mynnodd fod angen pwyll
wrth drafod enwau lleoedd gan fod y ffurfiau cyfoes yn anghyson a
llygredig:

Etymology requires a great deal of modesty, and not to run headlong as Camden and others have done . . . I am very cautious how I meddle with those things, and can say nothing positive, and abominate a fanciful derivation of an ancient name. If we can give a probable and grave account of a name, and back it by ancient authority or reason, it is all that can be expected, and we should stop there.[115]

Roedd dull gwyddonol Lhuyd o drafod data, a'i agwedd ddisgrifiadol yn hytrach na damcaniaethol, yn arloesol yn hanes ieithyddiaeth gymharol. Adlewyrchir dulliau newydd Lhuyd yn nhrafodaeth wyddonol Lewis ar ddamcaniaethau ynghylch enwau lleoedd. Wrth drafod y newidiadau a ddioddefodd iaith y Celtiaid o'r cyfnod cynharaf, mynnodd fod yn rhaid ynysu a phuro elfennau cyn y gellid dadlau yn awdurdodol:

Many an alteration by conquest, by mixt colonies, and by several accidents, hath the Celtic tongue suffered from that day to this, and I know no man living that can tell me the meaning of a mountain in Wales called *yr Eifl*, another called *Pumlumon*, and many such. How then is it possible to explain the names of mountains and rivers in England, France and Italy, &c., though purely Celtic, when disfigured by time, by bungling transcribers, by foreign conquerors of the Teutonic race, and by the great tyrant, Custom?

Credai fod mantais fawr gan ieithydd a'r Gymraeg yn famiaith iddo wrth fynd ati i ddehongli enwau mewn gwledydd estron, am fod y Gymraeg yn cynnig safon oherwydd y bu llai o newidiadau yn yr iaith oddi ar y cyfnod cynnar pan roddwyd enwau ar fynyddoedd ac afonydd ar sail eu natur a'u lleoliad:

The utmost we can do then is to compare such with the ancient and in-bred names of places in Wales, which have remained so time immemorial, and several of which we can trace in the works of our poets so far backward as near a quarter of the number of years towards the creation of the world.

Roedd yn ymwybodol o'r peryglon wrth drafod toponymeg, ac mae nifer o'i sylwadau yn adlewyrchu egwyddorion a ddefnyddir mewn ymchwil onomastig heddiw. Diolch yn bennaf i Edward Lhuyd, cymerwyd camau breision ymlaen mewn ysgolheictod ers dyddiau'r Dyneiddwyr Cymraeg a rhai o'u gosodiadau ysgubol hwy ynghylch tarddiad enwau. Nid oedd ysgolheictod Lewis bob amser yn gytbwys oherwydd yn aml nid oedd ganddo'r amser na'r awydd i grynhoi tystiolaeth. Yn hytrach, gallai ruthro'n fyrbwyll i gasgliadau a bod yn rhagfarnllyd fel yr oedd yn ei fywyd personol. Serch hynny, roedd ei ddulliau ysgolheigaidd sylfaenol ynghylch ieithyddiaeth gymharol yn gytûn â'n safonau ninnau heddiw.[116]

Mawr obeithiai y byddai Cymdeithas y Cymmrodorion yn gwireddu rhai o'i hamcanion swyddogol fel y cawsant eu datgan yn y Gosodedig-aethau. Un ohonynt oedd cyhoeddi llyfr neu gylchgrawn pwysfawr o drafodion yn rheolaidd, fel y gwnâi'r Gymdeithas Frenhinol gyda'i *Philo-sophical Transactions of the Royal Society*. A chyda'r nod hwnnw o greu cymdeithas ddysgedig a diwylliedig mewn golwg, ysgrifennodd Lewis at Edward Richard ar 9 Mai 1760: 'I am now at my leisure hours a drawing up some heads on the same subject [hanes Prydain], for the Cymmrodorion, who talk of publishing some Memoirs in the nature of those of the Royal Academy of Sciences at Paris.'[117] Ni wireddwyd y delfrydau cyhoeddi hyn gan y Cymmrodorion cyntaf, ond ni chawsant eu hanghofio. Sylweddolwyd hwy i raddau gan y Gwyneddigion a gyhoedd-odd, ymysg llyfrau eraill, *Barddoniaeth Dafydd ab Gwilym* (1789) a thair cyfrol o'r *Myvyrian Archaiology of Wales* (1801–7), a hefyd gan y Cymmrodorion yn y trydydd cyfnod yn hanes y gymdeithas, sef o 1873 hyd heddiw.

Rhaid oedd i Lewis wrth ysbryd anorchfygol i wynebu'r holl anaws-terau a ddaeth i'w ran ac yn ddyddiol roedd yn rhaid i benteulu Penbryn ddefnyddio'i amlochredd i'r eithaf. Mewn llythyr at Richard ei frawd ar 22 Mehefin 1760, rhestrodd yr holl offer mwyngloddio yr oedd yn rhaid iddo eu trwsio mewn ymdrech (ofer, fel y digwyddodd) i hudo golud o fwynglawdd Cwmerfin-bach:

> Fy ngwaith i beunydd yw trwsio kiblau a barilau a phob arfau tân i edrych a geir ceiniog o Gwmervin os daw heddwch, a thrwsio berfâu olwynog a rhawiau, a bwccerau, a cholragau, a chleifisiau, a gwagrau, a morthylau, a gyrdd, a chynion, ac ebillion, a nodwyddau, a ramerau, a cherwyni golchi, a landerau, a bwningau, a rowliau, ac ystorsiau, a rhaffau, a swebiau, a phympiau, a llawer o ryw fân bethau sy'n perthyn i waith mwyn a ollyngwyd yn ofer yno o eisiau edrych ar eu hôl.[118]

Roedd yn mwynhau'r agwedd fugeiliol o'i fywyd gwledig a châi flas ar drin y tir a chywain barlys, ceirch a rhyg. Cawn gipolwg gwerthfawr weithiau ar yr awyrgylch gymunedol iach a'r cymdeithasgarwch brwd a fodolai yn yr ardal. Nododd mewn llythyr at Richard ei frawd ar

18 Awst 1760 ei fwriad i fedi ei gnwd o ryg drannoeth ac y disgwyliai weld rhwng 40 a 50 o'i gymdogion yn torchi eu llewys i'w gynorthwyo. Bedwar diwrnod yn ddiweddarach adroddodd yr hanes yn llawn wrth Richard, ac mae'r disgrifiad hwn o'r swper medi yn adleisio cyfeiriadau'r Morrisiaid at y nosweithiau llawen ar aelwyd Pentre-eiriannell gynt ac at arferion gwasaelio Môn eu plentyndod:

Wawch daccw 45 o bobl gwedi bod ddoe yn medi y rhyg eiddof, a pheth pys hefyd – brecwast o fara a chaws a llaeth a maidd. Cinio o lymru a llaeth a bara ymenyn, ond y swpper sef y pryd mawr, o loned padell ddarllo o gig eidion, a chig defaid, ag araits a thattws a phottes a phwding blawd gwenith, ag ynghylch 20 alwyn o ddiod fain a thros ugain alwyn o gwrw, a rhoi tannau yn y ffidil goch bren, a ffidler yn canu iddynt gwedi bwytta lloned eu boliau, a mynd i'r sgubor ar y llawr coed, a dawnsio o honynt yno hyd nad oeddynt yn chwys diferol a stên fawr a chwrw wrth eu cluniau, a darn o dybacco i bob un. Dyna fywoliaeth![119]

Ond nid felly y bu ar ddechrau'r flwyddyn pan anfonodd lythyr at Richard ei frawd ym mis Chwefror 1760 yn cofnodi amrywiol anhwylderau preswylwyr Penbryn, ac nid y nodyn optimistaidd sy'n nodweddu'r blynyddoedd olaf:

Wele, dyma drefn fy nhylwyth i yn ddyn ac yn anifail. Myfi a'm gwraig yn pesychu am y mwyaf; Jenny my little girl in a chincough; Sion y Defaid (y bugail) in a violent cough and a swelled head, bled this morning; Sian y Gwartheg (nid cowmon sydd yn y wlad yma) in an intermitting fever, had a vomit last night and voids worms, and coughs much; Will y Grifft, a cold in his head, can hardly speak; Arthur yr amaeth aradr yn cyfarth fal llew; y forwyn fach a *chlowyn* (a flegmon) yn nghepil ei morddwyd; y ddwy gaseg fawr, a'r gaseg las bach, a'r eboles, a'r ceffyl Wmffre, a'r gaseg Charlton yn pesychu (clefyd Lloegr) am yr uchaf, a minneu yn rhoi pysygwraeth iddynt. Y gwartheg, rhai'n bwrw lloi, ac yn ffaelio bwrw eu brych, eraill yn bwrw eu mamog, etc. Y defaid gwedi i'r tywydd caled ddal arnynt, agos a thrigo gan wendid. Prin y mae nerth ynddynt i fwrw ŵyn. A chwiwgwn o gymdogion yn gyrru cŵn arnynt. Och yn eu calonnau.[120]

Melltith barhaol iddo oedd cyflwr bregus ei iechyd ym mlynyddoedd olaf ei fywyd. Creulon oedd y 'fygydfa' a barodd iddo stryffaglu am ei wynt ar adegau. Weithiau, gorfodid iddo fwrw'r nos ar ei eistedd yn y gwely gyda 'mantell bwrpasol o amgylch fy ysgwyddau'.[121] Pan fyddai'n brin iawn o wynt byddai'n gorfod cymryd y cam eithafol o dynnu paen o wydr o ffenestr ei ystafell 'ag aros wrth y ffenestr mewn plancedi ar fy neulin a 'nhalcen drwy'r nos'. Ymgais arall i sicrhau gwaredigaeth rhag y fygydfa oedd gorwedd ar ford, ei ben ger y ffenestr a'i draed yn y gwely, oherwydd 'no other posture will give me any ease'.[122] Ni allai'r ddau frawd arall osgoi'r demtasiwn o dynnu ei goes ynghylch ei ddefnydd o'r ford. Meddai Richard: 'Ni fedraf yn fy myw ddirnad hanes y bwrdd yna yr ydych yn cysgu arno ar eich pedairber. Pwy ond y chwi a fedr gysgu yn yr ystum hwnnw?'[123]

Ffactor bwysig a niweidiodd ei iechyd, yn ei ôl ef ei hun, oedd y dyffryn y tariai ynddo, sef Dyffryn Melindwr, a dymunai drigo yn Nhan-y-castell, fferm ym meddiant ei wraig ac achos ymrafael rhyngddo a Powell Nanteos fel y gwelir yn y man. Eglurodd wrth Richard ei frawd ym mis Mawrth 1760:

> This valley is very subject to agues, and fevers, and asthmas, and if it had not been for the expense I have been at here I would really remove to Dan y Castell, a charming, wholesome place like Pentrerianell, on the edge of the river Ystwyth, full of fish, with the ruins of an ancient wear, and within a mile of the sea and Aberystwyth town.[124]

Ar awgrym Ann ei wraig, ymwelodd Lewis â'r ffynhonnau yn Llandrindod ym mis Awst 1760, i geisio iachâd rhag y peswch a'i blinai ddydd a nos. Ymfalchïodd yn y ffaith iddo gael yr Ustus Griffiths yn gwmni, fel y gwelir wrth ei lythyr at Edward Richard: 'Who do you think of all the men in the world offered his service to come with me and keep me company there? No less a man than Justice Griffiths who dined here yesterday.'[125] Pan gyrhaeddodd Lewis, yr Ustus Griffiths a'u gweision Landrindod, aethant i letya, ar anogaeth Edward Richard, i dŷ gŵr o'r enw Thomas Jenkins. Byddai'r olygfa a welsant wrth gyrraedd wedi llorio'r mwyafrif o bobl:

> It looked as if Tischer's corps had been there raising contributions, and had taken all the household stuff away, except an old man and his old wife, a sickly daughter, a few old chairs without bottoms, three broken tables, and had not left either glass on the windows or a pair of bellows.[126]

Ni loriwyd Lewis Morris. Gyda chymorth saer a gwydrwr, rhoddwyd trefn ar yr anhrefn.

Wythnos yn unig a dreuliodd yn Llandrindod, ond gweddnewidiwyd ei iechyd: 'I find myself much better, even my asthma & cough is much easier.'[127] Lluniodd lythyr hir ar gyfer aelodau'r Cymmrodorion yn Llundain yn canu clodydd dyfroedd rhyfeddol Llandrindod. Ymhelaeth-odd ar yr hanes mewn llythyr dyddiedig 23 Awst 1760 at Edward Richard:

> I drank of the waters but 6 days. The third I put on my shoes and stockings, which I had not been able to do for 6 months past. The sixth day I mounted my horse without a horse block and almost on a flat, which I had not been able to do for many years; urgent business called me home the 7th day. And I compute if I had staid some weeks longer, I should have been 10 years younger for every week.[128]

Ceisiodd ehangu ei wybodaeth yn Llandrindod hefyd, a gwelir yr ieithgi a'r naturiaethwr yn cyfuno yn ei lythyr at William ei frawd:

> It is a fine open country of a very wholesome air, and the rivers Gwy & Ieithon produce plenty of various kinds of fish, such as salmon, pike, eels, lampreys, trout, chubs, greylings, salmon pinks, dace, whelks. The salmon is called by them in Welsh cammog and chwiwell, the male and female. The pike is penhwyad. The chub is 3 or 4 pounds full of bones and eaten only by the poor, in Welsh, cochgangen. The greyling is about ½ a pound and at Buellt called glasgangenod; they have cross blue hues like a maccerel and are called maccrelod also higher up the river and at Rhaiadr Gwy called glasannen. These are excellent eating. The salmon pink are 4 or 5 inches long and good eating, and called by some samlets. The dace is about the size of a trout, good eating and called in Welsh darsen.[129]

Ond yn ystod yr ymweliad hwn, rhoddodd ei feddwl cywrain fwy fyth o sylw i faes ymchwil arall, fel y gwelir o'r llythyr at Edward Richard:

> I brought with me a good microscope and proper apparatus to examine the salts of the different springs there, before I ventured in earnest on either of them, and shewed the experiments to several gentlemen and ladies to their very great surprize. This determined my choice of the waters, and nature points each of them to their proper purposes from the very figure and make of their salts, which are better guides than all the experience of an undirected multitude. It is pity there was not a treatise wrote on these waters by an experienced natural philosopher, it would save thousands of lives. Delinden's book is a mere puff. I read it with great attention, but it made me never the wiser, nor will it make any body else, for he observes neither method nor order nor truth. If there was a

practical treatise of the method of cure for the various diseases of mankind by these waters, it is my opinion these living waters would be the greatest panacea ever yet discovered by physicians. And what is all physic but a collection of experiments[?][130]

Cymerwyd camau ymlaen mewn gwybodaeth wyddonol yn ystod yr oes drwy arbrawf, damcaniaeth a dosbarthu, ac mae'n amlwg mai yr un oedd pwyslais Lewis. Wrth drafod ei gyfnod cynnar, cyfeiriwyd at y ffaith fod ganddo ddiddordeb dwfn yng nghelfyddyd mathemateg a chredai fod astudio mathemateg yn fodd o amgyffred y byd yn ei gyfanrwydd. Dros y blynyddoedd, aeth nifer fawr o feysydd â'i fryd, ond ni ddiflannodd y diddordeb cynnar hwn fel y tystiodd mewn llythyr at Samuel Pegge yn 1761: 'natural philosophy and mathematics have taken up much of my attention from my childhood.'[131] Nid oedd yr ymweliad â ffynhonnau Llandrindod yn gyflawn heb ei 'hydrostatical ballance to drink the water by rule, and a microscope to observe the salts of it, and the composition of the soil'.[132]

Ond gwelliant dros dro yn unig a brofodd yn ei iechyd ar ôl ymweld â Llandrindod. Ym mis Tachwedd 1760 lloriwyd ef gan 'pleuritic fever' a wanhaodd ei nerth. Ni fu ei iechyd erioed yn gadarn, a cheir digon o enghreifftiau o'i hunandosturi yn ei lythyrau. Argymhellai yr arfer o ysgrifennu llythyrau fel meddyginiaeth i anhwylderau, gan gydnabod gwerth therapiwtig yn y weithred o drefnu geiriau.[133] Ar sawl achlysur fe'i harbedwyd rhag mynd i gors anobaith gan ei allu i wenu yn nannedd y ddrycin, megis yn y llythyr hwn at Edward Richard, dyddiedig 2 Rhagfyr 1760:

But says you what is all this to me, fevers, colics, &c? Now if you were a goose as I am, I would compare my self to our feathered geese, who when they escape a danger will gabble for an hour together, and it certainly gives them pleasure, and so it does me tho' writing is extreme painful to my head.[134]

Mae'r hiwmor yn torri fel enfys drwy'r gawod yn awr ac yn y man. Trwy gydol ei lythyrau mae cyflwr ei iechyd yn bwnc y mae'n traethu'n ddiddorol arno yn aml, rhywbeth a wneir yn bosibl gan nodweddion ffurf y llythyr. Roedd hyblygrwydd llythyrau, eu potensial am gysylltiadau rhyddion, yn ei alluogi i archwilio pwnc ei iechyd o nifer o onglau. Roedd y ffaith fod ganddo deulu a chyfeillion a chanddynt ryw gymaint o oriau hamdden gwaraidd yn golygu ei fod yn gallu myfyrio'n eang, ac roedd natur bersonol a di-dor llythyrau yn gweddu'n dda i'w duedd i hunanymchwilio. Ym mis Chwefror 1761, darluniodd ei sefyllfa druenus mewn llythyr at y brawd Gwil:

> my whole machine out of order, chiefly occasiond by the weather, – my teeth acking, my face swolln, my mouth in a manner shut, my stomack craving, my lungs refusing most things – every inch of me afflicted with the rheumatism, the whole system of my fluids being stagnant.[135]

Yn haf 1761 trawyd ef â'r parlys, a gafodd beth effaith ar ochr dde ei gorff ac a barodd iddo deimlo'n benysgafn yn achlysurol am weddill ei ddyddiau. Bu rhywfaint o ddirywiad yn ei olwg hefyd oherwydd gwelai 'bright oblique pillars and coloured flowers playing in the optic nerve'.[136] Tebyg nad cyd-ddigwyddiad yw'r ffaith mai'r dyddiad ar ei ewyllys yw 24 Mehefin 1761. Gan dybio fod ei gystudd olaf yn agosáu, penderfynodd mai ofer fyddai addysg glasurol i'w feibion pe na bai ei law gadarn ef wrth y llyw, fel y dywedodd wrth Edward Richard:

> Under these circumstances the method I have taken in the education of my boys that are with you, will by no means do hereafter, for I can foresee that classical learning will bring them in this country no livelyhood under their mother's management after my decease. But some insight into accounts and the arts requisite in the busy scenes of life may make them with the assistance of their friends fit to be clerks in offices, or something that may get them a bit of bread under the tyrants of this world. I am therefore determined to send them immediately to some school to attempt to learn writing and accounts, and if I recover this stroke I intend to bring them afterwards to you to ground them in the Latin tongue which may be of use to them.[137]

Aeth y cludydd â £12 i Edward Richard, ynghyd â chais gan Lewis i gludo'r ddau ddisgybl adref yn ddiymdroi i'w paratoi ar gyfer y bennod nesaf yn eu bywydau. Anfonwyd hwy i ysgol ym Machynlleth, ond cyn pen blwyddyn collodd Lewis ei hyder yn yr ysgol ac felly anfonodd ei feibion i ysgol arall yn Aberystwyth.

Collodd Richard Morris ddau blentyn arall o fewn ychydig fisoedd i'w gilydd yn 1760/61. Pan nododd Richard ar ôl marwolaeth ei fab 15 mis oed o'r un enw – 'Dicci, y llanc hyfrytta dan haul', – fod angen 'dwy linell gynganeddol ar y garreg fedd accw am dano, dan rai Llewlyn', awgrymodd Lewis y cwpled a ddefnyddiwyd er cof am eu mam, Marged

Morris. Aeth Beti, merch Richard, i'w bedd lai na deufis ar ôl ei geni. Pan glywodd Lewis am ei genedigaeth, lluniodd englyn i ddathlu hynny ar ddiwedd llythyr i Richard, dyddiedig 4 Chwefror 1761:[138]

> Daeth o Beti, Beti bach; – daeth Beti,
> Daeth bwyta'n ddau amlach;
> Boed y fechan ddianach,
> Boed y fam heb nam yn iach.

Cyn trosglwyddo'r llythyr i ddwylo negesydd i'w gludo ymaith, clywodd y newyddion trist: 'Ochan fi farw o Bess gwedi imi ganu iddi, ar fedr iddi fyw.' O ganlyniad, ail-luniodd yr englyn a'i gynnwys mewn ôl-nodyn i'w lythyr:

> Daeth o Beti, Beti bach; – daeth Beti,
> Daeth bwyta'n fynychach;
> Aeth y fechan mewn anach,
> Boed y fam heb nam yn iach.

Ysywaeth, nid yr achos cyfreithiol hirhoedlog ynghylch Esgair-y-mwyn oedd diwedd ei ymgyfreithia. Bu farw ei rieni-yng-nghyfraith heb lunio ewyllys, rhywbeth ynfyd ym marn Lewis o gofio y dylai Penbryn, Tan-y-castell a rhan o stad Cwmbwa fod yn etifeddiaeth ei wraig. Roedd clirio'r llanast a achoswyd gan yr esgeulustod yma yn rhywbeth a dreuliodd dipyn o'i amser a'i egni yn ystod ei flynyddoedd olaf. Cafodd ei hun benben â John Griffith, Penpompren, am yr hawl ar ddarn o dir ar stad Cwmbwa, ger Penrhyn-coch, ar gyfyl gwaith mwyn plwm Bryn-llwyd, llecyn y bu Lewis yn ei weithio ei hun ar un adeg, ac roedd ganddo lefel yno hyd y dydd hwnnw. I gryfhau ei arfogaeth ar gyfer gwrthsefyll ymgais Powelliaid Nanteos i gael eu dwylo ar ran arall o etifeddiaeth ei wraig, sef Tan-y-castell, aeth ar daith drwy siroedd Ceredigion, Caerfyrddin a Brycheiniog ym mis Hydref 1761 i grynhoi tystiolaeth. Er lles ei deulu roedd yn benderfynol o ddatrys yr anghydfod cyn iddo farw. Meddai wrth Richard: 'I want to see an end to this affair in my life-time, he [William Powell] would soon baffle a poor soft woman and an infant.'[139] Ei was William Griffith a fu'n gwmni iddo, a chwblhaodd y ddau, ar gefn dwy gaseg, daith a gynhwysai Llanarth, Llangrannog, Llangadog, Llanbedr Pont Steffan, Caio, Llanymddyfri, Trecastell ac Aberhonddu, cyn dychwelyd i Benbryn. Er i'r daith fod yn lled lwyddiannus o ran casglu ffeithiau defnyddiol ar gyfer y cyfreithia ynglŷn â Than-y-castell, roedd ei gyfansoddiad yn wannach o'r herwydd.

Gwaethygodd ei benysgafnder a dwysaodd y diffyg teimlad yn ochr dde ei gorff.

Er gwaethaf y pryderon a'r ymgyfreitha a barodd iddo ymgymryd â'r daith, nid oedd wedi colli dim ar fin ei sylwgarwch. Roedd llenyddiaeth deithio yn un o'r *genres* mwyaf poblogaidd yn nechrau'r ddeunawfed ganrif. Cafwyd mwyfwy o sylwadau ar Gymru gan deithwyr wrth i'r ganrif fynd rhagddi, llawer ohonynt yn rhagfarnllyd a chïaidd.[140] Y *locus classicus* cynnar yw gwaith Daniel Defoe, *Tour Through the Whole Island of Great Britain* (1724–6) a'i sylw ynghylch y 'famous precipice call'd Penmenmuir, which indeed fame has made abundance more frightful, than it really is'.[141] Roedd gan Lewis nifer o lyfrau teithio yn ei lyfrgell, gan gynnwys *Three Years Travel from Moscow Over-land to China* (1706) a *Voyage to Hudson's Bay* (1748). Nid oedd rhai o'r priffyrdd, hyd yn oed, yn y cyfnod hwn yn fawr gwell na ffyrdd trol, ac roedd teithio am bellter hir yn dipyn o antur. Yn gyffredinol, rhaid oedd i'r teithiwr ddioddef amgylchiadau ofnadwy – llwch yn yr haf a llaid a rhigolau yn y gaeaf. Wrth deithio roedd synhwyrau Lewis yn effro, a'i deimlad am awyrgylch a chymeriad lleoedd ar waith yn gyson. Roedd ei feddwl, gyda'i stôr gyfoethog o wybodaeth, yn gwneud nodiadau ar yr hyn a welodd ac a deimlodd. Dyma ddarn o'i lythyr at Richard ei frawd, dyddiedig 18 Hydref 1761, yn disgrifio'i daith drwy siroedd Ceredigion, Caerfyrddin a Brycheiniog:

Oddiyno i Gaio, a small village near the famous Roman work of copper or mercasite – a very surprising sight. Will Gruffydd yn gorfod sefyll i fynu'r nos i dendio'r peswch, a'r ddwy gaseg yn rhegi'r wlad yn eu calonnau gan anwastadted oedd. Thence to Llanymddyfri, where there are two or three excellent inns, with post chaises to let – a new thing unheard of. Three or four apothecaries in this town. London come almost to our doors. Cael cyngor da gan hen wraig rhag y peswch. The ostler a good English poet and wrote an excellent hand, perhaps more accomplished than some or most of our parsons. An old castle here. Thence over mynydd Trecastell, a desert, some part of it in Brecknockshire, overtaken by a fog and rain, but met mile stones, which gave courage. A good inn at Trecastell, a small village in Brecon. Hereabout we met with the river Wysg. The roads begin to be excellent, fit for two coaches abreast and raised like old Roman roads. The country beautiful, full of gentlemen's seats, some very elegant. At night got to Brecknock town (Aberhonddu), very wet to the skin, which gave me a new cold. As good inns as any on London road. Sixteen families in this town that keep chaises or coaches. The town but small, yet elegant.[142]

Wrth ddisgrifio teithiau y daw ei lythyrau agosaf at weithredu fel dyddiadur. Nid yw hyn yn anarferol oherwydd wrth deithio y dechreuodd llawer o bobl gadw dyddiadur.[143] Tebyg na chadwodd ef ddyddiadur am ei fod yn meddwl y gallai ei lythyrau, i raddau, gyflawni'r pwrpas hwnnw, yn enwedig o gofio iddo wneud a chadw drafftiau o nifer o'i lythyrau.

Roedd wrth ei fodd yng nghwmni ei wyrion a'i wyresau. Roedd yn benderfynol o fynychu bedydd ei wyres gyntaf, Margaret, ym Mathafarn ym mis Tachwedd 1761, 'which, for aught I know, may cost me my life for I am very infirm', meddai wrth Richard ei frawd.[144] Pan ddychwelodd i Benbryn wedi'r daith honno, yn fyw os nad yn iach, roedd tri o'i wyrion yn gwmni iddo, yn ogystal â dau o'i feibion ei hun a oedd wedi dilyn eu mam i Fathafarn ar gyfer genedigaeth Margaret, Richard (gŵr Elin ei ferch), dau was a morwyn – 'ten in all in company, a rare flock!'[145] Melys oedd y gwmnïaeth iddo, yr holl gyffro a chlebran, ac meddai wrth Richard ei frawd ar 18 Rhagfyr 1761: 'Nid oes yma ddim llai na naw o rai bach a ddaethant o honofi, 3 o Fathafarn a'u morwyn, a 6 o'm rhai inneu fy hun, – golwg rhyfeddol ar fwrdd bob dydd.'[146]

Ar ôl iddo ffarwelio â Llundain am y tro olaf yn nechrau 1758, bu ei awen yn fud yn ystod y ddwy flynedd 1759–60, ond daeth Lewis y bardd i fod yn lled gynhyrchiol drachefn gan arddangos rhai o nodweddion canu ei ieuenctid. Mewn llythyrau at William Vaughan a Richard Morris yn Llundain, ym misoedd Chwefror a Mawrth 1761, anfonodd 'englynion y marchog calfras', sef pedwar englyn i 'Farchog y Sir', yr Aelod Seneddol Syr Nicholas Bayly (1707–82) o Blasnewydd, Môn, a oedd wedi cael merch i offeiriad yn feichiog. Rhagflaenwyd y penillion yn ei lythyr at Vaughan gan y sylwadau:

Beth a ddywedwch am yr Awen a adewais i gynt ar fy ôl yn rhyw le yngwynedd, nid oes yma un gronyn o honi, nag oes cymmaint ac a wnelo englyn. Etto dyma i chwi ryw beth yn ôl dull y deheuir a ganwyd o fewn can mlynedd i heddyw.[147]

Dyma'r cyntaf a'r olaf o'r pedwar englyn proest cyfnewidiog:

> Och i Niclas ddiras ddwl
> Am ryfygu gyrru'i gal,
> (Gleddau byw) i gloddio bol,
> Geneth ieuangc ddiwangc ddel . . .

> Cymrwch a deliwch ef dul
> I gael cosbi'r drewgi drel,
> A thorri'i gŵd a thrwy'i gal
> O'i din fain a dan ei fol.[148]

Sylw Lewis am yr englynion oedd 'digon diflas, ffei honyn'.[149] O ganlyniad i'r helynt hon, collodd y tirfeddiannwr Bayly ei sedd yn 1761. Diddorol yw nodi y rhybuddiwyd Morris Prichard, tad Lewis, ar fwy nag un achlysur fod perygl iddo gael ei droi allan o'i gartref pe na byddai'n bwrw pleidlais dros Bayly. Adeg etholiad cyffredinol Ebrill 1761, er gwaetha'r ffaith fod Morris Prichard yn fregus ei iechyd ac mewn gwth o oedran, fe'i rhybuddiwyd y câi 'ymadaw â Phentreriannell Galangauaf oni votiai efo Syr Nicholas'.[150] Anfonwyd cerbyd i gludo'r gŵr oedrannus i'r dref, ond pan dorrodd un o'r olwynion ar y daith fe'i rhoddwyd ar gefn ceffyl a'i gyrchu'n 'araf deg i ben ei daith'. Tarodd Lewis yr hoelen ar ei phen ym mhennill cyntaf 'Deg Gorchymyn y Dyn Tlawd':

> Dy feistr-tir a fydd dy Dduw,
> Nid ydwyt wrtho fwy na dryw,
> Ond ar ei dir yr wyt yn byw?

(DT, tt. 128–30)

Cyflawnai stiwardiaid tir, ar gyflogau sylweddol, lawer o orchwylion dros eu meistri. Yn ogystal â sicrhau eu pleidleisiau mewn etholiadau, byddent yn casglu rhenti'r tenantiaid – gan godi'r rhenti o bryd i'w gilydd – ac yn gofalu bod y stad yn llewyrchus. Os na fedrai'r tenantiaid gael deupen llinyn ynghyd, ofer fyddai disgwyl am gydymdeimlad o du'r stiwardiaid. Bu'r sawl y rhoddwyd iddynt yr hawl i arfer awdurdod dros eraill, megis y stiward neu'r distain, yn gyff gwawd traddodiadol mewn llenyddiaeth. Pa ryfedd felly nad canmol y stiward a wnaeth Lewis yn ei gerdd afaelgar 'Deg Gorchymyn y Dyn Tlawd':

> Addola'r Stiwart tra bych byw,
> Delw gerfiedig dy Feistr yw;
> Mae Stiwart mawr yn ddarn o Dduw.
>
> Dos tros hwn trwy dân a mwg,
> Gwilia ei ddigio rhag ofn drwg;
> Gwae di byth os deil o wg.

Roedd yn anfon llawer o'i farddoniaeth at ei frawd Richard yn Llundain. Rhwng mis Mawrth 1761 a mis Mawrth 1762 anfonodd o leiaf bedair cerdd ato. Roedd Richard hefyd yn derbyn pentwr o gerddi oddi wrth amryw bobl, ac yn aml trosglwyddai'r cerddi i ddwylo Lewis i'w mireinio, yn enwedig os ystyriai fod posibilrwydd eu cyhoeddi. Roedd gwella cynifer o gerddi yn llonni calonnau'r ddau frawd.

Rywbryd cyn 18 Rhagfyr 1761, ysgrifennodd Lewis at ei hen gyfaill Thomas Ellis, rheithor Nutfield yn Surrey er 1759 a chyn-offeiriad plwyf Caergybi am dros 20 mlynedd. Pan ysgrifennodd at Richard ei frawd yn Llundain ar 18 Rhagfyr 1761 roedd yn aros am ateb gan Ellis, felly holodd Richard: 'Ai ni soniodd y Belis deneu fy mod gwedi s'fennu atto a gofyn hanes ei ardd a'i goed?'[151] Yr adeg honno roedd y rheithor braidd yn drwmgalon, yn ddibriod â'i hanner canfed pen blwydd yn gwgu ar y gorwel. Cafodd Lewis ateb oddi wrth Richard fis yn ddiweddarach: 'You have herewith also a letter from Parson Ellis, ffaelio'n glir caffael gwraig gymwys iddo, gresyn oedd! Ac yntau eaten up with vapours for want of company.'[152] Y tebyg yw mai ar ôl iddo gael y newydd trist hwn y nyddodd Lewis chwe phennill o dan y teitl 'Cerdd y Plant a'r Wyrion'. Mae'r gerdd yn gymysgedd brathog o dristwch a dychan, yn galaru ynghylch colli ieuenctid a hoenusrwydd:

> A mi yn ieuanc, mi fûm nwyfus,
> Ac yn hoffi cariad melys,
> Ac heb synied, yn eich cwmni
> Y dôi henaint i'm dihoeni.

> (DT, tt. 178–9)

Brwydr y mae dyn wedi'i dynghedu i'w cholli o'r dechrau yw'r frwydr â henaint, ac roedd rhithiau a diniweidrwydd ieuenctid wedi hen ddiflannu:

> Dyddiau f'ienctid a'm twyllasant,
> Rhwng fy mysedd hwy lithrasant;
> Gwedi bwrw 'mlodau gwychion,
> Dacw'r ffrwyth yn blant ac wyrion.

> Fe ddaw'r rhain 'r un fodd â ninnau,
> Rhai'n dwyn dail a rhai'n dwyn blodau,
> Rhai'n dwyn ffrwyth hyd ddiwedd amser,
> Ni wnaeth Duw un peth yn ofer.

Ei greaduriaid yn ei ddwylo,
Ŷm i gyd i'n cynnal ganddo:
Os gwnawn yn dda, fe wna'n dda erom,
Os digio wna, fe ddarfu amdanom.

Tua diwedd mis Chwefror 1762 fe anfonodd Lewis y gerdd at Thomas Ellis. Ar ôl iddo yntau ei darllen, anfonodd hi ymlaen at Richard Morris gyda'r newyddion cyffrous iddo briodi Mary Bristow ar 15 Chwefror. Rhaid oedd i Richard ysgrifennu at Lewis ar 12 Mawrth 1762 i gyfleu'r newyddion cyffrous: 'Here is a letter from Parson Ellis, with your excellent penillion; and an account of his being married to a lady of 37 three weeks ago, and is very happy, etc. Desires me to acquaint you and brother William with it.'[153] Dyma fel yr ymatebodd Lewis i'r ansoddair a ddefnyddiwyd i ddisgrifio'r gerdd: 'Excellent penillion yw rhai'r plant a'r wyrion meddwch i a Mr Ellis, they have nothing of poetry to recommend them. They are half way between verse and prose. They'll bear a good translation on that account, being sound, common sense.'[154] Cyn i'r gerdd gael ei chyhoeddi yn *Diddanwch Teuluaidd* (1763), penderfynodd roi'r teitl 'Annerch yr Hen Gymdeithion' arni.

Mae rôl ddefodol neu ffurfiol barddoniaeth bob amser wedi bod yn arwyddocaol oherwydd dethlir a nodir prif ddigwyddiadau bywyd – achlysuron megis genedigaethau, priodasau a marwolaethau – ym mhob cymdeithas. Pan hysbysodd Richard ei frawd Lewis, yn y llythyr dyddiedig 12 Mawrth 1762, o briodas Thomas Ellis, ymatebodd Lewis trwy ddweud yr hoffai lunio cerdd ar y pwnc hwn. Y canlyniad oedd cerdd Gymraeg ar y mesur triban, sef 'cân Tomas i'r byd a'r cnawd'. Mae'r dywediad adnabyddus 'y byd, y cnawd a'r diafol' yn cynrychioli'r gwahanol fathau o demtasiwn. Roedd chwilfrydedd Lewis ynghylch bywydau ei gyfeillion a'i gydnabod yn anniwall. Dros gyfnod maith roedd Thomas Ellis wedi dilyn ymgyrch o ddiwygiad moesol yn Sir Fôn, gan ddileu gwylnosau, newid hen ddefodau, a rhwystro'r werin bobl rhag mynychu anterliwtiau. Portreedir y cefndir yn y gerdd a mawrygir rhinweddau'r Parchedig Thomas Ellis, Baglor mewn Diwinyddiaeth, o'r 'Cneugae', sef cyfieithiad Lewis o Nutfield yn Surrey:

Fe rannai mewn gwirionedd,
Gardodau o drugaredd,
Helpu'r gwan lle byddai raid,
A phob amddifaid wragedd.

(DT, tt. 201–4)

Dadleua fod gan Thomas Ellis dri gelyn, sef y byd, y cnawd a'r diafol. Serch hynny, daw i gytundeb â'r byd a'r cnawd ac mae Lewis yn cyfleu dicter yr Hen Was oherwydd iddo gael ei adael allan o'r cytundeb:

> Mae'r cythraul yn dra ffyrnig,
> Yn gidwm melltigedig,
> Ac yn taflu ei ben a'i din,
> Athrylith flin gythreulig.
>
> Mae'i safn yn llydan greulon,
> A braidd na lyncai'r Person,
> Na chawsai yntau fod yn un
> O'r rhai a gytunason.

Mae eiddgarwch Lewis dros y pwnc yn bywiogi'r dweud. Ceir awyrgylch hwyliog yn y gerdd, a ddaeth â dagrau i lygaid William Morris: 'mi chwerddais hyd nad oes arnaf ddolur o'm llygaid o'r achos.'[155] Ar glywed hynny, ysgrifennodd Lewis: 'Yn wir ddiau mi chwerddais fy hun am ben Twm Ellis a'r Gwrdrwg hyd nad oeddwn ymron troi a'm tor i fynu, pei gwelech 'i fal y maent yn ysgyrnygu dannedd ar ei gilydd!'[156] Rhyfeddodd William fod Lewis â'r gallu creadigol i lunio'r gerdd hon o ystyried ei elynion ei hun, ac roedd Richard Morris yn uchel ei glod i'r gerdd: 'Mi dyngaf mai'r ganïan oreu ydyw a wnaethoch erioed er pan anwyd chwi i'r byd yma.'[157] Mewn llythyr arall dywedodd wrth Lewis: 'I have sent Ellis Caniad yr Heddwch, ac nid difalch yw o honi, have not yet been able to see him.'[158] Mae'r geiriau hyn o eiddo'r brodyr yn tystio i'r berthynas agos a oedd yn parhau rhyngddynt.

Gyda'r paratoadau ar gyfer cyhoeddi *Diddanwch Teuluaidd* yn mynd rhagddynt, taflodd William Vaughan lygad dros y cerddi o eiddo Lewis a oedd yn ymwneud ag ef mewn rhyw ffordd. Erfyniodd y bonheddwr ar i'r brodyr beidio â chynnwys y cywyddau i'r butain adnabyddus fel yr oeddynt. 'Mae'r Penllwydd wedi erchi gadael allan Farnad Haras, oni fedrem newid yr enw, yr hyn nid ad y gynghanedd', meddai Richard wrth Lewis.[159] Cais arall oedd y 'gadewir allan y caniad i Fab Hywel, canys private concerns y pethau hynny na pherthynynt i'r public'. Newidiodd Richard ei feddwl ynghylch y cywyddau i Haras. 'Will you alter Cerdd Marwnad Haras?' gofynnodd i'w frawd, oblegid 'gresyn ei cholli'.[160] Newidiodd Lewis yr enw i Haerwen a llwyddodd i nyddu rhai cwpledi newydd lle'r oedd Haras yn y brifodl.

Dychwelodd Huw Jones i Gymru o Lundain er mwyn gwerthu anter-liwt o'i waith ei hun, gan adael y dasg o argraffu *Diddanwch Teuluaidd* ar ei hanner. Richard Morris a gydiodd yn yr awenau yn ei absenoldeb. Gofynnodd i Lewis anfon dyddiadau ei gerddi ato ac erfyniodd am ragor o'i waith. Llwyddodd Richard i gael trefn ar waith Goronwy ac ar 27 Gorffennaf 1762 anfonodd gerddi Goronwy mewn proflenni at Lewis gan ychwanegu, 'yours comes on next, ond ar fy nghydwybod, wrth edrych drostynt, mi welaf lawer bai yn y cywyddau cyntaf, a minnau ni fedraf eu diwygio ysywaeth.'[161] Cyfeiriodd Richard at nifer o linellau diffygiol eu cynghanedd yng ngwaith ei frawd a gofidiai y byddid yn cyhoeddi'r gwallau hyn. Yn y 'Cywydd i ofyn dillad, tros William Dafydd' y ceid y rhan fwyaf o'r beiau. Atebodd Lewis ar 3 Awst 1762:

Your observation on Cywydd Bol Haul is very just, and was not intended as a regular poem, but a merry rig in imitation of the stile and poetry of John Tudur in his cywydd i ofyn Rhys Grythor. John Tudur would never have wrote in a serious regular poem:

> Yn ei fosiwn ni fisiff
> Am werth morc o borc neu biff.

So an apology must be wrote before it, that it was only intended to make the Chancellor merry, and to serve poor Bol Haul by procuring him a suit of cloaths.[162]

Atebodd Richard drwy gytuno y dylid cynnwys ymddiheuriad yn y gyfrol 'i gau safnau criticiaid'.[163] Roedd Rhys Grythor yn fardd di-bwys a ddychanwyd yn aml gan Siôn Tudur yn yr unfed ganrif ar bymtheg. Ysgrifennodd Wiliam Cynwal 'Cywydd i ofyn Rhys Grythor' ac atebodd Siôn Tudur gyda 'Cywydd i Ateb y Cywydd Uchod ac i roi Rhys Grythor'.[164] Dyma yn sicr y gerdd yr oedd Lewis yn ei dynwared, oherwydd mae'r dyfyniad uchod yn adleisio llinellau 45–6 y gerdd hon. Lluniodd Siôn Tudur hefyd 'Cywydd dros Rys Grythor i ofyn Gŵydd i Robert ap Rhys Gutyn'[165] ynghyd ag englynion yn cyfeirio ato. Yn yr un modd, gwelsom fod gan Lewis nifer o weithiau am 'Bol Haul', sef William Dafydd. Gwelir copïau o gerddi Siôn Tudur yn frith yn llawysgrifau'r Morrisiaid a cheir llu o gyfeiriadau ato yn llythyrau'r brodyr.

Echrydai Lewis rhag gweld cyhoeddi'r gyfrol ac nid oedd gofal manwl a chydwybodol Richard ei frawd yn ddigon i leddfu ei bryderon. Esboniodd wrth Edward Richard:

The D---l owed me a grudge as well as to Parson Ellis, and he or somebody inveigled me to suffer Hugh Jones of Llangwm to publish my foolish productions in verse, which he is now doing in London by subscription for his own benefit together with the works of Gronow Owen and Hugh Hughes. When that wise affair comes public, O! how I shall be torn to pieces by critics, then will be the time for such a strenuous assertor of Licentia Poetica (liberty and property) as you are, for I am sure I shall want a defender. Was I not a weak fellow for running the gauntlet for the diversion of the public, when I might have died in peace with some little character in poetry had I kept the fool within.[166]

A chan ragweld y byddai angen cymorth arno pe byddai beirniaid yn lladd ar ei waith, aeth i'r drafferth o ofyn i Edward Richard ddefnyddio gordd y clasuron i ladd y chwain o feirniaid pe digwyddai hynny:

> bydd cywilydd yn wyneb Llywelyn Ddu ag oni tharewch yn ei blaid, gan ddyfod a'r cyffelyb feddyliau a'u dangos yn y caniadau dyscedig, gwaith Horas, Anacreon &c, fe dderfydd amdano fal malwoden dawdd. Cofiwch mai fi a geisiodd eich cymmorth chwi gyntaf, ag sydd yn addo ichwi ffi neu retainer; pan weloch chwithau ryw gorgi o gritic bach yn ceisio fy nghnoi, codwch eich pastwn mawr, a dwrdiwch ef a bygythiwch Homer a Virgil arno, ag fe ddeil ei dafod tocc, ag a ddianc a'i gynffon yn ei afl.[167]

Ar un adeg, dechreuodd Huw Jones simsanu ynghylch cynnwys gwaith Hugh Hughes y Bardd Coch yn y gyfrol, ond trwy ymdrechion William a Richard, llwyddwyd i'w ddarbwyllo mai camwri fyddai gadael gwaith y Foelgoch allan, yn arbennig ar ôl iddo gasglu tanysgrifwyr i'r gyfrol. Gwyddai'r brodyr nad oedd cerddi Hugh Hughes cystal â rhai Lewis a Goronwy, ond byddai'r gymhariaeth yn fodd o bwysleisio rhagoriaethau eu cerddi hwy. Yng ngeiriau William: 'Oni wasanaetha ei gerddi yn fiwtismottiau i'r beirdd eraill?'[168] Roedd Lewis yn gyndyn i ollwng ei gerddi o'i ddwylo. Dywedodd Richard wrtho: 'Mi ddisgwyliais yn hir ac yn hwyr am y gweddill o'ch prydyddiaeth i'w roi yn y llyfr yma yn ôl eich addewid, a'r brintwasg yn sefyll am dano.'[169] Ar ôl cryn oedi, cadwodd Lewis ei addewid.

Yn ogystal â'i bryder ynghylch rhagolygon *Diddanwch Teuluaidd*, daliai Lewis i boeni am wendid ei gorff ac am na fedrai gyflawni rhai gorchwylion. Codwyd ei galon o'r newydd pan ddarganfu wythïen gyfoethog o blwm ar leoliad y bu'n ei weithio gynt wrth ymyl gwaith mwyn Bryn-llwyd, ac roedd ganddo dair blynedd cyn i'r les ddirwyn i ben. Roedd yn ei uchel hwyliau pan ysgrifennodd at William ei frawd ym mis Chwefror 1762: 'Oes, oes, mae golwg *braf yn iawn* (Cardiganshire expression) ar y mwyn glawdd einof, a phob peth yn llwyddo'n hynod, mawl i'r Gŵr sy'n rheoli'r taranau a'r mellt, ac yn codi'r gwan o'r llwch.'[170] Pan oedd galwadau gwaith a'i iechyd yn caniatáu, hoffai ddianc i'w ardd, ac er mwyn cyflawni ei dasgau yno yn ddigonol, lluniai offer arbennig â'i ddwylo ei hun. Adroddodd yr hanes am ei greadig-aethau wrth William yn 1760:

tair rhaccan yn lle un, one of 18 inches, one of ten inches, and one of 6 inches for small hollows or narrow places . . . Tribys haiarn i dynnu crafanc y frân a phob chwyn pan fo dyn yn cerdded yr ardd neu'n rhodio, a bagl ar ei phen i ddal ysgwydd dyn pan fo raid gwyro i dynnu neu osod peth â llaw, ni wnawn i ddim yn fy myw heb hon.[171]

Ym mis Ebrill 1762 dioddefodd ergyd arall o'r parlys, a chredai y byddai wedi ymadael â'r byd hwn oni bai i Ann alw ar ddyn profiadol a agorodd un o'i wythiennau a'i waedu am ryw hyd. Meddai: 'I had lost myself, and knew nothing of their operations for several hours afterwards.'[172] Nid llawenhau a wnaeth o weld dyfodiad y gwanwyn ond teimlo rhwystredigaeth mawr gan i hyn danlinellu ei ddiffygion corfforol. Mynegodd ei gŵyn wrth William: 'Mi fyddaf fi heb un ardd y leni . . . Dyma ddau ddydd o dywydd rhywiog, ond nid oes gennyf i neb yn fy ngardd yn hau nag yn palu.'[173] A phwysleisio ei ddiymadferthedd ymhellach a wnâi'r adar: 'daccw biod y coed (jays) yn dechreu ymrithio. Mi leddais ynghylch ugain y llynedd o honynt, ond rwy'n grupl teg y leni. Ni adawant imi nag afal na cheirysen na ffauen na physen.'[174] Pan orfodid ef i aros o dan do, mynnai neilltuo amser i fwrw ymlaen â'r 'Celtic Remains' neu i weithio ar achau'r seintiau Cymreig. Ar brydiau, fe'i cyffroid o hyd gan yr awen. Adroddodd wrth Richard ym mis Rhagfyr 1761 iddo nyddu 'cerdd newydd ddigrif iawn . . . i fuwch a llo a dau offeiriad' fel ffafr i gyfaill a oedd yn awyddus i ddial ar rywun a wnaeth gam ag ef.[175] Ychwanegodd yn yr un llythyr iddo lunio gerdd 'go ddigrif' o blaid J. Pughe Pryse, Gogerddan, yn ei ymgyrch etholiadol. A thrwy'r cwbl, fe swniai yn gyson ar Richard i fanteisio ar ei safle yn Swyddfa'r Llynges i ddarparu papur, inc ac adnoddau eraill ar ei gyfer. Ond pan luniodd lythyr at Richard ei frawd ym mis Awst 1762, credai fod ei farwolaeth yn agos: 'I am in danger of choaking with flegms every night especially, and often in the day, felly Duw a'n gwnelo'n addas i'r dydd hwnnw, ni ŵyr neb pa bryd.'[176]

Prawf o'r modd y llwyddodd Lewis i ymddyrchafu'n gymdeithasol oedd ei benodi'n ynad heddwch yng Ngheredigion yn 1761. Cysylltwyd ei enw â'r swydd ddwywaith cyn hynny yn y 1750au, ond ag yntau ar y pryd â chynifer o elynion ymhlith boneddigion y sir, nid yw'n syndod na ddaeth dim o'i hymgeisiau. Ond saith mlynedd ar ôl y terfysg yn Esgair-y-mwyn, roedd Herbert Lloyd, a oedd erbyn hynny'n chwennych gyrfa wleidyddol, yn ciniawa gyda Richard Morris yn Llundain, a chydag un llygad ar yr etholiad a fyddai'n cael ei gynnal y flwyddyn ddilynol, yn 'tyngu fod yn dda gantho'r Llew yn ei galon, er rhoi pystol wrth ei lechwedd yn Esgair y mwyn gynt'.[177] Etholwyd Lloyd yn aelod seneddol dros fwrdeistrefi Aberteifi ar 20 Ebrill 1761, ac yn haf y flwyddyn honno ymddangosodd rhestr newydd o ynadon heddwch gydag enw Herbert Lloyd ar y brig ac enw Lewis yn ail. Tymherwyd ei falchder gan yr ymdeimlad i'r anrhydedd ddod i'w ran yn rhy ddiweddar yn ei fywyd, yn enwedig o gofio'i iechyd bregus, ond llawenhau a wnaeth Richard ynghylch penodiad ei frawd: 'Gwych eich bod yn ustus yr heddwch dros y cythreuliaid afreolus yna.'[178] Roedd yn addas iawn fod gan Lewis yn ei lyfrgell adran gyfreithiol gynhwysfawr, gan gynnwys cyfrol Thomas Manley, *The Sollicitor*, a oedd fel yr hawlia yr wynebddalen, yn 'truly usefull for all sorts of persons who have any important business in law or equity', a hefyd *Law Dictionary* Giles Jacobs.[179] Pan wnaed ef yn ynad heddwch, ceisiodd ychwanegu at yr adran gyfreithiol hon ar unwaith.[180] Tebyg iddo wasanaethu yn ynad heddwch yn awr ac yn y man hyd at ei farwolaeth.

9 ∞ 'Cymmwys yw cadw'r hen arfer o ymrwbio yn ein gilydd mal ceffylau ag anifeiliaid eraill', 1763–1765

Ni ddiflannodd diddordeb mawr Lewis ym mwyn plwm Sir Geredigion. Fel y tystiodd William Morris amdano mewn llythyr at Richard ym mis Chwefror 1763: 'gwythen o fwyn plwm odiaethol a'i cododd oddiar y bwrdd bach ar gefn ei farch er gwaetha'r fygfa, a henaint, a musgrellni!'[1] Roedd dyfodol ei deulu yn y fantol ac ysai am gyfle gan berchenogion y tir i weithio mannau arbennig. Fel yr adroddodd i Iarll Powis ym mis Gorffennaf 1763:

> When I am gone hence all that I have at present any care of are a wife and seven small children, the welfare of whom it is my duty to study, that they may not be a load on the world. My other children and grand-children are provided for pretty well. And this is the chief reason that makes me trouble myself at all as to what comes after my time.[2]

Ni ddiflannodd ychwaith ei ddiddordeb mewn llyfrau a llawysgrifau, ac erbyn hynny roedd ei gasgliad yn un trawiadol. Tynnai ddŵr o ddannedd Ieuan Brydydd Hir, a gâi ddrws agored led y pen ym Mhenbryn bob amser. Meddai Ieuan wrth Richard Morris ym mis Mehefin 1763: 'Gwyn ei fyd na bawn yn agos atto i ddatscrifennu llawer o bethau godidog sydd yn ei lyfrgell, na ddeuai dyn i ben dros rai blynyddoedd i'w gorffen.'[3] Ond roedd Ieuan yn euog o or-ddweud pan ychwanegodd, 'Nid oes yn ddiau y fath drysor ynghymru.' Yn haf 1763 anfonodd Lewis lythyr at Michael Lort (1725–90), athro Groeg ym Mhrifysgol Caergrawnt, i gyfleu ei amheuon pwyllog am ddilysrwydd cyfieithiadau'r Albanwr ifanc James Macpherson (1736–96) o farddoniaeth Aeleg gan fardd honedig o'r drydedd ganrif o'r enw Osian. Cymerodd gryn amser i lawer o bobl sylweddoli mai ffugiwr dyfeisgar oedd Macpherson, ond trawsai Lewis ar y gwir o fewn wythnosau i gyhoeddiad yr Albanwr o'i 'ddarganfyddiad' enwog yn haf 1760.[4] Darllenodd hefyd ymffrost yr Albanwr y gallai ddysgu'r Gymraeg mewn ychydig wythnosau 'and to be able to give a translation in verse', honiad a enynnodd ymateb swta Lewis, 'na wnewch Macpherson'.[5] Cynyddu a wnaeth ei ddirmyg ynghylch y cyfieithiadau Osianaidd: 'chwiwgi lleidr defaid yw'r Macpherson.'[6]

Yn 1763 cyhoeddwyd *Diddanwch Teuluaidd*, ail lyfr Huw Jones er mai Richard Morris a ysgwyddodd y cyfrifoldeb o lywio'r gyfrol drwy'r wasg. Trwy ddylanwad Richard a Lewis, sicrhawyd na fyddai Huw Jones yn cael y clod a'r elw i gyd. Yn ogystal â'r geiriau 'O gasgliad Huw Jones' ar yr wynebddalen, nodwyd yn glir mai gwaith 'Aelodau o Gymdeithas y Cymmrodorion' a geid ynddi, ac i 'William Roberts, Printiwr y Gymdeithas' ei hargraffu. Hon oedd un o gyfrolau pwysicaf Cymru'r ddeunawfed ganrif. Cynhwysai 41 o gerddi Lewis Morris (namyn copa ei rewfryn prydyddol) a phedwar o'i ddarnau rhyddiaith creadigol, 43 o gerddi Goronwy Owen ac 20 o rai Hugh Hughes. Yn ogystal, cynhwyswyd un cywydd a rhai englynion gan Robin Ddu o Fôn (gŵr ifanc 19 oed), a cherddi gan Ieuan Brydydd Hir, William Vaughan, John Owen ac un gerdd gan Richard Morris. Cafodd Lewis gryn bleser wrth loywi a chywiro'r rhan fwyaf o'r cerddi cyn iddynt ymddangos yn y gyfrol. Ef hefyd a luniodd y cyflwyniad Cymraeg i William Vaughan er mai enw Huw Jones sydd wrtho a'r llythyr Saesneg at William Parry, 'Deputy-Comptroler of His Majesty's Mint in the Tower of London', a geir ar ddechrau'r llyfr yn amlinellu hanes a chynnwys y gyfrol. Roedd Parry hefyd yn ysgrifennydd y Gymdeithas, ac yn ei lythyr pwysleisiodd Lewis mai un o gyhoeddiadau'r Cymmrodorion ydoedd:

. . . seeing that the writers of the pieces it contains, are of the Cymmrodorion Society, as well as the printer and publisher, I thought a letter to you, giving an account of the work, might stand very well instead of the usual flourish of a preface; for the book entirely belongs to your Society.[7]

Tynnodd sylw hefyd at gywirdeb y gyfrol:

As the authors are still living, one in North America, and the others in Wales, we may conclude that their compositions come to us more correct than those of former ages, or of the ancients, that must have unavoidably suffered by bad transcribers.

Er mai'r Gymraeg oedd yr unig iaith a barchai Huw Jones, 'calling other languages *barbarous*', mae'n ddiddorol i Lewis lunio'r llythyr yn yr iaith fain. Gwrthbrofi'r farn gyffredinol fod y Gymraeg o dan warchae oedd un o brif amcanion y gyfrol hon o farddoniaeth, a fyddai'n dangos:

> the absurdity of a prevailing notion, that the ancient British language is on the decline; and that the English tongue doth so gain ground daily in Wales, that, in a few years, there will be no remains of the former on the face of the earth.

A chan fod Lewis bob amser yn awyddus i ddyrchafu ei iaith a'i wlad gerbron y byd (a 'phlant Alis' yn enwedig), roedd hwn yn gyfle i hybu a chyfarwyddo Saeson ac eraill a chanddynt ddiddordeb yn y cyfryw bethau: 'It may not be improper to introduce this work in English, for the encouragement of Englishmen, or others, who may be inclined to dip into this curious ancient language.' Felly casgliad o farddoniaeth beirdd Môn yn bennaf yw'r gyfrol werthfawr hon, ac ar ei diwedd mae'r golygydd yn addo ail gyfrol o 'waith beirdd Dinbych, Meirion ac eraill', ond ni lwyddodd i gadw'r addewid hwnnw. Tanysgrifiodd tua 800 o bobl i'r *Diddanwch Teuluaidd* – trawsdoriad eang o gymdeithas, gan gynnwys crefftwyr, gwŷr eglwysig a boneddigion. Ffaith nodedig yw bod y mwyafrif o dipyn o'r tanysgrifwyr ym Môn ac yn Llundain. Roedd nifer sylweddol yn siroedd Dinbych a Meirionnydd, ond nifer bitw yn Sir Gaernarfon a siroedd y de. Tra bod William Morris a Hugh Hughes ym Môn a Richard Morris yn Llundain wedi torchi llewys i hybu gwerthiant y gyfrol, y tebygrwydd yw na wnaeth Lewis y nesaf peth i ddim yng Ngheredigion.

Bwriadwyd llawer o'r hen benillion a'r tribannau i gael eu canu i gyfeiliant telyn neu grwth. Disgrifiodd Lewis yn y cyflwyniad i *Diddanwch Teuluaidd* y cyfarfodydd barddol yn y 'singing countries' – enwodd yn benodol siroedd Caernarfon a Meirionnydd, lle roedd y ffurf neilltuol Gymreig yma o ganu yn ffynnu – pan ymunai beirdd a thelynorion i ganu penillion:

> The words they sing with the harp, are not continued songs, but stanzas of four lines generally, six, or eight, or more; of which stanzas every one sings, according to the length of the tune.

(Roedd hyn yn adloniant poblogaidd ymhlith y Morrisiaid. Er enghraifft, ysgrifennodd William at Richard yn 1754: 'Cawswn . . .

noswaith lawen yn yr hen gartref . . . the parson, father, myself, etc., yn canu gyda'r tannau.'[8]) Yn yr un modd, mewn cyfres o englynion ynghylch Gruffudd ab Elis fe ddywedodd Lewis am Feirionnydd:

> Eich gwlad chwi piau bri brig,
> Pob maswedd, cân a miwsig.[9]

Casglodd Lewis nifer o geinciau gwerin dros y blynyddoedd a sylweddolodd fod llu o dribannau anysgrifenedig mewn bodolaeth a oedd yn gysylltiedig â'r tonau gwerinol hyn. Y sylweddoliad yma a barodd iddo gofnodi a diogelu cynifer o dribannau. Mae'n eironig mai'r anterliwtwyr (a ddirmygwyd i'r fath raddau gan y Morrisiaid), megis Twm o'r Nant ac Elis y Cowper, a fu'n gyfrwng i boblogeiddio mesur y triban fwyfwy gyda'u defnydd helaeth ohono.

Daeth angau drachefn i Benbryn ym mis Medi 1763. Dioddefodd John gan ryw 'glwy dieithr' ('y clwy gwaed' y gelwir ef gan William Morris yn ddiweddarach) a bu farw yn 12 oed. 'Collais y dydd arall fy mebyn annwyl', meddai Lewis wrth Edward Richard, 'dros yr hwn i rhoeswn fy hoedl.'[10] Ni chafodd Morris Prichard, tad Lewis, lawer o gyfle i werthfawrogi'r *Diddanwch Teuluaidd* oherwydd ar ôl gwaeledd hir bu farw ar 26 Tachwedd 1763 yn 89 oed. Trist yw cofnodi na fedrodd yr un o'i dri mab a oedd ar dir y byw fynychu ei angladd yn eglwys Llanfihangel Tre'r-beirdd. Roedd y daith yn rhy bell i Lewis a Richard, a chadwyd William draw gan afiechyd. Mae'n debyg bod ei ferch Elin o Gaergybi yn yr angladd, a chan y ceir englyn o waith Hugh Hughes y Bardd Coch ar ei feddargraff, tebyg iddo yntau hefyd fod yn bresennol. Yn fuan wedyn yn Rhagfyr 1763, bu farw William Morris yng Nghaergybi, colled drom iawn arall i Lewis. Dangosodd fawrfrydigrwydd ar ôl marwolaeth William pan ymaflodd yn ei gwilsyn ar 12 Ionawr 1764 i ddweud wrth Owen Davies ei frawd-yng-nghyfraith y gellid gwerthu unrhyw lyfrau o'i eiddo yn nhŷ William er lles plant y brawd Gwil. Gyda marwolaethau Morris Prichard a William Morris, arafodd llif y llythyrau rhwng aelodau'r teulu. Serch hynny, ysgrifennodd Lewis at Edward Richard ar 11 Ionawr 1764 gan ddatgan:

> Tra bom ni tu yma i'r bedd, cymmwys yw cadw'r hen arfer o ymrwbio yn ein gilydd mal ceffylau ag anifeiliaid eraill, a chan ein bod yn medru gwneuthur rhyw fath ar lythrennau, difyr iawn yw gohebu mewn llythyrau a dywedyd ein cwyn wrth ein gilydd.[11]

Roedd yr apêl hon am gymdeithasgarwch yn ddelfryd confensiynol yn y ddeunawfed ganrif. Dyma'r hyn a alwodd Henry Fielding 'The art of pleasing or doing good to one another'.[12] Roedd hunanfychanu yn nodwedd gyffredin yn llythyrau'r ganrif. Er enghraifft, ysgrifennodd William Shenstone at yr Arglwyddes Luxborough gan ddweud: 'I'm well enough convinc'd that *one* single letter of your Ladyship's outweighs more than fifty of mine.'[13] Y rheswm am hyn yw nad yw llythyrwyr, dros dro o leiaf, yn gallu cadarnhau cyfathrebiaeth yn yr un modd ag mewn sgwrs. Nid oes modd i'r darllenydd wybod a yw'r llythyrwr yn ochneidio neu'n gwrido, yn gwgu neu'n gwenu: mae amrediad helaeth o ystumiau ac arwyddion ar goll. Yn aml trawsnewidir hyn yn anesmwythder ar ran y llythyrwr a fynegir fel annigonolrwydd ar bapur. Nid oedd Lewis yn poeni am anghydraddoldeb llythyrol i'r fath raddau â llawer o lythyrwyr eraill y cyfnod. Os nad oedd ganddo lawer i'w ddweud fe adawai i'w ddychymyg lenwi'r bwlch. Mewn llythyr at Edward Richard, dyddiedig 10 Ionawr 1765, mae'n datblygu ambell deyrnged ac mae meistrolaeth rethregol y datblygiad yn atyniadol. Amod rhethreg yw'r dybiaeth fod dull y mynegiant yn arwyddocaol a chanddo rinwedd ar wahân i'r thema sy'n cael ei thrafod, ac yn y llythyr hwn mae'r thema yn esgus ar gyfer addurn a deheurwydd:

> Who would have imagined that you would have insisted upon weight for weight in your correspondence. I never expected but that number for number might have done in such a stagnated country not used to merchandising. But alas my correspondent has learned from the Romans and Grecians that sound solid matter requires an equivalent of the like matter in exchange. I had wrote heaps on heaps of light letters, such as I generally scribble, and sent them to Ystrad Meurig. The scale doth not budge (cryes he) more letters still. Well, I send more and more, still the scale sticks to the ground. My light stuff weighs but light indeed.[14]

Mae'r hunanfeirniadu ymddangosiadol hwn yn cael ei drawsnewid, trwy ysgrifennu egnïol, yn gyfrwng ar gyfer ysgrifennu creadigol. Mae'r darn yn ymgais lwyddiannus i wneud yr hyn y mae'n honni peidio gallu ei wneud, sef bod yn ddiddorol a diddanus.

Arfer cyffredin yn y cyfnod oedd trosglwyddo llythyrau i deulu, ffrindiau a chymdogion er mwyn eu diddanu. Er enghraifft, ysgrifennodd Lewis at Richard Morris:

> Wele hai, yr un amser a hwn y daw yna gyda'r post, part of the correspondence between me and Dr. Phillips, Ned Richard and S. Pegge.

I wish you may be able to read it, for it was copyed by Lewis and Jack, and the first thing they ever copied . . . I need not tell you they are curious things, and not to be met with elsewhere.[15]

Nododd y ffaith fod y llythyr yn cynnwys newyddion neu wybodaeth nas ceir yn unman arall er mwyn pwysleisio gwerth y llythyr. Os nad oedd llythyr wedi ei ffrancio, roedd yn rhaid i'r derbynnydd dalu am ei gludiad. Ymddengys fod yr anfonwyr a'r derbynwyr fel ei gilydd yn ymwybodol y disgwylid pethau da gan yr ysgrifennwr.[16] O gofio hyn, ynghyd â phwysigrwydd y llythyr fel ffordd o gyfathrebu yn y cyfnod a hefyd y ffaith fod llythyrau yn treiglo o law i law, nid yw'n syndod fod ysgrifenwyr yn aml yn gwneud nodiadau ymlaen llaw ar bynciau y gellid eu trafod mewn llythyr. Nid yw Lewis yn cymryd sylw yn ganiataol yn ei lythyrau; mae'n hawlio sylw. Yn ddiddorol, eglurodd ystyr yr ebychiad uchod, 'wele hai', mewn llythyr arall:

> Ceisio cynilo'r pappir i gael dywedyd i chwi pa beth yw *wele hai*. It is a word of vast use and consequence in this country. It means generally content and consent. Medd mab wrth ferch . . . [*sic*] 'wele hai' medd hithau. Trowch yr hwch o'r barlys, wele hai; and this *wele hai* is of all words and phrases the most useful.[17]

Ym mis Mehefin 1764 ymddangosodd cyfrol arloesol o bwysigrwydd diamheuol, *Some Specimens of the Poetry of the Antient Welsh Bards*, cyfrol a sefydlodd enw da Ieuan Brydydd Hir fel ysgolhaig. Mae tair rhan i'r gyfrol. Yn gyntaf, cyfieithiadau o ddeg cerdd i ryddiaith Saesneg. Yn ail, y 'De Bardis Dissertatio' yn cynnwys trafodaeth a chyfieithiadau i'r Lladin. Yn drydydd, ceir y cerddi Cymraeg gwreiddiol a gyfieithwyd yn y rhan gyntaf yn eu crynswth, wedi eu rhagflaenu ag anerchiad 'At y Cymry'. Hwn oedd y detholiad helaeth cyntaf o farddoniaeth gynnar Gymraeg, o ganu Aneirin hyd y Gogynfeirdd.[18] Cynhwysai ddetholiad o'r 'Gododdin' a cherddi dylanwadol eraill megis 'Arwyrain Owain Gwynedd' gan Gwalchmai ap Meilyr a darnau gan Gruffudd ab yr Ynad Coch. Cyflwynwyd trydedd ran y gyfrol i'r tri brawd, Morrisiaid Môn. Diau fod *Tlysau yr Hen Oesoedd* (1735) wedi paratoi'r ffordd ar gyfer y gyfrol hon drwy fagu diddordeb mewn barddoniaeth gynnar.

Roedd benthyg llyfrau yn gyffredin mewn oes o argraffiadau bychain. Amlygir y ffaith y gallai hyn beri anghytundeb gan gopi o ramadeg Dr John Davies o Fallwyd *Antiquae Linguae Britannicae . . . Rudimenta* (1621), 'coron y Dadeni yng Nghymru'.[19] Ar un tudalen weili ceir nodyn o berchenogaeth 'Lewis Morris his book 1765'. Ar dudalen arall ceir 'Llyfr Rhisiart Morys o Fôn, a brynodd Ynghaerludd. Rhagfyr 30 1726–7. Ei bris 7s/6d'; 'Ond yn awr eiddofi Lewys Morris o Gaergybi. 1739'; 'Ac yn awr eiddofi drachefn, ni rois ond ei fenthyg i mrawd L.M. Llundain, Tŵr Gwyn, 1765 – Rhis^t Morys'. Cafodd y gyfrol bwysig honno ddylanwad mawr ar ddatblygiad traddodiad rhyddiaith y Gymraeg, a phan lwyddodd Lewis i gael ei ddwylo ar y gyfrol, gallai droi ati am gyfarwyddyd awdurdodol ar orgraff, ffurfiau gramadeg neu gystrawen. Nid rhyfedd ei fod am ddal ei afael arni.

Ac yntau wedi cael bywyd mor dymhestlog yng Ngheredigion, profodd rywfaint o lonyddwch meddwl tua diwedd ei oes. Enghraifft ryfeddol o hyn yw'r ffaith iddo dreulio deuddydd ym mis Tachwedd 1764 ar aelwyd Syr Herbert Lloyd yn Ffynnon Bedr ger Llanbedr Pont Steffan. Plasty ei gyn-elyn, a ddyrchafwyd yn farchog yn 1762, oedd un o lawer yng Ngheredigion lle câi Lewis Morris yr ynad heddwch groeso. Gwaethygu'n raddol a wnaeth ei iechyd, serch hynny, hyd y diwrnod y llithrodd i'w drwmgwsg olaf ym Mhenbryn ar 11 Ebrill 1765. Syrthiodd ei awen i drwmgwsg, fwy na heb, tua thair blynedd ynghynt, wedi ei llethu gan golledion teuluol, nychdod a henaint Lewis. Ei gyfansoddiad olaf, 'rai dyddiau cyn ei farw', oedd pennill i'w fab hynaf Lewis a oedd yn Llundain:[20]

> Prynaf lyfrau, mwyn y dasg,
> Cyn y Pasg yn ddilys;
> Y mae telyn dan y to
> I ail oleuo Lewys.

Fe'i claddwyd o flaen yr allor yng nghangell eglwys Llanbadarn Fawr. Eironig yw'r ffaith i nifer o'i wrthwynebwyr yn y ddadl ffyrnig ynghylch mwynglawdd Esgair-y-mwyn, megis aelodau o deuluoedd Gogerddan a Nanteos, gael eu claddu yn yr eglwys honno yn ogystal. Gosodwyd carreg goffa yno flynyddoedd yn ddiweddarach gan ei or-ŵyr Syr Lewis Morris (1833–1907), y bardd Fictoraidd a ddyrchafwyd yn farchog yn 1895. Yno y mae hyd y dydd hwn, ac arni'r geiriau:

> Near this place lie
> the mortal remains of
> LEWIS MORRIS
> (Llywelyn Ddu o Fôn)
> Scholar, philosopher, poet, patriot

Born at Pentrefeirianell, Anglesey
March 2nd 1700.
Died at Penbryn in this County
April 11th 1765.
This memorial was placed here
to mark a spot dear to Wales
by his great-grandson
LEWIS MORRIS
AD 1884
Ac yn ngwybod y cyfiawn, caru,
Ac yn ngharu, caru pob hanfod,
Ac yn ngharu pob hanfod, caru Duw.

Nid yw'n hysbys a lwyddasai Lewis a'i wraig i ddal eu gafael ar fferm
Tan-y-castell ai peidio, ar ôl yr achos llys costus a rygnodd ymlaen am
bedair blynedd a hanner. Ni wyddys hyd sicrwydd ychwaith beth a
ddigwyddodd ynghylch y rhan arall honno o etifeddiaeth Ann y cyfeir-
iwyd ati ynghynt, sef rhan o stad Cwmbwa. Ar ôl marwolaeth Lewis, y
tebyg yw nad oedd gan Ann yr egni na'r adnoddau i barhau i wynebu her
John Griffith, Penpompren ac iddi ildio'r hawl i ran o stad Cwmbwa.
Drwy wneud hynny, byddai wedi cau pen y mwdwl ar yr ymgyfreitha
diflas ynghylch rhannau o'i hetifeddiaeth. Ym mis Awst 1766 teithiodd
Richard Morris yr holl ffordd o Lundain i Benbryn, y tro cyntaf iddo
groesi Clawdd Offa ers 42 o flynyddoedd, a'r tro cyntaf iddo droedio tir
Ceredigion erioed. Gyda sêl bendith Ann Morris, cludodd y rhan fwyaf o
lawysgrifau Lewis, ynghyd â rhai llyfrau, yn ôl i'r brifddinas a'u
diogelu'n ddoeth. Tua 41 oed oedd Ann pan fu farw Lewis, a pharhaodd
Penbryn i fod yn gartref iddi hyd 27 Mai 1772 pan ailbriododd â William
Jones o blwyf Llangynfelyn, gogledd Ceredigion. Yn 1785 y bu Ann farw.

Pan fu farw Lewis Morris, collodd Ieuan Brydydd Hir gyfaill o
ysgolhaig a ddysgodd iddo sut i gopïo llawysgrifau ac a daniodd ei
ddiddordeb mewn dysg Gymraeg. Meddai wrth Richard Morris: 'I have
lost a very valuable friend as well as a curious correspondent, and an
encourager of my researches into the history of Britain, and every thing
else that related to the honour of our country and the support of its
language.'[21] Dyma ymateb barddonol y Prydydd Hir i farwolaeth y dyn
a'i hysgogodd i ddechrau barddoni ac a ddysgodd y cynganeddion iddo:

Gwae heddyw a gyhoeddir,
Mor dôst yw i Gymru dir,

Golli Lewys, gell Awen,
Dwyn ei pharch, ei dawn, a'i phen!

(*ALMA*, ii, tt. 653–5)

Cwmpaswyd yn y gerdd hon ddiddordeb Lewis mewn seryddiaeth a gwyddoniaeth a byd natur:

Bellach fyth na chrybwyller
Na sôn am anian y sêr;
Llewyrch nef a'i gynnefod,
Cylchau a rheolau'r rhod;
Na'r llwybr yr ä haul wybren,
Llyw y dydd, na lleuad wen;
A gradd pob un o naddynt,
A'u harwydd a'u hyrwydd hynt.

Pwy a wybydd, pa obaith,
Duw Iôn a'i wyrth mawrion maith,
O ddyn hyd at bryfyn brau,
A'u rhyw hynod, a'u rhiniau,
O goedydd mawrfrig adail
Hyd lysiau mân deiau dail?

Mae'r cywydd marwnad yn gorffen fel hyn:

Ni ddaw, tra byddo awen,
Na doniau, na llyfrau llên,
Cymro iawn, cymar ei waith,
Teilwng i'n bro, it eilwaith.

Yn y llythyr at Richard Morris yn amgáu'r farwnad, cydnabyddodd Ieuan ei fod wedi colli'r prif symbylydd a fu ganddo i ymroddi i astudiaethau Cymraeg: 'I have no encouragers of those studies after your brother, and indeed but very few competent judges of them.'[22] Ac yn dilyn marwolaeth Lewis, trosglwyddwyd ei fantell o fod yn brif awdurdod ar lenyddiaeth Cymru a phopeth Cymreig i Ieuan Brydydd Hir.

Aeth dwy flynedd a thri mis heibio cyn i'r newyddion trist gyrraedd Goronwy Owen yn Virginia bell fod ei hen athro wedi 'mynd i laith' – chwedl y Morrisiaid am gladdedigaeth. Yn ei alar lluniodd y bardd alltud awdl goffa. Cyfeiriodd at waith arloesol Lewis yn mapio arfordir gorllewin Cymru, gwaith y bu wrthi yn ei wneud ar ei ben ei hun o 1737 hyd 1744, ac a arweiniodd at y ddau gyhoeddiad yn 1748, sef y siart fawr o arfordir gorllewin Cymru a'r gyfrol *Plans of Harbours, Bars, Bays and Roads in St. George's Channel*:

> Mesurai, gwyddai bob agweddion,
> Llun daear ogylch, llanw dŵr eigion;
> Amgylchoedd moroedd mawrion – a'u cymlawdd,
> Iawn y dangosawdd, nid anghyson.

Soniodd hefyd am y gwaith a wnaeth Lewis yn amddiffyn enw da ei genedl drwy ymroi i lunio'r 'Celtic Remains':

> Honni a gafodd o hen gofion
> Achoedd dewr bobloedd o dŵr Bablon;
> Coffa bri ethol cyff y Brython,
> Gomer a'i hil yn Gymry haelion;
> Teithiau da lwythau dilythion, – di-warth
> O du areulbarth i dir Albion.

Bu marwolaeth Lewis yn gyfrwng i Goronwy gymodi ag ef a chofio mai ef a'i cymhellodd i ymroi o ddifrif i farddoni ac a swcrodd ei awen gynnar. Canodd i'w goffadwriaeth:

> A thra bo urddol athro beirddion,
> A mwyn dysg wiwles mewn dwys galon,
> Gwiwdeb ar iaith, a gwaed y Brython,
> Ac awen gwyndud, ac ewyn gwendon,
> Daear a nef, a dŵr yn afon,
> Ef a gaiff hoywaf wiw goffeion.

Mae'n awdl dda ac yn cynnwys y rhan fwyaf o'r pedwar mesur ar hugain er mwyn galaru yn y modd mwyaf aruchel. Mae nodiadau Goronwy ar yr awdl yn cynnwys dweud arwyddocaol iawn:

Mae'r awdwr, gyd â phob dyledus barch i goffadwriaeth Mr Lewys Morys, yn tra diolchgar gydnabod, mai iddo ef y mae'n rhwymedig am yr ychydig wybodaeth ym marddoniaeth Gymraeg a ddaeth i'w ran; ac yn ffyddlon gredu – nid er gwarth nac er gogan i neb – y gall y rhan fwyaf o feirdd Cymru, ar a haeddant yr enw, gyfaddef yr un peth.[23]

Yr awdl-farwnad i Lewis Morris yw'r unig gerdd o eiddo Goronwy Owen a oroesodd o'i flynyddoedd yn Virginia.[24] Yr ysgytwad o glywed am farwolaeth Lewis a ddeffrôdd awen Goronwy o'i thrwmgwsg, a hon hefyd oedd ei gerdd olaf yn ôl pob tebyg. Er i farddoniaeth Goronwy ymddangos yn *Dewisol Ganiadau yr Oes Hon* yn 1759, ddeng mlynedd cyn ei farw, ac, yn bwysicach, yn *Diddanwch Teuluaidd* yn 1763, mae'n annhebygol y cafodd Goronwy weld y cyfrolau hyn.

Roedd 1811 yn flwyddyn nodedig yn hanes Elizabeth Crebar, merch Lewis o'i ail briodas.[25] Â hithau yn 57 oed ac yn wraig weddw am yr eildro, cyhoeddodd gyfrol fechan 36 tudalen o gerddi Cymraeg a Saesneg, o dan y teitl *Poems, Religious and Moral*. O ddarllen y rhagair cawn wybod iddi fod yn ddall ers 13 blynedd, ac wrth gyhoeddi ei cherddi roedd yn byw mewn gobaith y caent eu derbyn gan y cyhoedd 'with kind indulgence, and commiseration, for my forlorn and helpless situation; and tend to alleviate a part of the sufferings occasioned by age and loss of sight' (t. iii).

Roedd hefyd peth anian llenyddol yn ei brawd William, seithfed plentyn Lewis o'i ail briodas. Ceir yn y Llyfrgell Genedlaethol lawysgrif o farddoniaeth William Morris yn ei law ei hun, 'The Poetical Work of Will Tifu commonly called William Morris the son of the late Llewelin Ddu o Fôn (alias) Lewis Morris Esq'.[26] Pobl a digwyddiadau lleol yw testunau swmp y cerddi Cymraeg a Saesneg hyn, ond byddai ei dad wedi defnyddio ansoddeiriau lliwgar iawn pe byddai wedi byw i weld gafael simsan ei fab ar y mesurau caeth.

Yn 1788 cyhoeddodd William daflen yn datgan ei fwriad i ail-gyhoeddi cyfrol ei dad, *Plans of Harbours, Bars, Bays and Roads in St George's Channel*, a gyhoeddwyd yn wreiddiol yn 1748. Yn 1801 y gwelodd yr argraffiad newydd olau dydd. Roedd yn atgynhyrchu'n ffyddlon holl fapiau Lewis ac yn cynnwys rhai mapiau ychwanegol ag enw William wrthynt. Er bod gan William uchelgeision eraill megis llunio map mawr o Sir Fôn a chyhoeddi 'Celtic Remains', ei fwriad i ail-gyhoeddi'r *Plans* oedd yr unig dro iddo gael y maen i'r wal parthed hyrwyddo gwaith ei dad.

Daeth einioes Pryse Morris, cyw melyn olaf Lewis, i ben mewn modd dychrynllyd i'w ryfeddu yn 1797 ac yntau ond yn 36 oed. Roedd ar fwrdd y llong *Thomas* o Lerpwl a alwodd yn Lonago i godi 375 o gaethweision i'w gludo i Barbados. Mae teitl cerdd goffa Elizabeth ei chwaer iddo yn egluro yr hyn a ddigwyddodd: 'On the death of my brother, Mr P. Morris. Who was purser and victualler on board the ship *Thomas*, of Liverpool, trading for slaves, who got loose in the night, and broke open the arm chest, and chopped off his right arm. He climbed the shrowds, and leaped into the sea.'[27]

10 ❧ 'Nid yw 'mhen i yn gwbl wastad o achos amrafael feddyliau gwedi ymgymysgu'

Bum mlynedd cyn ei farwolaeth, gydag un llygad bellach ar y cloc, roedd Lewis yn poeni am adael ei farc:

> Time runs on very fast, and I am afraid we shall die like other men and be buried among the herd, without doing any thing to preserve our names, no more than Modryb Ellyn o'r tŷ bach ar y mynydd. This is a mortification to think of.[1]

Ac mewn llythyr pruddaidd at Edward Richard yn 1764, mynegodd ei ofid y gallai ei enw fynd i ddifancoll yn gyflym:

> Gwagedd o wagedd &c. deugain mlynedd i heddyw ni bydd hanes am un o honom, eithr bydd un rhan o honom yn bridd du, a'r llall yn y goruwchfannau gobeithio yn byw yn dragyfyth. Oni bai'r gobaith o fywyd tragwyddol fe dorrasai fy nghalon i o achos rhyw ddigwyddiadau a ddaeth i mi yn ddiweddar. Ond beth yw damweiniau a chroesau'r byd bach hwn wrth yr anhraethadwy dragwyddoldeb fydd i ddyfod pan neidiom dros y dibyn mawr! Collais y dydd arall fy mebyn annwyl, dros yr hwn i rhoeswn fy hoedl. Ar ôl hyn collais fy annwyl dad yr hwn oedd megis cyff fy hoedl innau, ond fe a gafodd amser mawr dros ddeg a phedwar ugain mlynedd mewn llwyddiant ac iechyd fynychaf. Collais yn ddiweddar un (hyd i gwn) frawd i'm oedd yn byw ym Môn, anaml fod ei ail yn fyw o ran doniau dynol, a gwybodaeth anianol yngweithredoedd yr Arglwydd. Dyma finnau fal hen gadechyn yn ymlusco ar eu hôl, ag nid hir i byddaf yma, canys braidd i mae chwythad ynnof, weithiau yn peswch, weithiau yn sych dagu, weithiau yn meddwl am fyw er mwyn fy mhlant, weithiau yn meddwl marw er mwyn fy hun, a dyna hanes henddyn llipa.[2]

Ond roedd yr athrylith aflonydd yn rhy besimistaidd, a sicrhawyd parhad y cof amdano. Yn wir, o ganlyniad i'w amlochredd aruthrol, roedd yn chwedlonol o fewn ei oes ei hun. Byddai wedi bod yn fwy chwedlonol fyth pe na bai'n un o lawer a welai lawysgrifau 'megis plentyn y ddaethai hyd yr anedigaeth heb rym i esgor'.[3] Ar ôl ei farw y cyflawnwyd yn rhannol un o'i brif ddelfrydau, sef cyhoeddi y gwyddoniadur 'Celtic Remains' (dim ond y rhan gyntaf a gyhoeddwyd), ac yn hwyr iawn yn ei fywyd y cyhoeddwyd nifer o'i gerddi yn *Diddanwch Teuluaidd*. (Er y gwyddom mai rhywun o'r enw Lewis Morris a ysgrifennodd y llyfryn *Y Gowrain Gelfyddyd o Japannio neu Rodd Meistr i'w Brentis* (Y Bala, 1761), nid oes unrhyw sicrwydd mai gwrthrych y bywgraffiad llenyddol hwn oedd yr awdur. Yn sicr ddigon, roedd ganddo'r gallu a'r weledigaeth i fedru llunio'r cyfarwyddiadau Cymraeg cyntaf ar japanio, farneisio, goreuro metalau a lliwio lledr ymysg pethau eraill. Ond ni cheir cyfeiriad at y llyfryn yn y llythyrau o eiddo Morrisiaid Môn sydd wedi'u cadw, nac ychwaith yn eu llawysgrifau. Ni ddangosodd Lewis unrhyw barch tuag at berchennog gwasg y Bala, John Rowland, nac ychwaith at gynnyrch (crefyddol yn bennaf) y wasg. O ystyried ymhle yr argraffwyd y gyfrol, y tebycaf fyddai awdur o Feirionnydd. Dylem gofio y ceir degau o lyfrau o'r ddeunawfed ganrif na ŵyr neb heddiw y dim lleiaf am eu hawduron.)

Ymhlith y rhan fwyaf o siaradwyr Cymraeg yn y ddeunawfed ganrif, enillai syniadau ac iaith fri drwy honni fod yn draddodiadol. Ond mae'n rhaid i ddisgwyliadau a chanfyddiadau pobl newid er mwyn bodoli, ac wrth iddynt newid, mae eu sefydliadau yn newid hefyd, gan gynnwys prif sefydliad hanesyddol y Cymry, sef y Gymraeg. Ar unrhyw adeg arbennig mae grymoedd ceidwadol a newydd yn dylanwadu y naill ar y llall. Hoffai Lewis feddwl fod y traddodiad llenyddol Cymraeg yn mynd yn ôl i weithiau'r beirdd cynnar Aneirin a Thaliesin, ond gwyddai fod llenyddiaeth Gymraeg yn ei oes ef yn wahanol iawn i'r hyn ydoedd yn nyddiau'r Cynfeirdd. Gwraidd ac ysbrydoliaeth ei weithgareddau amryfal oedd ei ganfyddiad o Gymru fel endid ieithyddol a diwylliannol unigryw a pharhaol. Roedd ei weledigaeth wedi ei chanoli ar ddiwylliant bywiog a datblygol, gyda'i seiliau yn sicr yn y gorffennol pell ond â'i bresennol a'i ddyfodol yn ddibynnol ar gefnogaeth holl sectorau'r boblogaeth ac ar werthfawrogiad o'i werth nid yn unig i bobl Cymru, ond i bobl y tu hwnt i'w ffiniau. Roedd yn chwilotwr llawysgrifau dygn, ac roedd ei ddysg a'i gasgliad gwych ar gael i'w gyfeillion.[4] O gofio safle ar wahân yr awdur yng Nghymru'r ddeunawfed ganrif, roedd yn ffodus iawn. Roedd ganddo ei lyfrgell drymlwythog ei hun, mynediad i lyfrgelloedd o'r radd flaenaf yn nhai'r boneddigion, ac roedd yn gohebu gyda sawl bardd a llenor.

Cyfoethog a chythryblus oedd y ddeunawfed ganrif o ran llenyddiaeth Gymraeg, a bu'n hynod am bedwar maes o weithgarwch: yn gyntaf, y dadeni llenyddol a gysylltir â Lewis Morris a Chylch y Morrisiaid; yn ail, y llenyddiaeth a ddeilliodd o'r Diwygiad ac a drodd yn gyfrwng i'w ddehongli a'i gefnogi; yn drydydd, y mudiad gwerinol a gynrychiolid gan Elis Roberts, Dafydd Jones ac eraill ac a ddirmygid gan y Morrisiaid am mai beirdd dihyfforddiant, annisgybledig oeddynt yn eu tyb hwy; ac yn bedwerydd, y mudiad addysg a arweiniwyd gan Griffith Jones a Stephen Hughes. Aelodau Cylch y Morrisiaid oedd prif ladmeryddion y dadeni llenyddol ac ysgolheigaidd 'clasurol' a ddigwyddodd yn y cyfnod hwn. Roedd gan y gwŷr twymgalon eu Cymreictod hyn wybodaeth helaeth am lenyddiaeth yr oesoedd a fu ac o ieithoedd eraill, ac roedd ganddynt agwedd ysgolheigaidd tuag at eu crefft lenyddol. Ymdrwythasant yn llenyddiaeth eu hiaith gyntaf, gan geisio'i gwerthfawrogi i'r eithaf. Roeddynt wedi dysgu eu crefft gan feistri'r gorffennol er mwyn iddynt hwythau allu rhoi cynnig ar lunio gweithiau llenyddol a oedd wedi eu hysgrifennu'n dda, yn ystyrlon ac yn wreiddiol. Llwyddasant i ddeffro a chynnal ymwybyddiaeth cryn nifer o'u cyd-Gymry o'u hetifeddiaeth lenyddol a hanesyddol ac ymarweddai Lewis fel athro barddol i lawer ohonynt. Gyda'i arddeliad a'i egni a'i weledigaeth ef yn anad neb, bywhawyd y gynghanedd ac adfywiwyd cylchoedd barddol a llenyddol. Fe'i cydnabyddid yn arweinydd gan lenorion a hynafiaethwyr Cymreig canol y ddeunawfed ganrif.

Tua diwedd ei oes, lluniodd Lewis 'Dafol Brydyddol' yn cymharu 63 o feirdd, o Aneirin a Thaliesin yn y chweched ganrif hyd at ei gyfoeswyr Goronwy Owen ac Ieuan Brydydd Hir.[5] Rhoddodd farciau iddynt allan o 20 ar gyfer pedwar o anghenion barddol, sef awen, gwybodaeth, dysg a chynganeddiaeth. Ni roddir marciau llawn i'r un bardd ar gyfer unrhyw un o'r gofynion, ond dengys y dafol ei fod yn ystyried Goronwy Owen ymhlith y beirdd Cymraeg gorau a fu erioed, oherwydd gosododd Goronwy yn gydradd â Dafydd ap Gwilym a Dafydd ab Edmwnd. Rhoddodd farciau uchel hefyd i ddau glerigwr arall a fu o dan ei adain, sef Ieuan Brydydd Hir a William Wynne. Ni chynhwysodd ei enw ei hun ar y dafol.

Roedd y broses o ymgyrraedd at gasgliadau drwy gymharu yn fethodoleg feirniadol ddigon tebyg i dueddiadau mewn athroniaeth yn y ddeunawfed ganrif. Roedd sylw agoriadol Samuel Johnson yn y 'Preface to Shakespeare' y pennir gwerth llenyddol drwy gymharu enghreifftiau, yn ymdebygu i haeriad David Hume yn ei draethawd, 'Of the Standard of Taste', fod cyffredinolion yn codi o fyfyrdod a chymhariaeth.[6] Nododd Hume: 'It is impossible to continue in the practice of contemplating any order of beauty, without being frequently obliged to form *comparisons*' (1757); ysgrifennodd Johnson, 'Nothing can be stiled excellent till it has been compared with other works' (1765).

Roedd aelodau Cylch y Morrisiaid yn llawer mwy ymwybodol o gryfder arhosol y traddodiad llenyddol Cymraeg nag oedd awduron y cenedlaethau yn union o'u blaen. At hynny, roedd ganddynt lawer mwy o hyder, ac er eu bod, yn ddigon priodol, yn edmygu'r diwylliant Saesneg, ni chawsant eu harswydo ganddo. Ymdrechodd Lewis yn ddygn i ym-gynefino â thraddodiad diwylliannol Cymru. Roedd dilyn ffasiynau Llundain o bwysigrwydd cwbl eilradd iddo o'i gymharu ag ymgyfar-wyddo â'i draddodiad Cymraeg ei hun. Gwyddai gryn dipyn am ddat-blygiadau yn llenyddiaeth Saesneg ei ddydd, ac roedd yn ymwybodol iawn sut y gallai technegau estron gael eu mabwysiadu a'u haddasu i amgylchfyd llenyddol a oedd yn gynhenid Gymreig. Sylweddolodd mai gorchwyl pob cenhedlaeth yw herio'r doethineb confensiynol a'i roi ar brawf.[7] Trwy wneud hyn, gall pob cenhedlaeth ychwanegu at gyflawn-iadau'r cenedlaethau o'i blaen.

Cymraeg oedd iaith y mwyafrif llethol o bobl yng Nghymru'r ddeu-nawfed ganrif, ac er bod y Saesneg yn treiddio'n araf ond yn sicr i mewn i'r wlad, nid oedd sefyllfa'r Gymraeg fel cyfrwng beunyddiol naturiol trwch y boblogaeth o dan fygythiad. Serch hynny, bu pwyslais cynyddol ar y gallu i siarad a darllen Saesneg ers y Deddfau Uno yn 1536 ac 1543, ac mae'r ffaith fod y Morrisiaid yn ysgrifennu cymaint yn Gymraeg yn nodedig o gofio mai Saesneg oedd cyfrwng llythyrau'r boneddigion, sef arweinwyr y gymdeithas, wrth iddynt hwy goleddu'r diwylliant Seisnig. O'u magwraeth hyd eu cystudd olaf, roedd y Morrisiaid yn benderfynol o warchod a dyrchafu bri'r Gymraeg. Lewis Morris oedd yr awdurdod pennaf ar yr iaith Gymraeg yn ei ddydd.

Ni chafodd plant Pentre-eiriannell fanteision addysgol sylweddol ond llwyddodd Lewis, fel Richard a William, i gael swydd yng ngwasanaeth sifil y Deyrnas Gyfunol. Saeson neu Albanwyr oedd llawer o'i gyd-weithwyr, yn meddu ar gefndir addysgol breintiedig ac yn hanu o deuluoedd dosbarth canol. Ond roedd Lewis wedi'i addysgu ei hun ac wedi ymddiwyllio i'r fath raddau fel y safai'n gyfforddus gyfysgwydd â hwy. Roedd yn eithriadol o anodd yn y ddeunawfed ganrif i Gymry o gefndir ac amgylchiadau cyffredin ymddyrchafu'n gymdeithasol. Gorth-rymwyd Goronwy Owen ac Ieuan Brydydd Hir gan y drefn a oedd ohoni ac ymateb llawer oedd bodloni ar ddychanu'r drefn mewn anterliwt neu drwy gyfrwng cerddi a werthid mewn ffeiriau megis honno yn Llannerch -y-medd.

Er gwaetha'r ffaith fod Morrisiaid Môn yn feibion i gowper, gallent arddel o bell berthynas ag ambell uchelwr ac, yn bwysicach, roeddynt ar delerau cyfeillgar ag ambell un, megis Owen Meyrick o Fodorgan ac William Vaughan o Nannau a Chorsygedol a'u teuluoedd. Llwyddasant i raddau i droi'r dŵr i'w melinau eu hunain a daethant yn aelodau o ryw fath o ddosbarth canol hollbwysig yng Nghymru'r ddeunawfed ganrif. Cyfaddawd o ddosbarth ydoedd, yn uwch na mwyafrif mawr pobl gyffredin yr oes, ond oherwydd eu swyddi a'u safle roeddynt yn gyfeillgar â'r dosbarth uchaf ac yn medru 'ymrwbio yn y bobl fawr' heb feddu ar eu tiroedd a'u heiddo.[8] Roedd bwyd y Morrisiaid yn adlewyrchu safle'r dosbarth canol fel cyswllt rhwng y cyfoethocaf a'r tlotaf mewn cymdeithas, ac roeddynt yr un mor gartrefol gyda choginio cywrain yr Henblas â'r uwd a'r llymru a geid yng nghartrefi'r tlawd.[9] Nid oedd modd iddynt sylweddoli'n llawn y cyfraniad allweddol y byddai'r dosbarth canol hwn – y deuai gŵr tra nodedig arall a ddaeth i gysylltiad â Chylch y Morrisiaid pan oedd yn llanc, sef William Williams, Llandygái, yn aelod ohono maes o law[10] – yn ei wneud yn hanes Cymru. Roedd yr holl amser a dreuliodd Lewis Morris yn Llundain (dros bum mlynedd o roi'r holl ymweliadau gyda'i gilydd) yn bellgyrhaeddol ei ddylanwad, oherwydd bu'r fath gyfathrach yn y ganrif Lundeinig honno yn rhannol gyfrifol am greu naws dosbarth canol ym myd diwylliant Cymraeg a newidiwyd awyrgylch llenyddiaeth Gymraeg yn barhaol.

Nid oedd ymbleserwyr neu wag-bleserwyr yn bobl brin yn y cyfnod hwn, yn enwedig yn Llundain lle yr ymrwbiai Lewis gyda phendefigion a lle yr ymhyfrydai mewn cymdeithasgarwch dinesig. Ni ofidiai am faint ei fol, a hoffai gystadlu am y craffaf yn erbyn newyddiadurwyr a beirdd yn nhafarndai, gwirotai a chroglofftydd Llundain. Cyplyswyd ei awydd am fwyd a diod gyda'i chwant am gwmnïaeth a chan ei flys. Roedd yn ferchetwr digywilydd a flysiai am forynion ac a ymwnâi â phuteiniaid. Roedd ganddo hefyd ddiddordeb ysol mewn llenyddiaeth anllad a ffraethineb bras, yr hyn a alwai'n 'ddigrifwch'.

Nid Lewis ymwthiol a chynhennus oedd y mwyaf hoffus o'r Morrisiaid, ond ef oedd y galluocaf. A chyda'i egni rhyfeddol, roedd ymron yn medru gwneud i bob dydd ymestyn i 30 awr gan gymaint ei weithgarwch amrywiol. Roedd chwilfrydedd ei feddwl treiddgar a chraff a hyd a lled ei ddiddordebau yn rhyfeddol. Tystia'i lythyrau i'w ddyhead hollbresennol ac anniwall am wybodaeth ac mae ei ddiddordeb yn tasgu trwy ei eiriau, pa destun bynnag a drafodir. Roedd ei amlochredd yn ddihafal yng Nghymru'r ddeunawfed ganrif. Gwelwyd ei fod yn dipyn o hynafiaethydd, naturiaethwr, tirfesurydd, amaethwr, garddwr a cherddor yn ogystal ag yn fardd, llenor, ysgolhaig, mapiwr, cyhoeddwr a chasglwr llyfrau. Mwy o syndod, efallai, yw iddo lwyddo i sicrhau amlygrwydd sylweddol mewn cynifer o'i ymdrechion. Gorchest oedd ei arolwg o holl diroedd stad Bodorgan ym Môn. Diolch i'w arolwg morwrol gorchestol, fe'i cydnabyddir ymhlith hydrograffwyr a chartograffwyr pwysicaf Prydain yn ei gyfnod. Cyflawnodd orchest hefyd wrth gwblhau ei arolwg o gyfoeth mwynol tiroedd y brenin yng Nghwmwd Perfedd yng Ngheredigion. Ar y llaw arall, methiant ar y cyfan oedd ei anturiaethau wrth gymryd lesoedd i fwyngloddio ar ei ben ei hun neu gydag eraill, er mor ddeallus ydoedd yn holl agweddau'r diwydiant mwyn plwm yng Ngheredigion. Ni ddaeth yn agos at wneud elw o'r cyfan, a chafodd Ann siom aruthrol pan ddaeth i'r amlwg ar ôl ei farwolaeth gymaint o'u cyfoeth yr oedd wedi ei arllwys yn ofer i gynifer o fwynfeydd Ceredigion.

Roedd Lewis yn un o lawer yn y cyfnod hwn, gan gynnwys Edward Lhuyd ac Iolo Morganwg, a wnaeth y camgymeriad o 'gydio mewn gormod o goflaid' a methu â gwireddu eu hamcanion o ganlyniad.[11] Cyfeiriodd Samuel Johnson at annisgyblaeth ceisio cyflawni gormod yng nghyfrol 17 o'r *Rambler*. Mae beirniaid yn gytûn fod amlochredd eithriadol Lewis wedi bod yn rhwystr iddo gyflawni y fath ragoriaeth mewn rhyw un maes arbennig a oedd yn deilwng o'i ddawn.[12] Ceir ymraniad rhwng ei botensial a'i gyflawniadau; mae ei lenyddiaeth, er yn ddylanwadol a beiddgar a phwysig – yn arbennig ei gerddi rhydd a'i ryddiaith – yn cwympo'n fyr o ran swmp a sylwedd o'i allu.

Roedd ei swyddi ar y naill law yn gyfrwng allweddol o gefnogaeth iddo ond, ar y llaw arall, yn ei rwystro rhag cysegru rhagor o'i amser a'i ynni i lenydda. Roedd hyd yn oed awduron mwyaf blaenllaw Lloegr, ac eithrio Pope, yn dal swyddi. Yn wahanol i awduron a geisiodd nawddogaeth y Goron, uchelwyr grymus neu ddinasyddion cyfoethog, ac a oedd o'r herwydd â theimladau cryfion o ddyled wedi eu serio ar eu hymwybod, nid oedd Lewis yn ysgrifennu llenyddiaeth er budd ariannol, ac felly nid oedd cyfyngiadau ar ei ryddid i ysgrifennu yr hyn a fynnai. Serch hynny, roedd yn rhaid iddo frwydro i ddwyn amser i farddoni a llenydda, ac nid mater hawdd oedd hynny. Mewn llythyr at William Vaughan yn 1742, lluniodd 12 llinell o gywydd ond yna bu'n rhaid iddo ffrwyno'i hun: 'But lest this might draw me on into a whole poem I must break off here.'[13] Wrth gwrs, gwyddai o'r gorau nad oedd yn llunio llenyddiaeth fawr wrth ysgrifennu'n fyrfyfyr ynghanol llythyr. A phan anfonodd 'Caniad Melinydd Meirion' at William Vaughan yn 1754, roedd yn awyddus i bwysleisio iddo lunio'r gerdd mewn un noson fel pe bai i anghofio am drafferthion y dydd: 'This is writing a great deal about nothing; a paultry song, the tacking of which together really took me up but one night over a glass.'[14] Nid oedd ganddo'r amser na'r awydd i ysgrifennu rhethreg wag drwy ofyn cwestiynau nad oedd modd eu hateb am ystyr bywyd neu hanfod y bydysawd.

Ceid safle mewn cymdeithas trwy fod yn was i'r Goron, ac mewn amryfal swyddi bu Lewis yn was i'r Goron am dros 27 mlynedd. Bu ei swyddi amrywiol dan y Goron yng Ngheredigion rhwng 1744 a 1756 yn gyfrwng iddo deithio'n helaeth yng Nghymru a Lloegr a chwrdd â phob math o bobl ddiddorol. Ond ni chafodd y clod na'r ganmoliaeth ddyledus am amddiffyn hawl y Goron i fwynglawdd Esgair-y-mwyn a mwyngloddiau eraill yng Ngheredigion. A chan mor wenwynig o ddadleugar oedd y sefyllfa, fe dalodd yn ddrud mewn iechyd, amser ac arian. Serch hynny, roedd dal swyddi dan y Goron o fudd iddo o ran hunan-barch oherwydd iddo brofi ei fod yr un mor gymwys, os nad yn fwy cymwys, nag unrhyw Sais estronol. A chan fod crach-uchelwyr Seisnigaidd a Saeson o dirfeddianwyr ymhlith y rhai a wrthwynebai hawl y Goron ar y mwyn plwm, ystyriai mai gwaith mwy urddasol oedd derbyn arglwyddiaeth y Goron na chynorthwyo ysweiniaid dieithr Ceredigion. Yn wyneb hynny, roedd elfen o gysondeb rhwng ei waith i'r Goron a'i lafur dros iaith a diwylliant Cymru.

Fel y gellid disgwyl, ceir nifer o nodweddion cyffredin rhwng ei farddoniaeth, ei lythyrau a'i weithiau rhyddiaith eraill. Lluniodd gerddi a rhyddiaith er mwyn difyrru William Vaughan ac Edward Wynne. Yn y ddau gyfrwng gwnaeth bortread o Thomas Ellis yn brwydro yn erbyn 'y byd, y cnawd a'r diafol' ac o 'Bol Haul', sef William Dafydd. Ysgrifennodd 'Deg Gorchymyn y Dyn Tlawd' yn y ddau gyfrwng. Mae sylwadau gwaradwyddus am gyfreithwyr yn digwydd yn ei gerddi a'i ryddiaith. Mae 'Cywydd y Mwn Plwm neu'r Mwyn' a'r darn rhyddiaith sy'n chwarae ar y gair 'mwyn' yn rhannu ymadroddion cyffredin. Ceir thema gyffredin yn ei barodi o bregeth Methodist a'i gerdd 'On Howel Harris's preachment at Llanfair, March 4th 1747, that God was in Llanfair'. Roedd yn aml yn cyfeirio ato'i hun yn ei weithiau – er enghraifft, yn y traethodl ar ffurf ymddiddan rhyngddo ef ei hun a llong, a'r traethiad 'Ail ran o Bregeth Morgan y Gogrwr'. Cyfieithodd farddoniaeth a rhyddiaith o'r Saesneg i'r Gymraeg, a'i fwriad yn y ddau gyfrwng oedd cyfieithu'n rhydd syniadau ac ysbryd y gwreiddiol. Mae ei farddoniaeth a'i ryddiaith yn cynnwys dychan llym a hynaws.

Gyda'i natur gregaraidd, roedd ysgrifennu llythyrau fel ysfa nad oedd yn gallu rhoi llonydd iddi – yn ei eiriau ei hun, 'an itch of scribbling'.[15] Pwysleisir y berthynas agos rhwng ei lythyrau a'i farddoniaeth yn y modd y mae cynifer o'i gerddi yn cyfeirio at gyfeillion, neu wedi eu hysgrifennu ar eu cyfer, neu yn codi o'r fath o ddigwyddiad y byddai rhywun yn sôn amdano mewn llythyr at ffrind. Ceir darnau o farddoniaeth yn fynych yn ei lythyrau. Weithiau, mae'n dyfynnu gan awduron eraill; ar un achlysur y mae'r llythyr cyfan ar ffurf cerdd.[16] Yn aml, cynhwysai benillion yr oedd wedi eu hysgrifennu, naill ai oherwydd ei fod am gael barn ei ohebydd neu oherwydd eu bod yn cyfarch y gohebydd yn uniongyrchol. Yn y ddau achos, mae cerddi yn digwydd yn naturiol o fewn y cyd-destun epistolaidd.

Nid fel gweithiau goludog y gall haneswyr gyfeirio atynt yn unig y dylid ystyried ei lythyrau. Roedd ganddo ddawn arbennig wrth lunio llythyrau. Gallai ysgrifennu amdano ef ei hun, gan grwydro a gloddesta mewn rhyddid llwyr. Roedd popeth a ddigwyddai o'i amgylch yn y byd a'r betws â'r potensial i fod yn ddŵr i'w felin ac yn ysbardun i'w ddychymyg ffrwythlon. Nid yw pob un o'i lythyrau, drwyddynt draw, yn arddangos ei ddawn dweud. Mae rhai brawddegau yn ddi-fflach oherwydd eu cynnwys ac eraill oherwydd eu harddull ddi-nod (byddai'n dra anghyffredin pe na byddai), ond mynegiant grymus yw'r rheol yn hytrach na'r eithriad. Mae brawddegau sydyn o ysblander llenyddol yn gyffredin iawn, a cheir hefyd baragraffau cyfan a darnau hirion o ansawdd gyffelyb. Roedd hudoliaeth iddo mewn bywyd, ac roedd yr wybodaeth eang ac amrywiol o fywyd a enillodd drwy ei amryfal ddiddordebau yn edefyn canolog ym mrithlen liwgar ei yrfa a thema ganolog ei waith. Saif ei ddiddordeb diderfyn mewn pobl, y bywyd o'i gwmpas, iaith a llên ei genedl, a'i ddawn anarferol i fynegi yr hyn a welai ac a glywai o'i gwmpas, yn drwydded i'w anfarwol-deb.

Ni ddihysbyddodd ei awydd i greu yn ei gerddi a'i ddarnau o ryddiaith lenyddol ac felly roedd ganddo ddigon ar ôl ar gyfer llythyrau at ei deulu a'i gyfeillion. Ni fwriadwyd ei lythyrau i'w cyhoeddi, ac nid oedd ychwaith yn rhy ymwybodol o farn pobl eraill i fod yn ddigymell. Ac er nad yw diddordebau eang yn gwbl hanfodol er mwyn llwyddo i lunio llythyrau difyr a diddorol, mae diddordebau trawiadol o eang Lewis yn gyfrannwr pwysig i'r llwyddiant hwnnw ac yn rhoi mwy o liw i'r dweud. Mae'r amrywiaeth sylweddol o ran derbynwyr ei lythyrau hefyd yn ffactor bwysig, oherwydd fe all llythyrau a ysgrifennwyd at yr un person fod ychydig yn undonog. Saif llythyrau'r Morrisiaid – roedd ei frodyr yn rhannu'r un ddawn i ysgrifennu'n fyw – ymhlith gogoniannau llenyddol a hanesyddol Cymru a'r Gymraeg.

Mae llawer o'i ryddiaith greadigol yn gofiadwy oherwydd y nodweddion arbennig a geir ynddynt, megis y syniadau a theimladau gwir a gonest, neu'r beiddgarwch, neu'r dychan craff neu'r dawn dweud. Nid oes cymhlethdod mawr o ran cynllun ond profwn ynddynt iaith ar ei bywiocaf. Eu pwrpas oedd diddori a diddanu'r darllenydd. Mae ei bwyslais ar arddull glir a chryno ac ar ddigrifwch yn ymwneud â'r angen am bleser. Benthyciodd nifer o'i syniadau gan awduron eraill ond ni chafodd drafferth i danio ei wreichion ei hun. Mae ei ryddiaith greadigol yn adlewyrchu dyfeisgarwch ieithyddol a hyfrydwch mewn dewis ffansïol o eiriau a hoffter o'r gwrthun a'r abswrd. Roedd y Gymraeg a'r Saesneg yn offerynnau hylaw ac amlweddog yn ei ddwylo. Mae llawer o'i waith yn amharchus ac aflednais, gan ddibynnu i raddau ar chwaeth cyfnod. Gallai fod yn ddi-atal yn ei afledneisrwydd; gallai hefyd fod yn fwriadol ddifrif.

Ceir amrywiaeth mawr yn ei weithiau llenyddol, o ran testunau a dulliau.[17] Maent yn amrywio o'r dychan hynaws a geir yn 'Cywydd i yrru'r Falwen' i'r difenwi dig a geir yn 'Lladron Grigyll'; o'r gosodiadau epigramaidd a chryno yn ei englynion i'r 200 o linellau crwydrol yn ei draethodl i long William Vaughan. Fe'i galluogwyd gan ei brofiad a'i wybodaeth o fywyd yn y wlad a'r dref fel ei gilydd i ysgrifennu, ar y naill law gerddi ar fywyd dinesig megis y rhai sy'n cyfarch y butain 'Haras', ac ar y llaw arall gerddi a adlewyrchai ymwybyddiaeth o'r bywyd gwledig megis 'Caniad y Gog i Feirionnydd' a 'Cywydd y Rhew a'r Eira'. Cafodd prydferthwch neilltuol Cymru ddylanwad arbennig arno. Gwirionai ar dirlun mynyddig Cymru. Serch hynny, yn ei holl gerddi (ar wahân i'r ddwy uchod) ni chanodd glodydd natur na chefn gwlad na phasiant y tymhorau ac ni ryfeddodd at dirlun Cymru ynddynt. Nid ysgrifennu gyda'r bwriad o drafod thema Horasaidd glasurol dedwyddwch bywyd gwledig a wnaeth, megis rhai o gerddi enwocaf y ddeunawfed ganrif, 'The Choice' gan John Pomfret ac 'Ode on Solitude' Alexander Pope. Un math o gerdd sydd yn aml yn seiliedig ar y thema hon yw moliant i stad noddwr, ond pan fo Lewis yn moli stadau William Vaughan yn Nannau a Chorsygedol, mae hynny yn bennaf er mwyn eu mawrygu fel lleoedd sydd yn cynorthwyo i gynnal a diogelu'r iaith Gymraeg a'i llenyddiaeth. Nid yw ei gerddi yn nhraddodiad gwrogaeth Ben Jonson i Robert Wroth neu gerdd Andrew Marvell 'Upon Appleton House'.[18] Mae hyn er gwaetha'r ffaith iddo gyfaddef i William Bulkeley yn 1736: 'My thoughts all this last week ran upon ye innocency and pleasure of a country life, and indeed generally does when I have time to think.'[19]

Rhoddodd y gymdeithas y bu'n byw ynddi beth o'r deunydd crai pwysicaf – ei iaith a'i brofiad ei hun wrth fyw gydag eraill. Mae beirdd a llenorion nid yn unig yn tynnu ar eiriau a ddarganfuwyd mewn geiriadur neu mewn llyfrau, maent hefyd yn eu cael oddi ar wefusau teulu a chyfeillion. (Cofier ei eiriau yn ei sylwadau ffug-ysgolheigaidd ar y 'Cywydd i yrru'r Falwen': 'does it argue that there is no such word in being, because not found in dictionaries & the books you read? I'll appeal to all the old women in Anglesey.'[20]) Mae'r iaith a ddefnyddir yn ei lenyddiaeth wedi ei sylfaenu yn gadarn ar y coflyfrau ysgrifenedig clasurol yn y traddodiad llenyddol brodorol ac ar y dafodiaith fyw o gymuned uniaith ymron ym Môn, lleferydd a oedd yn naturiol a chyfarwydd, a oedd ei hun yn gynnyrch traddodiad diwylliannol hir a ffrwythlon. Defnyddiodd gyfoeth tafodieithol y Gymraeg yn ei waith ysgrifenedig, gan gynnwys diarhebion, trosiadau a phriod-ddulliau, gan roi i'w iaith hoen a lliw. Hoffai weld mwy o weithiau ffraeth a dychanol, a rhagorodd ef ei hun mewn llunio gweithiau dychanol wedi eu cyfeirio at gymeriadau dychmygol a hefyd gymeriadau a adwaenai a chymeriadau a oedd yn ymwneud â digwyddiadau yn ei fywyd ei hun.

'Nid yw 'mhen i yn gwbl wastad o achos amrafael feddyliau gwedi ymgymysgu; all in a flurry', meddai mewn llythyr at ei frawd William yn 1757.[21] Mae'r geiriau hyn nid yn unig yn adlewyrchu'n deg feddwl crwydrol y polymath hwn, sydd fel sioncyn y gwair yn neidio o'r naill bwnc i'r llall yn ei lythyrau, ond hefyd yn arwydd o'r modd y mae'r Gymraeg a'r Saesneg 'gwedi ymgymysgu' yn llythyrau'r Morrisiaid. At ei gilydd, defnyddiodd Lewis y Saesneg fel cyfrwng trafod materion dysgedig, gan gynnwys dyfyniadau yn Gymraeg bob hyn a hyn, fel y byddai rhywun yn dyfynnu'n facaronig o ieithoedd hynafol fel Lladin neu Roeg. Ysgrifennodd y mwyafrif o'i weithiau creadigol yn Gymraeg, a'r duedd yw bod ei weithiau Cymraeg yn arddangos mwy o grefft. Honno oedd ei iaith gyntaf, a'r iaith a darodd y tannau dyfnaf ynddo. Credai y gallai, drwy ysgrifennu yn Gymraeg, fod yn bysgodyn mawr mewn llyn bach a barnai y byddai'n gorrach ymysg cewri pe bai'n llenydda yn Saesneg:

When I attempt any thing in English I have not y[e] courage to think it tolerable, by reason there are so many excellent writers in that language; but when I versify in Welsh I know there are not many superior to me in that language, which makes me even impudent & self sufficient, and a poet is not worth a farthing if he doth not possess those qualifications.[22]

Felly ochr yn ochr â'i wyleidd-dra ynghylch ei farddoniaeth Saesneg, mae'n cyhoeddi'n groyw ei fod yn un o feirdd cyfoes gorau Cymru. Diau fod hynny'n wir. Cymerodd yntau fantais ar amrywiaeth a sioncrwydd y Gymraeg a'r Saesneg fel ei gilydd – mae cyswllt anorfod rhwng yr amrywiaeth a'r sioncrwydd. Symudai'n ddidrafferth o'r Gymraeg i'r Saesneg ac i'r gwrthwyneb, yn aml yng nghanol brawddeg, fel yn yr enghraifft ganlynol wrth gyfeirio at bair dadeni:

[I] am glad you are clear of y^e *asthma* except for a minute or two now and then, nid yw hwnnw ond dechreu dangos eu gamp, mae'n debyg. Mine came upon me last night in bed about midnight, or after, a bu raid codi i fynu i gael gwynt ag oerni, a phesychu, etc. Och am *bair dadeni*! A wyddoch 'i beth oedd hwnnw? Crochan neu badell fawr oedd gan'r hen Frutaniaid gynt, lle byddant yn berwi dyn a fyddai'n hen ag yn glwyfus, ac fe ail *enid* yn y *pair*, ond nas medrai ddywedyd. Fe fydd fy mab Lewis yn gofyn imi, 'nhadi, a wyddoch 'i hynny?' This is when something extraordinary is to be told me; felly finneu, 'mrawd William, a wyddoch 'i hynny?'[23]

Nid oedd yr oes wedi bod yn ddyfeisgar o ran datblygu ffurfiau barddonol ond llwyddodd Lewis i roi bywyd newydd yn rhai o'r hen ffurfiau, ac mae dylanwad yr hen benillion telyn gyda'u patrwm odli syml a'u rhythm cytgordiol, dyrchafedig, i'w weld yn ei ganu rhydd. Roedd ei allu i ysgrifennu yn arddull yr hen benillion telyn yn golygu fod y rhain ymhlith ei weithiau gorau. Dyma fardd a oedd yn effro i gyflwr bywyd diwylliannol Cymru a phwysigrwydd traddodiad. Mae ei farddoniaeth yn gyfuniad o draddodiad a chyfnewidiad ac yn dal rhythm iaith bob dydd yn dda. Roedd yn feirniad llenyddol treiddgar, fel y mae ei edmygedd o'r penillion telyn yn tystio. Pa un ai difrif neu ddigrif, mae'r dweud yn ei delynegion yn gyson rwydd a bywiog. Pan luniodd 'Caniad y Gog i Feirionnydd', er enghraifft, byddai'n ymwybod-ol y byddai yn y pen draw yn cael ei chanu i gyfeiliant y delyn, ac am y rheswm hwnnw roedd uniongyrchedd a rhwyddineb yn bwysig. Roedd eglurder mewn cerdd fel honno yn ffurf ar gwrteisi. Mae'n gerdd sydd yn ceisio plesio cynulleidfa. Ond efallai pe na bai hyn yn wir, ni fyddai ef wedi gallu sicrhau ei ragoriaeth fel poblogeiddiwr barddoniaeth Gymraeg.

Ceir gosodiad arwyddocaol ganddo mewn llythyr at Edward Richard, dyddiedig 29 Mai 1762: 'I never ventured upon Hugh Morris's long heavy measures, they are too laborious for me. A little triban or short-winded double couplet is the utmost of my ambition in song-writing.'[24] Penillion pedair llinell gydag 11 neu 12 o sillafau ym mhob llinell oedd y caniadau rhydd o eiddo Huw Morys y cyfeiriodd atynt. Ni cheisiodd Lewis drin ffurfiau hwy, megis yr epig, am nad oedd ganddo'r amser na'r awydd i gynnal myfyrdod hir iawn ar bwnc, ond yn hytrach bodlonodd ar delynegion diymhongar ac ar fesurau'r hen benillion yn ei gerddi rhydd. Roedd yn englynwr da a denwyd ef hefyd i ddefnyddio uned y cwpled odledig, arddull sydd yn tueddu at farddoniaeth epi-gramatig a chofiadwy, yn gyntaf drwy ddefnyddio cymaint ar fesur y cywydd, ac yn ail (o gofio natur ddychanol llawer o'i waith) gan addasrwydd uned y cwpled ar gyfer effaith cynyddol dychan. Roedd yn ddigon craff ac yn ddigon gonest i gydnabod ei gyfyngiadau fel bardd ond nodweddir ei waith gan grynoder iaith, dyfeisgarwch, rhwyddineb a gloywder crefft. Ei gamp oedd difrifoli mydrau gwerinol megis tribannau a hen benillion er mwyn canu yn fwy dwys ar faterion y cyffroid ef ganddynt.

Ar ei orau, mae cryn wreiddioleb yn ei lenyddiaeth. Mewn llythyr o Alltfadog at William Vaughan, dyddiedig 13 Awst 1750, anfonodd gopi o 'Cywydd Marwnad i Haras o Gaerludd' ynghyd â'r nodyn hwn:

a chan fod y testun yn newydd am a wn i, fe allai fod ynddo rai meddyliau na thrawyd wrthynt o'r blaen; ond pa fodd bynnag, nid myfi ond y bobl a ddaw ar ein hôl fydd i farnu, pa un a haeddai fyw ai peidio. Fe wyddai *Horas* y parhae ei gân dros fyth; neu fe feddyliodd hynny, ag mae'n ddiamau iddo gymeryd poen tuag at ei gwneuthur o'r defnyddiau gorau; ond o'm rhan i ni ysgrifennais i bennill erioed a dybiwn i a allai fyw hanner oes dyn, ag ni wn i a bery Cywydd *Haras* hanner hynny.[25]

Cymeradwywyd ei honiad ynghylch newydd-deb gan D. Gwenallt Jones a bwysleisiodd: 'Cerdd ddychan feistrolgar yw ei gywydd i "Haerwen o Gaerludd"; peth hollol newydd yn y canu caeth.'[26] Dyma enghraifft bellach o unigolyddiaeth o fewn traddodiad. Yn y 'Cywydd i yrru'r Falwen' cymerodd Lewis ffurf draddodiadol, y cywydd llatai, a'i addasu a'i ddatblygu i fodloni ei chwaeth ef ei hun. Roedd yn gwbl gyfarwydd â'r traddodiad barddol Cymraeg, ei amrywiaeth a'i gryfderau. Gellir dadlau bod ei wybodaeth drylwyr, edmygol o'r traddodiad ar ei ben ei hun yn allwedd i ansawdd ei waith, heb sôn am ei unigolyddiaeth a adlewyrchir yn ei waith. Pe bai wedi llyncu confensiynau'r canu caeth yn gyrn, croen a charnau, gellid ei feirniadu am ddiffyg gwreiddioldeb, am ysgrifennu cyfres o ymarferiadau, ond rhoddodd stamp ei bersonoliaeth ar ei waith. Roedd ganddo lais unigol a meddylfryd arbennig. Mae'n awdur rhy rymus i ymddangos ddim ond fel corsen yn y gwynt, yn ddefnyddiol yn unig i ddangos ei gyfeiriad. Bodlonodd hefyd un o hanfodion yr athrawiaeth newydd-glasurol, sef y dylai barddoniaeth blesio. Derbyniodd y wireb mai'r beirniad diogel hwnnw, amser, a fyddai'n penderfynu pa rai o'i weithiau a fyddai'n cael eu canmol gan yr oesoedd a ddêl.[27]

Mae rhai o nodweddion ei waith yn gryfderau ac yn wendidau yr un pryd. Er enghraifft, mae cyfoesedd yn nodwedd amlwg yn ei waith. Mae'n dychanu *rhywbeth*, o'i safbwynt *ef ei hun*; ceir cyfeiriadau at gymeriadau a digwyddiadau arbennig. Mynegodd Swift ofid ynghylch cyfoesedd dychan Pope gan nodi y byddai materion defodol Llundain, pa mor gyffrous bynnag y bônt, yn cael eu hanghofio yn gyflym; hyd yn oed ar adeg yr ysgrifennu, byddai cyfeiriad digrif at ddihiryn o'r brifddinas yn achosi penbleth i ddarllenydd 20 milltir o Lundain.[28] Serch hynny, a derbyn hyn, mae cyfoesedd yn dod ag elfen o ffresni i waith Lewis yn ogystal.

Yn 1726/27 lluniodd gasgliad o gerddi rhydd digrif, yn aml yn anllad, o'r ail ganrif ar bymtheg yn bennaf gan feirdd megis Huw Morys, Rowland Vaughan a John Griffith.[29] 'Caniadau ofer' a 'wild fancies and comical notions' oedd ei ddisgrifiad o'r cynnwys. Yr hyn a olygai oedd llenyddiaeth ysgafnfryd, yn frith o gyfeiriadau at ryw a chyfeddach. Roedd ganddo weledigaeth o weld llenyddiaeth o bob math yn ffynnu yn Gymraeg. Dymunai weld safon crefft y 'caniadau ofer' yn codi i lefel ddigon uchel i'w hystyried fel un rhan o'r tirlun llenyddol diwygiedig yng Nghymru. Felly, yn y pen draw roedd amcan difrif, mewn ffordd guddiedig, y tu ôl i'w weithiau dychanol ef ei hun a chyfrannodd Cylch y Morrisiaid at godi safonau chwaeth lenyddol y cyfnod.

Sylw cyffredin gan feirniaid llên yw bod realaeth, hyd yn oed anlladrwydd, yn bodoli ochr yn ochr â chywreinrwydd barddoniaeth newydd-glasurol a sobrwydd syniadau newydd-glasurol. Saif Lewis Morris fel enghraifft wych o'r ddau wyneb a welwyd yn gynnar yn y ddeunawfed ganrif ac yn ei chanol. Ar y naill law, roedd gwir ysgolheictod yn bwysig iddo ac roedd ganddo gryn feddwl o farddoniaeth fel uchel gelfyddyd. Ar y llaw arall, ceir digon o enghreifftiau o flas y pridd yn ei weithiau creadigol a'i lythyrau. Mae corff y 'canu ofer' a luniwyd gan y Llew tew yn cynrychioli heol bengaead mewn llenyddiaeth Gymraeg, oherwydd gydag ef daeth traddodiad cyhoeddus y canu ofer i ben (dros dro). Ni ddilynwyd ef yn bell gan ei ddisgyblion hyd yn oed, o ran newydd-deb testunau ac ymdriniaeth ffres a di-draul. Roedd Ieuan Brydydd Hir yn barod iawn i bregethu yn ei gerddi ac roedd Goronwy Owen, yn anad dim, yn fardd crefyddol. Goronwy Owen oedd y bardd medrusaf yng nghylch y Morrisiaid ac Ieuan Brydydd Hir oedd y mwyaf gwybodus yn yr hen farddoniaeth Gymraeg, ond ni feddai'r naill na'r llall ar ddychymyg creadigol Lewis Morris, na'i arddull sionc a'i iaith ystwyth a chyfoes.

Gormeswyd beirdd caeth y ddeunawfed ganrif gan rym y traddodiad barddol, ac felly prif nod cywion Lewis Morris – er nad dynwaredwyr merfaidd a phrennaidd mohonynt fel cynifer o gywyddwyr yr ail ganrif ar bymtheg – oedd efelychu mor driw â phosibl ganu traddodiadol y Cywyddwyr drwy farwnadu, moli ac annerch. Daeth llenyddiaeth Gymraeg yn fwy ffurfiol a difrif ar ôl cyfnod Lewis, yn arbennig ar ôl sefydlu'r eisteddfodau. Trosglwyddwyd safonau Goronwy Owen, a osododd gryn bwys ar ddifrifoldeb ac arucheledd mewn llenyddiaeth (yn bennaf oherwydd iddo ystyried 'yr hen gyrff', sef y Gogynfeirdd, fel ei hoff feirdd[30]) i feirdd cymdeithas y Gwyneddigion ac ymlaen i'r ganrif nesaf, yn hytrach na safonau catholig Lewis Morris a'i ganu afieithus-ddrygionus ef. Cofier effaith hefyd y don gref sobreiddiol o Fethodistiaeth a ysgubodd dros dde Cymru. Cynhwysai Methodistiaeth elfen asgetig gref na chaniatâi ysgrifennu neu siarad yn gyhoeddus mewn ffordd ysgafala, heb sôn am aflednais.

Soniwyd eisoes mai testun rhyfeddod yw amlochredd Lewis Morris ac ystod ei ddiddordebau. Roedd ganddo chwant dihysbydd am wybodaeth ac roedd bob amser yn croesawu ysgogiad deallusol i roi min ar ei feddyliau. Meistrolodd grefft mesur tir, arloesodd ym myd cyhoeddi Cymraeg gyda'i ymgais i gyhoeddi cyfnodolyn, gwnaeth waith hydro-graffig a chartograffig sy'n cymharu'n ffafriol gydag eraill o'r cyfnod, daeth i fod yn awdurdod ar bob agwedd ar ddiwydiant y mwyn plwm yng Ngheredigion ac mae'r 'Celtic Remains' meistrolgar yn dyst i'w ddysg a'i ddyfalbarhad. Ystyriai y 'Celtic Remains' fel ei bennaf orchest, er nad yw'r gwaith mor werthfawr ag a obeithiai ef. Roedd yn ddihafal yn ei ddydd fel beirniad llawysgrifau a gadawodd ei ôl yn barhaol ar ysgolheictod hanesyddol Cymru. Cyflawnodd gryn gamp hefyd wrth lwyddo i adnewyddu diddordeb y Cymry yn hanes eu gwlad. Er cymaint a gyflawnodd, ei gyfraniad mwyaf hirhoedlog oedd fel bardd, llenor ac ysgolhaig. Roedd ei waith mewn meysydd eraill, megis hydrograffeg a chartograffeg, yn arwyddocaol iawn yn ei ddydd ac yn adlewyrchu gallu aruthrol, ond nid oes ganddynt werth parhaol ei weithiau llenyddol. Y rhain – y llythyrau a fydd yn ennyn diddordeb tra bydd darllen yng Nghymru, ei ryddiaith greadigol afieithus, y canu rhydd ac i raddau llai y canu caeth, a'i ddylanwad fel athro a beirniad – sydd yn cadw ei enw yn fyw.

Edmygai'r cyfuniad o'r dwys a'r digrif yng ngweithiau Dafydd ap Gwilym. O ran Lewis ei hun, roedd meddwl grymus, dychymyg a dysg yn cyd-fyw ym mherson awdur seciwlar Cymraeg mwyaf ei gyfnod. Yn nhrigain mlynedd cyntaf y ddeunawfed ganrif, roedd ei ddawn dweud ymhlith y disgleiriaf yng Nghymru. Mae gan ei weithiau llenyddol apêl arbennig awdur y mae ei fywiogrwydd afieithus yn cael ei gydbwyso gan ddiwylliant aeddfed ysgolhaig galluog a dyfal. Saif Lewis Morris fel un o Gymry mwyaf nodedig y ddeunawfed ganrif ac fel un o'r ffigyrau mwyaf anghyffredin a lliwgar yn hanes llenyddiaeth Gymraeg.

Nodiadau

Byrfoddau

(Mae'r rhestr hon o fyrfoddau yn tystio i lafur mawr ac arloesol John H. Davies a Hugh Owen ar y Morrisiaid, a phriodol yw cofio'r llafur hwnnw.)

ALMA   *Additional Letters of the Morrises of Anglesey (1735–1786)*, gol. Hugh Owen, dwy gyfrol (Llundain, 1947 a 1949).
BL   Un o lawysgrifau'r Llyfrgell Brydeinig yn Llundain.
DT   *Diddanwch Teuluaidd*, gol. Huw Jones (Llundain, 1763).
LGO   *The Letters of Goronwy Owen (1723–1769)*, gol. John H. Davies (Caerdydd, 1924).
LWLM   *The Life and Works of Lewis Morris (Llewelyn Ddu o Fôn) 1701–1765*, gol. Hugh Owen ([ni nodir man cyhoeddi], 1951).
LlGC   Un o lawysgrifau Llyfrgell Genedlaethol Cymru.
ML   *The Letters of Lewis, Richard, William and John Morris, of Anglesey (Morrisiaid Môn) 1728–1765*, gol. John H. Davies, dwy gyfrol (Aberystwyth, 1907 a 1909).

Pennod 1

[1] *ML*, i, t. 237.
[2] *ML*, ii, t. 82.
[3] Ibid., t. 42.
[4] *LGO*, tt. 61–2.
[5] Ynghylch blwyddyn geni John Morris, gw. Dafydd Wyn Wiliam, *Cofiant Siôn Morris (1713–40)* (Llangefni, 2003), sy'n cywiro gwall a ail-adroddwyd am ddwy ganrif.
[6] *ML*, ii, t. 233.
[7] *ML*, i, tt. 326, 365–6.
[8] Ibid., tt. 243, 436.
[9] *ML*, ii, t. 80.
[10] Ibid., t. 30.

[11] *LGO*, t. 28.

[12] *ML*, i, t. 198.

[13] Ibid., t. 162.

[14] *ML*, ii, t. 517.

[15] *ALMA*, ii, t. 513.

[16] Ibid., t. 510.

[17] *ML*, i, t. 483.

[18] *LWLM*, t. xviii yn dyfynnu o *Trysorfa Gwybodaeth, neu Eurgrawn Cymraeg* (1807), t. 41. Cyhoeddwyd dau rifyn o'r cylchgrawn hwn, y naill rywbryd yn 1807 a'r llall ym mis Ionawr 1808. Fe'i golygwyd gan David Thomas (Dafydd Ddu Eryri) a Peter Bailey Williams, a'i argraffu yng Nghaernarfon. Gw. Huw Walters, *Llyfryddiaeth Cylchgronau Cymreig 1735–1850* (Aberystwyth, 1993), 161, tt. 59–60. Ceir y sylw am addysg Lewis Morris mewn darn sy'n dwyn y teitl 'Coffadwriaeth am Lewis Morys, Yswain'. Mae'n ddienw, ond tebyg mai Dafydd Ddu Eryri a'i hysgrifennodd. Gwelir cyfeiriad Lewis ei hun at Fiwmares – 'when I was a boy there' – mewn darn o ryddiaith ar ffurf llythyr at offeiriad yn ymofyn llyfr a roddwyd ar fenthyg, yn *Tlysau'r Hen Oesoedd*, 16 (Hydref 2004), 13–14.

[19] *ML*, i, t. 76.

[20] *ML*, ii, t. 225.

[21] *ALMA*, ii, t. 513.

[22] *Llawysgrif Richard Morris o Gerddi*, gol. T. H. Parry-Williams (Caerdydd, 1931). Barnodd Parry-Williams am y llawysgrif, 'Anodd cael, wedi ei chadw, lawysgrif mor ddiddorol gan lanc mor ieuanc', t. xxxvi.

[23] *ML*, ii, tt. 45, 177.

[24] Am drafodaeth o'r alawon a enwir yn llawysgrif Richard Morris, gw. Phyllis Kinney, 'Contraboncin, Pigransi', *Canu Gwerin*, 17 (1994), 18–27. Trafodir dylanwad y canu gwerinol ar waith Lewis Morris gan Mari Elin Jones, '"Gwaith Prydydd Da'i Awenydd . . .": cerddi gwasael a phenillion telyn Lewis Morris', *Canu Gwerin*, 26 (2003), 3–21.

[25] *Llawysgrif Richard Morris o Gerddi*, gol. Parry-Williams, tt. 111–13.

[26] *ML*, ii, tt. 147, 427.

[27] *Llawysgrif Richard Morris o Gerddi*, gol. Parry-Williams, t. 100.

[28] *LWLM*, t. 151.

[29] *LGO*, tt. 60–1. Am ymdriniaeth lawn â bywyd a gwaith Goronwy Owen, gw. Alan Llwyd, *Gronwy Ddiafael, Gronwy Ddu: Cofiant Goronwy Owen 1723–1769* (Llandybïe, 1997).

[30] LlGC Ychw. 21301, 59.

[31] *LWLM*, t. 151.

[32] *ML*, i, tt. 97–8.

[33] BL Add. 14937, 23; *LWLM*, t. 92.

[34] Gw. Dafydd Wyn Wiliam, *Cofiant Richard Morris (1702/3–79)* (Llangefni, 1999).

[35] BL Add. 14934, 3.

[36] Gw. Branwen Jarvis, 'Lewis Morris, y "philomath" ymarferol', *Cof Cenedl*, x (1995), tt. 61–90.

Pennod 2

[1] *ALMA*, ii, t. 796.
[2] BL Add. 14937, 24; *LWLM*, t. 94.
[3] Dafydd Wyn Wiliam, *Brasluniau Lewis Morris o Eglwysi, Tai a Phentrefi ym Môn* (Llangefni, 1999).
[4] BL Add. 14937, 23; *LWLM*, t. 93.
[5] *ALMA*, i, t. 1.
[6] *ML*, i, t. 167.
[7] LlGC Cwrtmawr 14, 185; *LWLM*, t. 162.
[8] *LWLM*, t. 162. Gw. hefyd Y *Flodeugerdd Englynion*, gol. Alan Llwyd (Abertawe, 1978), t. 81.
[9] Am drafodaeth ar sut y daeth llawysgrif Robert ap Huw i feddiant Lewis Morris a'i ymateb iddi, gw. Stephen P. Rees a Sally Harper, 'Agweddau ar balaeograffeg a hanes llawysgrif Robert ap Huw', *Hanes Cerddoriaeth Cymru*, 3 (1999), 68–81.
[10] BL Add. 14937, 28; *LWLM*, t. 97.
[11] BL Add. 14937, 27; *LWLM*, t. 96.
[12] *ML*, ii, t. 390; *ALMA*, ii, t. 643.
[13] BL Add. 14937, 4; *LWLM*, t. 88.
[14] Dafydd Wyn Wiliam, *Cofiant Lewis Morris 1700/1–42* (Llangefni, 1997), tt. 86–106.
[15] Casglwyd y cerddi ynghyd gan Dafydd Wyn Wiliam yn 'Y traddodiad barddol ym mhlwyf Bodedern, Môn', traethawd MA, Cymru (Bangor), 1970, 581–627.
[16] Dyfynnwyd yn Bedwyr Lewis Jones, 'Lewis Morris a Goronwy Owen – "digrifwch llawen" a "sobrwydd synhwyrol"', *Ysgrifau Beirniadol X*, gol. J. E. Caerwyn Williams (Dinbych, 1977), t. 295.
[17] BL Add. 14937, 39; *LWLM*, tt. 103–4.
[18] BL Add. 14876, 49
[19] *ALMA*, i, tt. 15–18.
[20] *LWLM*, tt. 101–2.
[21] LlGC Ychw. 436B, 152; *LWLM*, tt. 200–1.
[22] Cyhoeddwyd y 'Cywydd Mawl' yn *Tlysau'r Hen Oesoedd*, 8 (Hydref 2000), 12–14.
[23] *LWLM*, t. 150.
[24] BL Add. 14929, 108; *LWLM*, t. 68.
[25] BL Add. 14937, 32b.
[26] BL Add. 14929, 129; *LWLM*, tt. 69–70.
[27] *ALMA*, i, t. 76.

[28] BL Add. 14934. Am ymdriniaeth lawnach o'i gyfieithiadau, gw. Alun R. Jones, '"Put it in a Welsh dress": poetical translations by Lewis Morris', *Cylchgrawn Llyfrgell Genedlaethol Cymru*, xxxi, 4 (Gaeaf 2000), 345–56.

[29] Samuel Johnson, *The Lives of the English Poets: and a Criticism on their Works*, ii (Dulyn, 1781), t. 34.

[30] BL Add. 14929, 152; *LWLM*, t. 72.

[31] BL Add. 14937, 37; *LWLM*, t. 100.

[32] Am ddadansoddiad o'r iaith a ddefnyddir yn y llythyrau gw. J. E. Caerwyn Williams, 'Cymraeg y Morrisiaid', *Y Traethodydd* (1957), 69–82, 107–21. Gw. hefyd Alun R. Jones, ' "Talking upon paper": Lewis Morris's letters', *Studia Celtica*, xxxii (1998), 211–29, ac '"Ymrwbio yn ein gilydd mal ceffylau": llythyrau Lewis Morris', *Llên Cymru*, 22 (1999), 80–92.

Pennod 3

[1] *LWLM*, t. xxii.

[2] *ML*, i, t. 1.

[3] BL Add. 14937, 38a.

[4] Emyr Gwynne Jones, 'Llythyrau Lewis Morris at William Vaughan, Corsygedol', *Llên Cymru*, x (1968), 26.

[5] LlGC Ychw. 67, 36; *LWLM*, t. 184.

[6] BL Add. 14929, 56; *LWLM*, t. 50.

[7] BL Add. 14937, 7; *LWLM*, t. 88.

[8] BL Add. 14937, 43; *LWLM*, t. 105.

[9] *ML*, i, t. 2.

[10] *LWLM*, tt. 328–40.

[11] *ML*, ii, t. 605.

[12] Dyfynnwyd y paragraff hwn gan Glanmor Williams, 'Haneswyr a'r Deddfau Uno', *Cof Cenedl*, x (Llandysul, 1995), t. 40.

[13] Yn y cyd-destun hwn, gellid ystyried barn Dafydd Glyn Jones mai 'Prydeinig a gwrth-Seisnig yw'r hen draddodiad hanes', *Agoriad yr Oes: Erthyglau ar Lên, Hanes a Gwleidyddiaeth Cymru* (Tal-y-bont, 2001), t. 35.

[14] *LGO*, tt. 201–3. Ni dderbyniodd Enid Roberts y 'Cywydd i Ofyn Ysbectol', a dadogwyd i Siôn Tudur mewn rhai llawysgrifau, i gorlan cerddi'r bardd hwnnw. Gw. *Gwaith Siôn Tudur*, ii (Caerdydd, 1980), t. xliii.

[15] *ALMA*, i, t. 196.

[16] Oherwydd ei mynych gyfeiriadau at afonydd a rhydau, cyfeirir sawl tro at y gerdd hon gan Gwilym T. Jones yn ei gyfrolau *Afonydd Môn* (Bangor, 1989) a *Rhydau Môn* (Bangor, 1992).

[17] *The Cefn Coch MSS*, gol. J. Fisher (Lerpwl, 1899), tt. 133–5, 21–4, 74–8, 112–15, 148–51.

[18] *ALMA*, ii, t. 790.

[19] *LWLM*, t. 197.

[20] BL Add. 14911; *LWLM*, t. 26.

[21] Llyfrgell Prifysgol Cymru, Bangor, Gwyneddon 1.

[22] *ALMA*, i, t. 13.

[23] Bobi Jones, 'Trefn mewn llên', *Y Fflam*, xi (Awst 1952), 11–12.

[24] *ALMA*, i, tt. 28–9.

[25] Brynley F. Roberts, 'Rhai swynion Cymraeg', *Bwletin y Bwrdd Gwybodau Celtaidd*, xxi (Tachwedd 1965), 207.

[26] *ALMA*, i, t. 29.

[27] *Les Essais de Michel Seigneur de Montaigne* (Paris, 1595), t. 290. Mae'n annhebygol fod gan Lewis feistrolaeth ddigonol o'r Ffrangeg i allu darllen y gwreiddiol ('I have almost forgot the little French I had', meddai wrth William ei frawd ar 21 Mai 1757). Serch hynny, mae'n debygol ei fod yn gyfarwydd â chyfieithiad 1603 John Florio, *Essayes, Or, Morall, Politike and Millitarie Discourses*, yn arbennig o gofio fod ganddo gyfrol arall o waith Florio yn ei lyfrgell, fel y tystir gan y cofnod canlynol yng nghatalog y llyfrau ym Mhenbryn: 'Florio's 2^d Fruits. 1591', cyfeiriad at gasgliad Florio o ymddiddanion Eidaleg-Saesneg (*ALMA*, ii, t. 803). Yn 1727 lluniodd Lewis y cwpled canlynol, 'I'r Iaith Ffreinig': 'Ffreinig iaith i ffrwyno gŵr, / Saig iraidd i segurwr.' Yn ei lyfrgell roedd copi o ramadeg Ffrangeg Abel Boyer (*ALMA*, ii, t. 799) a geiriadur Ffrangeg–Saesneg Randle Cotgrave (*ALMA*, ii, t. 796).

[28] *LWLM*, t. 126.

[29] Jones, 'Llythyrau Lewis Morris at William Vaughan, Corsygedol', 14.

[30] Bedwyr Lewis Jones, 'Goronwy Owen, 1723–69', *Trafodion Anrhydeddus Gymdeithas y Cymmrodorion* (1971), 36–44.

[31] *LGO*, t. 7.

[32] 'Epistle ii', *Pope: Poetical Works*, gol. Herbert Davis (Rhydychen, 1978), t. 250.

[33] BL Add. 14937, 28; *LWLM*, t. 96.

[34] *ML*, i, tt. 374–5.

[35] *ALMA*, ii, t. 806.

[36] *An Essay Concerning Human Understanding*, II, ix, 9, gol. P. H. Nidditch (Rhydychen, 1975), t. 146.

[37] Charles Parry, 'Copi Lewis Morris o "Sylva Sylvarum" Francis Bacon', *Tlysau'r Hen Oesoedd*, 5 (Ebrill 1999), 6–8.

[38] *LWLM*, t. 143.

[39] *ML*, i, tt. 312–13; *ML*, ii, tt. 153–6. Hen gred oedd yr un am 'gnocwyr' mewn pyllau mwyn. Gw. David Jenkins, *Bro Dafydd ap Gwilym* (Aberystwyth, 1992), tt. 62–3.

[40] Aneirin Lewis, 'Llyfrau Cymraeg a'u darllenwyr, 1696–1740', *Efrydiau Athronyddol*, xxxiv (1971), 50.

[41] Gw. *ML*, ii, t. 368.

[42] Gw. y cofnod am 'Newyddiaduraeth' yn y *Cydymaith i Lenyddiaeth*

Cymru, gol. Meic Stephens (Caerdydd, 1997), t. 533. Cafwyd tri adargraffiad o'r *Tlysau* dros y blynyddoedd – yn 1902, 1983 ac 1999.

[43] Trafodir haenau canol y gymdeithas gan Geraint H. Jenkins, *Hanes Cymru yn y Cyfnod Modern Cynnar 1530–1760* (Caerdydd, 1983), tt. 30–42.

[44] *ALMA*, i, t. 10.

[45] Roger L'Estrange, 'A physician that cur'd mad-men', *Fables of Aesop and Other Eminent Mythologists: With Morals and Reflections* (Llundain, 1692), tt. 339–40. Roedd cyfieithiadau ac efelychiadau o Esop yn ffasiynol.

[46] *ALMA*, ii, t. 520.

[47] *ML*, ii, t. 281.

Pennod 4

[1] *ALMA*, i, tt. 37–8.

[2] Huw Walters, 'The periodical press to 1914', *A Nation and its Books: A History of the Book in Wales*, gol. Philip Henry Jones ac Eiluned Rees (Aberystwyth, 1998), t. 197. Gw. hefyd Huw Walters, *Llyfryddiaeth Cylchgronau Cymreig 1735–1850* (Aberystwyth, 1993), 160, t. 59.

[3] Gw. Saunders Lewis, *A School of Welsh Augustans* (Wrecsam, 1924), tt. 146–50. Barnodd Saunders Lewis fod defnydd Lewis Morris o chwedl Lough Derg (y llyn coch) a Phurdan Padrig yn un o'r 'unexpected events of 18th century Welsh literature'. *A School of Welsh Augustans*, t. 31. Ceir hanes y fangre bererindota hynod hon ynghyd ag astudiaeth o'r llenyddiaeth o brofiadau gw35ledigaethol a ysgogodd yn *The Medieval Pilgrimage to St. Patrick's Purgatory*, gol. Michael Haren ac Yolande de Pontfarcy (Enniskillen, 1988).

[4] Tom Brown, 'A letter of news from Mr Joseph Haines, of merry memory, to his friends at Will's Coffee-House in Covent-Garden', *Letters from the Dead to the Living* (Llundain, 1702), tt. 1–6. Gw. Bedwyr Lewis Jones, 'Rhyddiaith y Morrisiaid', *Y Traddodiad Rhyddiaith*, gol. Geraint Bowen (Llandysul, 1970), t. 291.

[5] *LWLM*, tt. 49–53.

[6] *Gwaith Siôn Tudur*, i, gol. Enid Roberts (Caerdydd, 1980), rhif 118; *ML*, ii, t. 217.

[7] *ALMA*, i, tt. 9–10.

[8] *LWLM*, tt. 133–6.

[9] *The Works of Lucian*, iii, gol. John Dryden (Llundain, 1711), tt. 122–86.

[10] *The Works of Lucian*, i, gol. John Dryden (Llundain, 1711), tt. 191–201, 202–40.

[11] *ALMA*, i, tt. 89–91.

[12] *Pantagruel*, II, t. xxx; *Œuvres de maitre François Rabelais*, 3 cyfrol, ii (Yr Hâg, 1789), tt. 126–8.

[13] *ALMA*, i, tt. 89–90.

[14] Gwyn Thomas, *Y Bardd Cwsg a'i Gefndir* (Caerdydd, 1971), tt. 205–8.

[15] *The Works of Lucian*, iii, tt. 345–76

[16] Donald R. Dudley, *A History of Cynicism: From Diogenes to the 6th Centruy A. D.* (Llundain, 1937).

[17] *ML*, i, t. 355; *ML*, ii, tt. 211, 411.

[18] *LWLM*, tt. 128–30.

[19] BL Add. 14927, 79.

[20] LlGC Peniarth 239, 323.

[21] Nid Lewis yw'r unig awdur i adleisio'r cwpled hwn. Er enghraifft, dechreuodd John Evans, Amlwch (1791–1809) bennill fel a ganlyn: 'O! angau, pa le mae dy golyn? / O! uffern, ti gollaist y dydd!' Dyfynnir yn *Dechrau Canu: Rhai Emynau Mawr a'u Cefndir*, gol. E. Wyn James (Bryntirion, 1987), t. 82.

[22] *DT*, tt. 232–7.

[23] *ALMA*, i, t. 60.

[24] Ibid., t. 159.

[25] Ibid., tt. 196–200.

[26] *Gwaith Dafydd ap Gwilym*, gol. Thomas Parry (Caerdydd, 1952), rhifau 119 ac 121.

[27] 'Mawl i'r Clôs neu'r Deildy – Gwahodd Morfudd Yno', *Barddoniaeth Dafydd ab Gwilym*, gol. Owen Jones a William Owen (Llundain, 1789), t. 507.

[28] Helen Fulton, *Dafydd ap Gwilym and the European Context* (Caerdydd, 1989), yn enwedig tt. 40, 138, 140, 210.

[29] Term a ddefnyddiwyd gan Saunders Lewis yn ei erthygl 'Cywydd gan Thomas Jones, Dinbych', *Meistri a'u Crefft: Ysgrifau Llenyddol gan Saunders Lewis*, gol. Gwynn ap Gwilym (Caerdydd, 1981), t. 90.

[30] *Blodeugerdd o'r Ddeunawfed Ganrif*, gol. D. Gwenallt Jones, 4ydd argraffiad (Caerdydd, 1947), t. 113.

[31] 'I Wenhwyfar o Fôn a Achwynasai ar y Bardd wrth ei Gŵr', *Barddoniaeth Dafydd ab Gwilym*, gol. Jones ac Owen, t. 295.

[32] BL Add. 14929, 33; *LWLM*, t. 48.

[33] *ML*, i, t. 298.

[34] E. G. Hardy, *Jesus College, Oxford* (Rhydychen, 1899), t. 243. Matricwleiddiodd yng Ngholeg Iesu ar 5 Chwefror 1728, graddiodd yn 1731 a'i wneud yn Faglor mewn Diwinyddiaeth yn 1741. Gw. *Alumni Oxoniensis*, ii, gol. Joseph Foster (Llundain, 1888), t. 422.

[35] *ALMA*, i, t. 139.

[36] *ML*, i, tt. 107, 121.

[37] *ML*, ii, t. 256.

[38] Gw. y gerdd yn ei chyfanrwydd yn *Tlysau'r Hen Oesoedd*, 8 (Hydref 2000), 15–16. Camgymeriad gan y golygydd oedd tybio mai Thomas Ellis oedd gwrthrych y gerdd.

[39] *Canu Rhydd Cynnar*, gol. T. H. Parry-Williams (Caerdydd, 1932), t. lxxxiv.

[40] *ALMA*, i, t. 79.

[41] LlGC Ychw. 67, 34.

[42] Thomas Parry, *Hanes Llenyddiaeth Gymraeg hyd 1900* (Caerdydd, 1944), t. 185. Cf. *Hen Benillion*, gol. T. H. Parry-Williams (Llandysul, 1940), t. 15.

[43] Alun R. Jones, 'Mock-learned commentaries by Lewis Morris', *Cylchgrawn Llyfrgell Genedlaethol Cymru*, xxx, 4 (Gaeaf 1998), 415.

[44] *ALMA*, i, t. 45.

[45] *The Correspondence of Alexander Pope*, i, gol. George Sherburn (Rhydychen, 1956), t. 353.

[46] Samuel Johnson, 'Life of Pope', *The Lives of the English Poets*, iii, gol. George Birckbeck Hill (Rhydychen, 1905), t. 207.

[47] *ALMA*, i, t. 72.

[48] Emyr Gwynne Jones, 'Llythyrau Lewis Morris at William Vaughan, Corsygedol', *Llên Cymru*, x (1968), 7–9.

[49] James Winn, *A Window in the Bosom: The Letters of Alexander Pope* (Hamden, Connecticut, 1977), tt. 72–3.

[50] Bruce Redford, *The Converse of the Pen: Acts of Intimacy in the Eighteenth-Century Familiar Letter* (Chicago, 1986), tt. 133–76.

[51] *ML*, i, t. 5; ceir astudiaeth fanwl o fywyd a gwaith William Vaughan gan M. Rhiannon Thomas, 'William Vaughan, Corsygedol, 1707–1775, noddwr llên', traethawd MA, Cymru (Bangor), 1986.

[52] *ALMA*, i, tt. 70–2.

[53] *Gwaith Lewys Glyn Cothi*, gol. Dafydd Johnston (Caerdydd, 1995), t. 490.

[54] *ALMA*, i, tt. 31–4. Ynghylch dyddiad y llythyr hwn gw. adolygiad A. O. H. Jarman yn *Y Llenor*, xxvii (1948), 190–1.

[55] Jones, 'Llythyrau Lewis Morris at William Vaughan, Corsygedol', 4.

[56] *Ibid.*, 9.

[57] *ML*, i, t. 4.

[58] *Ibid.*, t. 5.

[59] Jones, 'Llythyrau Lewis Morris at William Vaughan, Corsygedol', 21. Gw. 'Gwahodd Morfudd i'r Deildy', *Barddoniaeth Dafydd ab Gwilym*, gol. Jones ac Owen, tt. 161–3 ac 'Y Das Wair', tt. 407–8.

[60] Jones, 'Llythyrau Lewis Morris at William Vaughan, Corsygedol', 9.

[61] *Ibid.*, x, 12–13.

[62] Thomas Parry, 'Y rhagwant', *Barddas*, 74 (Mai 1983), 2.

[63] Lewis Morris, *Plans of Harbours, Bars, Bays and Roads in St. George's Channel* (Llundain, 1748), t. ii. Am gyfeiriadau at y llu o longau a suddodd ar arfordiroedd Môn, gw. Aled Eames, *Ships and Seamen of Anglesey 1558–1918* (Llangefni, 1973), tt. 319–56; am gyfeiriadau at longau a ddrylliwyd ar greigiau Crigyll gw. t. 131. Gw. hefyd Ivor Wynne Jones, *Shipwrecks of North Wales* (Newton Abbot, 1973), tt. 52–122.

[64] *ALMA*, i, t. 95.
[65] *Tlysau'r Hen Oesodd*, 7 (Ebrill 2000), 10–11.
[66] *Hen Benillion*, gol. Parry-Williams, t. 58.
[67] 'R.T.', *Taliesin*, 21 (Rhagfyr 1970), 20.
[68] *LWLM*, t. 36.
[69] Thomas Parry, *Baledi'r Ddeunawfed Ganrif* (Caerdydd, 1935), tt. 97–8.
[70] *ALMA*, i, t. 208; *ALMA*, ii, t. 560.
[71] Gw. E. G. Millward, *Ceinion y Gân: Detholiad o Ganeuon Poblogaidd Oes Victoria* (Llandysul, 1983), t. 101.
[72] *Geirionydd: Cyfansoddiadau Barddonol, Cerddorol a Rhyddieithol y Diweddar Barch. Evan Evans (Ieuan Glan Geirionydd)*, gol. Richard Parry (Rhuthun, 1862), tt. 167–9.
[73] *Robert Frost: A Backward Look*, gol. Louis Untermeyer (Washington, 1964), t. 18.
[74] BL Add. 14929, 90; *ML*, i, t. 22.
[75] Dafydd Wyn Wiliam, *Cofiant Siôn Morris (1713–40)* (Llangefni, 2003), tt. 63–73. Am astudiaeth arall o flynyddoedd olaf bywyd John Morris, gw. Eames, *Ships and Seamen of Anglesey*, tt. 134–46. Roedd Tobias Smollett hefyd yn un o'r cannoedd ar y fordaith i India'r Gorllewin ond ar long ryfel arall o'r enw 'Chichester', a cheir adroddiad hunan-gofiannol cofiadwy yn *The Adventures of Roderick Random* (1748). Gw. golygiad Paul-Gabriel Boucé (Rhydychen, 1979), yn enwedig t. 177 ymlaen.
[76] *ML*, i, tt. 47, 52.
[77] Gwyn Thomas, *Ellis Wynne* (Caerdydd, 1984), tt. 21–2.
[78] *LWLM*, tt. 10–11.
[79] *The Art of Rhetoric*, III, vii, 11, gol. John Henry Freese (Cambridge, Mass. a Llundain, 1982), t. 381.
[80] Siôn Dafydd Rhys, *Cambrobrytannicae Cymraecaeve Linguae Institutiones et Rudimenta* (Llundain, 1592), t. [10].
[81] *ALMA*, i, tt. 142–3.
[82] *LWLM*, tt. 8–9.
[83] *Dramatic Works*, i, gol. John Fuller (Rhydychen, 1983), t. 187; *John Gay: Poetry and Prose*, i, gol. Vinton A. Dearing a Charles E. Beckwith (Rhydychen, 1974), t. 109.
[84] 'The Fourth Pastoral', *The Poems of Ambrose Philips*, gol. M. G. Segar (Rhydychen, 1937), t. 24.
[85] Gw. *The Guardian*, gol. John Calhoun Stephens (Kentucky, 1982), t. 163.
[86] T. S. Eliot, 'Milton I', *On Poetry and Poets* (Llundain, 1957), tt. 138–45.
[87] *Hen Benillion*, gol. Parry-Williams, t. 166. Gw. hefyd yr enghreifftiau a nodir gan Gwyn Thomas yn *Y Bardd Cwsg a'i Gefndir*, t. 237.
[88] Yn yr Oesoedd Canol fe'i hadwaenid fel 'Bangor Fawr yn Arfon' er mwyn gwahaniaethu rhyngddi a Bangor Is-coed yn Sir y Fflint, a Bangor Teifi yn Sir Geredigion. Gw. *Cydymaith i Lenyddiaeth Cymru*, gol. Meic Stephens (Caerdydd, 1997), t. 34.
[89] Ffeiliau Carchar, Sir Fôn, Llyfrgell Genedlaethol Cymru, 4 251–1, f. 16.

Am wybodaeth am Ffeiliau Carchar, prif gofnod ochr droseddol Llys y Sesiwn Fawr, gw. Glyn Parry, *A Guide to the Records of Great Sessions in Wales* (Aberystwyth, 1995), tt. lxi–lxxviii. Trafododd Dafydd Wyn Wiliam ysbeiliad y *Loveday and Betty* a'r prawf a ddilynodd yn 'Lladron Crigyll', *Llwynogod Môn ac Ysgrifau Eraill* (Penygroes, 1983), tt. 45–50.

[90]   (Bangor) Henblas MS. A 18, f. 433.

[91]   *Juvenal and Persius*, gol G. G. Ramsey (Llundain, 1957), Iuvenalis Satura i, llinell 79.

[92]   *Swift*, gol. John Hayward (Bloomsbury ac Efrog Newydd, 1934), t. 825.

[93]   W. R. Williams, *The History of the Great Sessions in Wales 1542–1830* (Brycheiniog, 1899), t. 114.

[94]   *The Dictionary of National Biography* (*DNB*), xx, gol. Leslie Stephen (Rhydychen, 1949–50), tt. 267–72.

[95]   John Knox Laughton, *DNB*, xx, t. 270. Labelwyd y cymysgwch o frandi a rỳm wedi ei deneuo â dŵr yn 'necessity' gan y morwyr yn yr *Adventures of Roderick Random* (1748) gan Tobias Smollett. Gw. golygiad Boucé, t. 186.

[96]   Ni nododd Lewis, fel y gwnaed fel arfer, ai'r 'ffordd hwyaf' neu'r 'ffordd fyrraf' y cenid 'Gadael Tir'. Gw. Phyllis Kinney, 'The tunes of the Welsh Christmas carols', *Canu Gwerin*, 11 (1988), 30.

[97]   *ML*, i, t. 54.

[98]   Glyn Penrhyn Jones, *Newyn a Haint yng Nghymru* (Caernarfon, 1962), t. 127.

[99]   *ALMA*, i, t. 101.

[100]   *ML*, i, t. 61.

[101]   *ML*, ii, t. 388 (21 Medi 1761).

[102]   Gerald Morgan, *Y Dyn a Wnaeth Argraff: Bywyd a Gwaith yr Argraffydd Hynod John Jones, Llanrwst* (Llanrwst, 1982).

Pennod 5

[1]   Emyr Gwynne Jones, 'Llythyrau Lewis Morris at William Vaughan, Corsygedol', *Llên Cymru*, x (1968), 29.

[2]   Am ymdriniaeth fanwl ag anturiaethau Lewis wrth gloddio am fwyn, gw. Dafydd Wyn Wiliam, *Cofiant Lewis Morris 1742–65* (Llangefni, 2001), tt. 58–72.

[3]   Jones, 'Llythyrau Lewis Morris at William Vaughan, Corsygedol', 33.

[4]   Ibid., 40.

[5]   Ceir addasiad Lewis yn *ALMA*, i, tt. 123–6 ac yn Jones, 'Llythyrau Lewis Morris at William Vaughan, Corsygedol', 33–5. Ceir sawl fersiwn llawysgrif o'r llythyr lled-Swiftaidd 'Letter from a gentleman in the country to his friend in town'. Gw. Harold Williams, *The Correspondence of Jonathan Swift*, 5 (Rhydychen, 1965), tt. 260–1 am fersiwn llyfrgell Huntingdon, dyddiedig 10 Hydref 1735. Ceir un arall yn

Llyfrgell Bodley, MS Eng. poet, e.47 ff. 10–12. Cynhwyswyd y llythyr, o dan y teitl 'From Dean Swift to his Friend' ac ymhlith gweithiau dilys Swift, mewn cyfrol a argraffwyd gan W. Bickerton, *An Useful and Entertaining Collection of Letters* (Llundain, 1745), tt. 115–17. Fe'i hargraffwyd wedyn yn *Miscellanies* Swift, 11 (Llundain, 1753), tt. 165–7 ac yn *The Works of Jonathan Swift, D.D. Dean of St. Patrick's Dublin*, vi, ii (Llundain, 1755), tt. 167–8.

[6]   Gw. Hugh Owen, 'The Morrises and the Methodists of Anglesey in the 18th century', *Trafodion Cymdeithas Hynafiaethwyr a Naturiaethwyr Môn* (1942), 34–40.

[7]   Gw. nodyn R. T. Jenkins ar ddiwedd erthygl Hugh Owen, 'The Morrises and the Methodists of Anglesey in the 18th century', 40–1. Gw. hefyd Eryn M. White, *Praidd Bach y Bugail Mawr: Seiadau Methodistaidd De-Orllewin Cymru 1737–50* (Llandysul, 1995), t. 57.

[8]   *The Spiritual Quixote*, gol. Clarence Tracy (Rhydychen, 1967), t. 256.

[9]   *ML* i, tt. 151–2.

[10]   Cyhoeddwyd y tri englyn gan Alun R. Jones, '"Vermin [who] creep into all corners through the least crevices": Lewis Morris and the Methodists', *Trafodion Anrhydeddus Gymdeithas y Cymmrodorion 1998*, 5 (1999), 33.

[11]   'Seventeenth-century prose', *English Poetry and Prose 1540–1674*, gol. Christopher Ricks (Llundain, 1986), tt. 387–8.

[12]   *ML*, i, t. 121. Cf. ibid., t. 83.

[13]   Jones, 'Llythyrau Lewis Morris at William Vaughan, Corsygedol', 42.

[14]   *ML*, i, t. 89.

[15]   Jones, '"Vermin [who] creep into all corners through the least crevices": Lewis Morris and the Methodists', 28–30.

[16]   *Ffrewyll y Methodistiaid*, gol. A. Cynfael Lake (Caerdydd, 1998), tt. 52–4.

[17]   Ibid., tt. 65–6.

[18]   *LWLM*, tt. 297–9.

[19]   Jones, 'Llythyrau Lewis Morris at William Vaughan, Corsygedol', 42–3.

[20]   Am destun o'r gerdd, gw. *LWLM*, tt. 29–32, ac Alun R. Jones, 'Lewis Morris in English', *New Welsh Review*, 42 (Hydref 1998), 40–1.

[21]   *Tlysau'r Hen Oesoedd*, 9 (Ebrill 2001), 14–15.

[22]   Cyhoeddwyd ei arolwg am y tro cyntaf yng nghyfrol David Bick a Philip Wyn Davies, *Lewis Morris and the Cardiganshire Mines* (Aberystwyth, 1994).

[23]   *ALMA*, i, tt. 131–3.

[24]   *Gwaith Siôn Tudur*, i, gol. Enid Roberts (Caerdydd, 1980), rhif 168.

[25]   *Tlysau'r Hen Oesoedd*, 10 (Hydref 2001), 13–16.

[26]   *LWLM*, tt. 46–7.

[27]   *ALMA*, i, t. 138.

[28]   *ML*, i, t. 427.

[29]   Ibid., t. 466.

[30]   Brynley F. Roberts, *Brut Tysilio* (Abertawe, 1980).

[31]   LlGC Ychw. 17B, 465–7; *LWLM*, tt. 180–2.

[32] *ALMA*, i, t. 107.

[33] Jones, 'Llythyrau Lewis Morris at William Vaughan, Corsygedol', 56; *ALMA*, i, t. 148.

[34] *ML*, i, t. 90.

[35] Ibid., t. 357.

[36] Wiliam, *Cofiant Lewis Morris 1742–65*, tt. 15–16.

[37] *ML*, i, t. 131.

[38] *LWLM*, tt. 193–4.

[39] *ALMA*, ii, t. 804. *Cydymaith i Lenyddiaeth Cymru*, gol. Meic Stephens (Caerdydd, 1997), t. 139.

[40] *LWLM*, t. 214.

[41] *ML*, i, t. 111.

[42] *ALMA*, i, t. 173.

[43] *Plans of Harbours, Bars, Bays and Roads in St. George's Channel*, gol. Geoffrey F. Budenberg (Biwmares, 1987), t. [ii]. Gw. hefyd A. H. W. Robinson, 'Lewis Morris – an early Welsh hydrographer', *Trafodion Cymdeithas Hynafiaethwyr a Naturiaethwyr Môn* (1968), 38–48.

Pennod 6

[1] Emyr Gwynne Jones, 'Llythyrau Lewis Morris at William Vaughan, Corsygedol', *Llên Cymru*, x (1968), 43–4.

[2] Gweler, er enghraifft, gywydd Iolo Goch sy'n parodïo'r farwnad gonfensiynol, 'Dychan i Hersdin Hogl', *Gwaith Iolo Goch*, gol. Dafydd Johnston (Caerdydd, 1988), tt. 161–5.

[3] Er enghraifft, yn y gerdd 'Dechrau a Diwedd' gan J. Eirian Davies, lle mae digrifwch cynhenid yr enw yn cyferbynnu â difrifwch y thema: 'Ac wele ddiawl o ddyn o ryw Lanbidynodyn / Yn plannu bom ym mhridd y blodyn.' Dyfynnir yn *Cyfrol o Gerddi* (Dinbych, 1985), t. 11.

[4] *ALMA*, i, t. 254.

[5] *ALMA*, i, t. 265.

[6] Jones, 'Llythyrau Lewis Morris at William Vaughan, Corsygedol', 51.

[7] *ALMA*, i, tt. 201–2.

[8] *ML*, i, tt. 155, 161.

[9] *ALMA*, i, t. 201.

[10] *Barddas*, 205 (Mai 1994), 23. Cf. sylw Geraint H. Jenkins: 'Morris's outrageously coarse cywyddau are every bit as good as those of his medieval touchstone Dafydd ap Gwilym' yn 'Lewis Morris: "The fat man of Cardiganshire"', *Ceredigion*, xiv, 2 (2002), 6.

[11] Jones, 'Llythyrau Lewis Morris at William Vaughan, Corsygedol', 44–5.

[12] *ML*, i, tt. 118, 195.

[13] *ML*, ii, t. 143.

[14] *ML*, i, t. 145.
[15] LlGC Cwrtmawr 39B, 23; *LWLM*, tt. 162–5, 326–8.
[16] *John Gay: Poetry and Prose*, gol. Vinton A. Dearing a Charles E. Beckwith, i (Rhydychen, 1974), tt. 294–7.
[17] *ML*, ii, t. 543.
[18] *ML*, i, t. 148.
[19] G. Nesta Evans, *Social Life in Mid-eighteenth Century Anglesey* (Caerdydd, 1936), t. 135.
[20] *ML*, i, t. 152.
[21] *ALMA*, i, t. 194.
[22] Ibid., tt. 200–1.
[23] *ML*, i, t. 169.
[24] Ibid., t. 172.
[25] Am ragor am ei swydd fel asiant i'r Arglwydd Lincoln, gw. E. D. Evans, 'Lewis Morris's aristocratic connections', *Cylchgrawn Llyfrgell Genedlaethol Cymru*, xxxi, 2 (Gaeaf 1999), tt. 121–4.
[26] *ALMA*, i, t. 209.
[27] Ibid., i, tt. 220–1.
[28] *LGO*, t. 18.
[29] *ALMA*, i, t. 224.
[30] *ML*, i, t. 196.
[31] *LGO*, t. 47.
[32] Ibid., t. 6.
[33] Ibid., t. 17.
[34] *ML*, i, t. 194.
[35] Ibid., t. 201.
[36] *ALMA*, i, t. 314; *ML* ii, tt. 2–3.
[37] *ML*, i, t. 350.
[38] Gw. amcanion y Cymmrodorion yn R. T. Jenkins a Helen M. Ramage, *The History of the Honourable Society of Cymmrodorion and of the Gwyneddigion and Cymreigyddion Societies (1751–1951)* (Llundain, 1951), tt. 227–44.
[39] Gw. e.e. *ML*, i, t. 375.
[40] *ALMA*, i, tt. 232–4.
[41] *LWLM*, t. 154.
[42] Gw. y 'Traethodl o Ymddiddan rhwng Llewelyn Ddu a'r Llong' yn ei gyfanrwydd yn *Tlysau'r Hen Oesoedd*, 11 (Ebrill 2002), 5–10.
[43] *ML*, i, t. 207.
[44] Ibid., t. 215.
[45] Ibid., t. 205.
[46] Ibid., t. 209.
[47] Ibid., t. 209.
[48] *DT*, t. 40.
[49] *ML*, i, t. 210.
[50] W. J. Lewis, *Lead Mining in Wales* (Caerdydd, 1967), tt. 99–100.

[51] Am fwy am Herbert Lloyd, gw. Bethan Phillips, *Peterwell, The History of a Mansion and its Infamous Squire* (Llandysul, 1983).
[52] *ML*, i, t. 223.
[53] Ibid., tt. 223–4.
[54] *ALMA*, i, t. 243.
[55] *ML*, i, t. 241.
[56] Ibid., t. 240.
[57] Ibid., tt. 255–7.
[58] Ibid., t. 263.
[59] *ALMA*, i, t. 244.
[60] *ML*, i, t. 262.
[61] Ibid., t. 289.
[62] *Barddoniaeth Goronwy Owen* (Lerpwl, 1911), tt. 120–2. Cf. *LGO*, tt. 109, 114.
[63] *ML*, i, t. 292.
[64] Ibid., t. 296.
[65] *LWLM*, tt. 53–60.
[66] *ML*, i, t. 262.
[67] *ML*, ii, tt. 38–9.

Pennod 7

[1] *ML*, i, tt. 319–20.
[2] Ibid., t. 327.
[3] Ibid., t. 328.
[4] Ibid., tt. 230, 237, 282.
[5] *ALMA*, i, t. 254. Dangosodd Eric Partridge fod 'grind' wedi cael ei ddefnyddio ar gyfer 'the sexual act' ers diwedd yr unfed ganrif ar bymtheg. *A Dictionary of Slang and Unconventional English*, gol. Paul Beale, 8fed argraffiad (Llundain, 1984), t. 504.
[6] John Milton, *The Doctrine and Discipline of Divorce* (Llundain, 1643), t. 15.
[7] *Milton: Samson Agonistes*, gol. John Churton Collins (Rhydychen, 1883), t. 26.
[8] Dafydd Johnston, 'Sensoriaeth foesol a llenyddiaeth Gymraeg', *Taliesin*, 84 (Chwefror/Mawrth 1994), 11. Gwnaeth yr Athro Johnston gamgymeriad drwy alw'r gerdd yn 'Cariad Melinydd Meirion'. Mae'n debyg iddo ddilyn y camgymeriad a wnaed gan E. G. Millward yn *Blodeugerdd Barddas o Gerddi Rhydd y Ddeunawfed Ganrif* (Llandybïe, 1991), tt. [7], 73, er gwaetha'r ffaith y rhoddir y teitl cywir i'r gerdd yn nodiadau'r gyfrol honno (t. 328).
[9] *ML*, ii, t. 143.
[10] *ML*, i, t. 327.

[11] *ALMA*, i, tt. 255–7.
[12] Brinley Rees, *Dulliau'r Canu Rhydd 1500–1650* (Caerdydd, 1952), tt. 74–5, 147–8.
[13] *ALMA*, i, tt. 256–7.
[14] *ML*, i, t. 327.
[15] Ibid., tt. 352–3.
[16] Ibid., t. 331.
[17] Ibid., t. 346.
[18] Ibid., t. 355.
[19] Ibid., t. 364.
[20] Ibid., tt. 341, 346, 352; *ML*, ii, tt. 153, 325, 346.
[21] *ML*, i, t. 391.
[22] Ibid., t. 333.
[23] Ibid., t. 374.
[24] Ibid., t. 371.
[25] Ibid., t. 383.
[26] Ibid., tt. 403–4.
[27] Ibid., t. 404.
[28] *ALMA*, ii, t. 876.
[29] *ML*, i, t. 406. Nid oes tystiolaeth i ddangos i Lewis erioed gael ei ddiswyddo o fod yn ddirprwy stiward maenorau'r Goron yng Ngheredigion. Swydd ddi-dâl, anrhydedd, ydoedd yn ôl pob tebyg, a go brin y byddai llawer o bobl yn ei chwennych. Honnai Lewis ei fod yn parhau i fod yn swyddog y Goron ar ôl cael ei ddisodli yn oruchwyliwr Esgair-y-mwyn, ond dirprwy stiward mewn enw yn unig ydoedd mewn gwirionedd erbyn hynny.
[30] *Fy Annwyl Nai, Siôn Owen: Bywyd a Llythyrau John Owen, Nai Morrisiaid Môn*, gol. Tegwyn Jones (Aberystwyth, 2002), t. 60.
[31] Ibid., t. 63.
[32] *ML*, i, tt. 438–9.
[33] Ibid., t. 461.
[34] *The Expedition of Humphry Clinker*, gol. Lewis M. Knapp (Rhydychen, 1984), tt. 120–2. Golygir a thrafodir cywydd Tomos Prys gan Dafydd Huw Evans, *Ysgrifau Beirniadol XIV*, gol. J. E. Caerwyn Williams (Dinbych, 1988), tt. 134–51.
[35] *ML*, i, t. 320.
[36] *ALMA*, i, t. 318.
[37] 'Épitre a Lucien, Aux Champs Elisiens', *Nouveaux Dialogues Des Morts* (Amsterdam, 1687), t. 5.
[38] BL Add. 14938, f. 52a–58b.
[39] *ML*, i, tt. 488–9.
[40] *ALMA*, i, t. 160.
[41] *ML*, i, t. 491.
[42] *ALMA*, ii, t. 807.
[43] *ML*, i, tt. 492–3.

44 *The Works of Lucian*, i, gol. John Dryden (Llundain, 1711), tt. 55–62.

45 *ALMA*, ii, t. 683.

46 *ML*, i, tt. 491–2.

47 Thomas Rymer, 'The preface of the translator', *Reflections on Aristotle's Treatise of Poesie* (Llundain, 1674), t. [iv].

48 Dafydd Glyn Jones, 'Criticism in Welsh', *Poetry Wales*, 15/3 (1979/80), 85. Y farn gyffredinol yw bod beirniadaeth lenyddol fodern yn Saesneg yn dechrau gyda Samuel Johnson.

49 'Cywydd y Farn Fawr by Goronwy Owain: with Notes by the celebrated Poet and Antiquary Lewis Morris (Llewelyn Ddu)', llawysgrif yn Llyfrgell Ganolog Dinas Abertawe, t. viii.

50 John Dryden, *Annus Mirabilis* (Llundain, 1667), t. x. Gw. hefyd *The Poems of John Dryden*, gol. James Kinsley, i (Rhydychen, 1958), t. 44.

51 Ceir y cwpled hwn ar wynebddalen cyfrol yn llyfrgell Lewis, *An Essay in Defence of Ancient Architecture* gan Robert Morris (Llundain, 1728); gw. *ALMA*, ii, t. 795.

52 Howard D. Weinbrot, *Britannia's Issue: The Rise of British Literature from Dryden to Ossian* (Caergrawnt, 1993), t. 48, nodyn 1.

53 Ceri Davies, *Welsh Literature and the Classical Tradition* (Caerdydd, 1995), tt. 100–2.

54 *ALMA*, i, t. 291.

55 *ALMA*, ii, t. 560.

56 *ALMA*, i, t. 218.

57 *The Critical Works of John Dennis*, gol. Edward Niles Hooker, i (Baltimore, 1939), t. 202.

58 *ALMA*, i, t. 222.

Pennod 8

1 *ML*, i, t. 471.

2 Ibid., tt. 490, 423, 241.

3 *ML*, ii, t. 4.

4 Gw. T. Hughes Jones, 'Atodiad i lythyrau'r Morysiaid', *Y Llenor*, xx (1941), 137–41.

5 *ML*, i, t. 418.

6 *ALMA*, ii, t. 897.

7 Ibid.

8 Ibid., t. 900.

9 *ML*, i, t. 469.

10 Ibid., t. 478.

11 Ibid., tt. 475, 478.

12 Nid oedd y ddelweddaeth hon yn newydd yng Nghymru, fel y dangosodd Mairwen Lewis: 'Cesglir bod sôn am fywyd fel taith, neu fordaith, a'r nef yn uchaf nod, yn chwedl hen gynefin i'r Cymry.'

'Astudiaeth gymharol o'r cyfieithiadau Cymraeg o rai o weithiau John Bunyan, eu lle a'u dylanwad yn llên Cymru', traethawd MA, Cymru (Aberystwyth), 1957, 259.

[13] *ML*, i, t. 371.

[14] *ALMA*, ii, t. 499.

[15] *ML*, ii, t. 68. Daw llinell Pope o *An Essay on Man*, i, llinell 294. Gw. *Pope: Poetical Works*, gol. Herbert Davis (Rhydychen, 1978), t. 249.

[16] A. O. Lovejoy, *The Great Chain of Being: A Study of the History of an Idea* (Cambridge, Massachusetts, 1936), tt. 210–11.

[17] *ALMA*, ii, t. 623.

[18] *ML*, i, tt. 486–7. Am fwy o wybodaeth ynghylch ymlediad y diwylliant Saesneg trwy Gymru yn y ddeunawfed ganrif, gw. Cecil Price, *The English Theatre in Wales in the Eighteenth and Early Nineteenth Centuries* (Caerdydd, 1948).

[19] *ML*, i, tt. 476–7.

[20] *ALMA*, ii, t. 917.

[21] *ALMA*, i, t. 329.

[22] *Fy Annwyl Nai, Siôn Owen*, gol. Tegwyn Jones (Aberystwyth, 2002), t. 103.

[23] Ibid., t. 115.

[24] Ibid., tt. 131, 137.

[25] *ALMA*, i, t. 206.

[26] *ML*, i, t. 465; *ML*, ii, t. 465.

[27] *ML*, i, tt. 467–8.

[28] *ML*, ii, tt. 51–2. Cyfeirir at y gerdd hon mewn rhestr o lyfrau a phapurau yn ymwneud â hanes meddygaeth mewn perthynas â Chymru a'r Cymry. Gw. John Cule, *Cymru a Meddygaeth* (Aberystwyth, 1980), t. 127.

[29] *ML*, ii, t. 53.

[30] Gw., er enghraifft, *ML*, i, t. 386.

[31] Keith Thomas, *Religion and the Decline of Magic: Studies in Popular Beliefs in Sixteenth and Seventeenth Century England* (Llundain, 1971), tt. 9–17.

[32] *ML*, ii, t. 323.

[33] *ALMA*, ii, tt. 509, 516.

[34] *ALMA*, i, tt. 316–17.

[35] Ibid., t. 310.

[36] Ibid., t. 301.

[37] Ibid., t. 305.

[38] Ibid., t. 309. Rhydd y gyfres o lythyrau a anfonwyd gan Lewis at Dafydd Jones o Drefriw pan oedd *Blodeu-gerdd Cymry* (1759) ar y gweill gryn wybodaeth am y broses o argraffu a chyhoeddi llyfr yn y ddeunawfed ganrif. Gweler yn arbennig *ALMA*, i, tt. 309–10. Mewn llythyr arall, rhydd amcangyfrif o'r gost a'r elw o argraffu mil o lyfrau yn Llundain (ibid., tt. 315–16). Ar brydiau, roedd yn drwm ei lach ar argraffwyr (ibid., tt. 374, 381).

[39] *ALMA*, i, t. 315.

[40]   *ML*, ii, tt. 14–15.
[41]   Ibid., t. 15.
[42]   Ibid., t. 22.
[43]   Ibid., t. 13.
[44]   *ALMA*, i, tt. 317–18.
[45]   *ML*, i, t. 475.
[46]   *ALMA*, i, tt. 303–4.
[47]   Ibid., tt. 306–7.
[48]   Ibid., t. 311.
[49]   *ML*, ii, t. 32.
[50]   Ibid., t. 36.
[51]   Ibid., t. 37.
[52]   Ibid., tt. 46–7.
[53]   *Barddoniaeth Goronwy Owen* (Lerpwl, 1911), tt. 89–93.
[54]   *LGO*, t. 171.
[55]   *ML*, ii, t. 2.
[56]   *ML*, i, t. 489.
[57]   *ML*, ii, t. 27.
[58]   Ibid., t. 11.
[59]   *ML*, i, tt. 488–9.
[60]   *ML*, ii, t. 43.
[61]   Ibid., t. 53.
[62]   Ibid., tt. 53–4. Yr *oedd* Richard Morris yn barddoni. Am fynegai i linellau cyntaf ei farddoniaeth, gw. Dafydd Wyn Wiliam, *Cofiant Richard Morris (1702/3–79)* (Llangefni, 1999), tt. 165–9.
[63]   *ML*, ii, t. 44.
[64]   Ibid., t. 65.
[65]   *ALMA*, ii, 931–2.
[66]   LlGC, Cwrtmawr 601E, 43; *Fy Annwyl Nai, Siôn Owen*, gol. Jones, t. 115.
[67]   *ALMA*, ii, t. 928.
[68]   *ML*, ii, t. 234.
[69]   *ALMA*, i, t. 257.
[70]   *Barddoniaeth Goronwy Owen*, tt. 32–5.
[71]   *Blodeugerdd o'r Ddeunawfed Ganrif*, gol. D. Gwenallt Jones, 4ydd argraffiad (Caerdydd, 1947), t. 114.
[72]   *ML*, ii, t. 91.
[73]   T. S. Eliot, 'Tradition and the individual talent', *Selected Essays* (Llundain, 1972), t. 15.
[74]   *ALMA*, ii, t. 532.
[75]   *ALMA*, i, t. 365.
[76]   *ML*, i, tt. 371–2.
[77]   *ALMA*, ii, t. 906.
[78]   Ibid., t. 877.
[79]   Ibid., t. 959; LlGC, Cwrtmawr 601E, 65.

[80] *ML*, ii, t. 114.
[81] Ibid., t. 176.
[82] Ibid., t. 330.
[83] Ibid., t. 334.
[84] *ALMA*, ii, t. 958.
[85] Ibid., t. 937.
[86] *ML*, ii, t. 123.
[87] Ibid., t. 268.
[88] Ibid., t. 364.
[89] Ibid., t. 364.
[90] *ALMA*, i, t. 349.
[91] Ibid., t. 350.
[92] Ibid., t. 382.
[93] *ALMA*, ii, t. 416.
[94] Ibid., t. 417.
[95] Ibid., t. 473.
[96] Ibid., tt. 546–8.
[97] Ibid., t. 550.
[98] *DT*, t. x.
[99] *ML*, i, t. 486. Parodd sylwadau o'r fath i Gwyn A. Williams ei ddisgrifio fel 'a north Wales chauvinist' yn *When Was Wales? A History of the Welsh* (Llundain, 1985), t. 154. Dadleuodd Bobi Jones mai Ieuan Brydydd Hir oedd y person cyntaf y gwyddom amdano i garu Cymru yn ei chyfanrwydd. Gw. 'Hen wyneb D. J.', *Taliesin*, 54 (Nadolig, 1985), 56.
[100] *ML*, ii, t. 237; *ALMA*, ii, t. 547.
[101] *Gwaith Mr Rees Prichard* (Llundain, 1672), t. 29.
[102] *ML*, ii, t. 94; *ALMA*, ii, t. 420.
[103] *ALMA*, i, t. 343.
[104] Ibid., t. 344. Wrth drafod pam fod enwau Saesneg ar donau megis 'Leave Land', daeth Phyllis Kinney i'r casgliad 'Perhaps it was harpers who translated the Welsh names for patrons who had become anglicised'. 'How Welsh is Welsh folk music?', *Canu Gwerin*, 16 (1993), 5.
[105] *ALMA*, ii, t. 401.
[106] Ibid., t. 418.
[107] Ibid., t. 432.
[108] Ibid., t. 443.
[109] *ALMA*, i, t. 299.
[110] *ML*, i, t. 488.
[111] *ML*, ii, t. 281.
[112] Ibid., tt. 51, 179–80.
[113] Mae ail ran y 'Celtic Remains' mewn cyfrol lawysgrif hirsgwar fechan, 117 ff., hyd y dydd hwn yn Llyfrgell Genedlaethol Cymru, LlGC 1680A. Am drafodaeth o'r 'Celtic Remains', gw. Philip Wyn Davies, 'Astudiaeth o ysgolheictod hynafiaethol Lewis Morris (1701–1765)',

traethawd MA, Cymru (Caerdydd), 1982, pennod viii, 347–65. Roedd copi o 'Camden's Remains 1623' yn llyfrgell Lewis (*ALMA*, ii, t. 802).

[114] *ML*, ii, t. 5.

[115] *ALMA*, ii, tt. 393–400.

[116] Caryl Davies, *Adfeilion Babel: Agweddau ar Syniadaeth Ieithyddol y Ddeunawfed Ganrif* (Caerdydd, 2000), t. 177.

[117] *ALMA*, ii, t. 457.

[118] *ML*, ii, t. 217.

[119] Ibid., t. 242.

[120] Ibid., t. 178.

[121] Ibid., tt. 423–5.

[122] Ibid., t. 496.

[123] Ibid., t. 539.

[124] Ibid., t. 179.

[125] *ALMA*, ii, t. 481.

[126] Ibid., tt. 485–6.

[127] Ibid., t. 483.

[128] Ibid., t. 486.

[129] Ibid., tt. 482–3.

[130] Ibid., tt. 484–5.

[131] Ibid., t. 511.

[132] Ibid., t. 632.

[133] Ibid., t. 436. Cf. awgrym Ernest Campbell Mossner nad anfonodd David Hume lythyr ynghylch ei afiechyd at Dr John Arbuthnot oherwydd bod y weithred o ysgrifennu'r llythyr yn therapiwtig ynddi ei hun. Gw. *The Life of David Hume*, ail argraffiad (Rhydychen, 1980), t. 86.

[134] *ALMA*, ii, t. 498.

[135] *ML*, ii, tt. 308–9.

[136] Ibid., t. 366.

[137] *ALMA*, ii, tt. 540–1.

[138] *ML*, ii, t. 294.

[139] Ibid., t. 422.

[140] Ceir enghreifftiau o wawdluniau a disgrifiadau di-chwaeth gan awduron Seisnig dan gochl cofnodion teithwyr ac mewn llenyddiaeth, ynghyd â'r darluniau ystrydebol o'r Cymry a geir ynddynt, gan Brynley F. Roberts, 'Dialedd Taffy', *Ysgrifau Beirniadol XXV*, gol. J. E. Caerwyn Williams (Dinbych, 1999), tt. 61–78.

[141] Daniel Defoe, *A Tour Through the Whole Island of Great Britain*, gol. P. N. Furbank a W. R. Owens (New Haven a Llundain, 1991), t. 197. Yn yr argraffiad hwn ceir *cartouche* o siart Lewis Morris o arfordir gorllewin Cymru (1748), yn dangos y diwydiannau canlynol: cynhyrchu gwlân, adeiladu llongau, hwsmonaeth, mwyngloddio, torri coed a physgota (t. xiv). Am wybodaeth ynghylch y cynnydd mewn teithio yng Nghymru a thu hwnt, gw. Malcolm Andrews, *The Search for the Picturesque: Landscape Aesthetics and Tourism in Britain,*

1760–1800 (Aldershot, 1989), yn enwedig tt. 109–151 ar deithiau yng ngogledd Cymru.
[142] *ML*, ii, t. 393.
[143] *The Penguin Book of Diaries*, gol. Ronald Blythe (Llundain, 1991), tt. 79–80.
[144] *ML*, ii, t. 415.
[145] Ibid., t. 421.
[146] Ibid., t. 424.
[147] *Tlysau'r Hen Oesoedd*, 7 (Ebrill 2000), 7.
[148] BL Add. 15011, 4.
[149] *ML*, ii, t. 295.
[150] Ibid., t. 341.
[151] Ibid., t. 424.
[152] Ibid., t. 434.
[153] Ibid., tt. 455–6.
[154] Ibid., tt. 462–3.
[155] Ibid., t. 467.
[156] Ibid., t. 471.
[157] Ibid., t. 486.
[158] Ibid., t. 493.
[159] Ibid., t. 472.
[160] Ibid., t. 494.
[161] Ibid.
[162] Ibid., t. 497.
[163] Ibid., t. 514.
[164] *Gwaith Siôn Tudur*, i, gol. Enid Roberts (Caerdydd, 1980), rhifau 136 a 137.
[165] Ibid., rhif 138.
[166] *ALMA*, ii, tt. 553–4.
[167] Ibid., tt. 604–5.
[168] *ML*, ii, t. 521.
[169] Ibid., t. 513.
[170] Ibid., t. 447.
[171] Ibid., t. 193.
[172] Ibid., t. 451.
[173] Ibid., t. 466.
[174] Ibid., t. 192.
[175] Ibid., t. 425.
[176] Ibid., t. 496.
[177] *ALMA*, ii, t. 961.
[178] *ML*, ii, t. 379.
[179] *ALMA*, ii, tt. 798, 794.
[180] *ML*, ii, tt. 405–6, 422.

Pennod 9

[1] *ML*, ii, t. 540.

[2] *ALMA*, ii, t. 588.

[3] Ibid., t. 576.

[4] *ML*, ii, t. 242.

[5] Ibid., t. 240.

[6] Ibid., t. 544.

[7] *DT*, tt. i–x. Gw. hefyd *ALMA*, ii, tt. 579–86.

[8] *ML*, i, t. 270.

[9] BL Add. 14927, 183.

[10] *ALMA*, ii, t. 604.

[11] Ibid., t. 603.

[12] 'An Essay on Conversation', *Miscellanies by Henry Fielding, Esq; Volume One*, gol. H. K. Miller (Rhydychen, 1972), t. 123.

[13] *The Letters of William Shenstone*, gol. Marjorie Williams (Rhydychen, 1939), t. 222.

[14] *ALMA*, ii, t. 649.

[15] *ML*, ii, t. 284.

[16] Rhoddodd Edmond Malone, mewn llythyr at Thomas Percy, dyddiedig 3 Ionawr 1803, gyfrif manwl o'r anawsterau a'r euogrwydd a grëwyd gan y system lle talai'r derbynnydd. *The Percy Letters*, gol. David Nichol Smith a Cleanth Brooks, wyth cyfrol (Louisiana State University Press & Yale University Press, 1940–85), I, tt. 130–1.

[17] *ML*, ii, t. 179.

[18] Mae'n debyg mai un o'r Morrisiaid a fathodd y term 'Gogynfeirdd'. Gw. J. E. Caerwyn Williams, 'Beirdd y Tywysogion: arolwg', *Llên Cymru*, xi (1970–71), 3.

[19] G. J. Williams, *Agweddau ar Hanes Dysg Gymraeg*, gol. Aneirin Lewis (Caerdydd, 1969), t. 72. Gw. *ALMA*, ii, t. 806. Cedwir y copi hwn o ramadeg Dr John Davies o Fallwyd yn y Llyfrgell Genedlaethol.

[20] *ALMA*, ii, t. 679.

[21] Ibid., t. 651.

[22] Ibid., t. 652.

[23] Ibid., t. 732.

[24] Gweler yr awdl-farwnad i Lewis, ynghyd â'r farwnad a luniodd Goronwy i Marged Morris yn fuan ar ôl ei marwolaeth, yn *The Poetical Works of the Rev. Goronwy Owen with his Life and Correspondence*, gol. Robert Jones (Llundain, 1876), I, tt. 253–69, 56–62.

[25] Olrheiniwyd hanes plant Lewis Morris gan Tegwyn Jones, *Y Llew a'i Deulu: Hanes Lewis Morris yng Ngheredigion* (Tal-y-bont, 1982), tt. 83–117.

[26] LlGC 606E (LEWIS MORRIS 7).

[27] Elizabeth Crebar, *Poems, Religious and Moral* (Aberystwyth, 1811), tt. 22–3.

Pennod 10

[1] *ALMA*, ii, t. 462.

[2] Ibid., t. 604.

[3] Siôn Rhydderch, *The English and Welsh Dictionary* (Yr Amwythig, 1725), t. iii.

[4] Er enghraifft, *ALMA*, i, t. 210; *ALMA*, ii, t. 577.

[5] *LWLM*, tt. 158–9; gw. hefyd *Y Traethodydd*, vii (1851), 214–15. 'Mesur-lath' oedd disgrifiad William Morris o'r dafol mewn llythyr at Lewis ar 2 Chwefror 1761 (gw. *ML*, ii, t. 290).

[6] Jean Hagstrum, *Samuel Johnson's Literary Criticism* (Minneapolis, 1952), tt. 28–9.

[7] Cf. ei sylw am Homer a Dafydd ap Gwilym yn torri 'rheolau barddoniaeth' yn ei esboniad ffug-ysgolheigaidd dros y 'Cywydd i yrru'r falwen'. Gw. Alun R. Jones, 'Mock-learned commentaries by Lewis Morris', *Cylchgrawn Llyfrgell Genedlaethol Cymru*, xxx, 4 (Gaeaf 1998), 409.

[8] *ML*, ii, t. 324. Diddorol nodi y bwriadodd Wiliam Owen Roberts ddefnyddio'r Morrisiaid fel enghraifft o bobl bwerus a chyfoethog yn ei nofel *Paradwys* (2001), ond 'buan y bu'n rhaid eu hepgor nhw gan nad oeddan nhw yn gweithredu ar lefel ddigon uchel mewn cymdeithas a ddim digon grymus a dylanwadol at bwrpas y stori'. 'Barddas yn holi Wiliam Owen Roberts', *Barddas*, 265 (Tachwedd/ Rhagfyr 2001), 48.

[9] G. Nesta Evans, *Social Life in Mid-eighteenth Century Anglesey* (Caerdydd, 1936), tt. 136–40.

[10] Gw. Dafydd Glyn Jones, *Un o Wŷr y Medra: Bywyd a Gwaith William Williams, Llandygái 1738–1817* (Dinbych, 1999).

[11] G. J. Williams, *Edward Lhuyd ac Iolo Morganwg* (Caerdydd, 1964), t. 23.

[12] Thomas Parry, *Hanes Llenyddiaeth Gymraeg hyd 1900* (Caerdydd, 1944), t. 217; G. J. Williams, 'Rhai agweddau ar hanes ysgolheictod Cymraeg a hanes llenyddiaeth Gymraeg yn y ddeunawfed ganrif', *Agweddau ar Hanes Dysg Gymraeg*, gol. Aneirin Lewis (Caerdydd, 1969), t. 101; Geraint H. Jenkins, *The Foundations of Modern Wales 1642–1780* (Rhydychen, 1987), t. 387.

[13] Emyr Gwynne Jones, 'Llythyrau Lewis Morris at William Vaughan, Corsygedol', *Llên Cymru*, x (1968), 31.

[14] *ALMA*, i, tt. 254–5.

[15] *ML*, i, t. 342; *ALMA*, ii, t. 423. Cf. llinell Pope, 'Itch of Verse and Praise' ynghyd â fersiwn William Gifford o 'scribendi cacoethes' Juvenal, 'insatiate itch of scribbling'. Gw. Howard D. Weinbrot, *Alexander Pope and the Traditions of Formal Verse Satire* (Princeton, 1982), t. 255.

[16] *ALMA*, i, tt. 21–2.

[17] Am fynegai i'w weithiau llenyddol, gw. Alun R. Jones, 'A critical study of the literary works of Lewis Morris, 1701–1765', traethawd D.Phil, Rhydychen, 1997, 309–434.

[18] *Ben Jonson*, gol. George Parfitt (Penguin, 1975), tt. 98–101; *The Works of Andrew Marvell*, gyda chyflwyniad gan Andrew Crozier (Wordsworth Poetry Library, 1995), tt. 4–28.

[19] *ALMA*, i, t. 45.

[20] Jones, 'Mock-learned commentaries by Lewis Morris', t. 413.

[21] *ML*, ii, t. 8.

[22] Jones, 'Llythyrau Lewis Morris at William Vaughan, Corsygedol', 42.

[23] *ML*, i, t. 332.

[24] *ALMA*, ii, t. 553.

[25] *ALMA*, i, t. 201.

[26] *Blodeugerdd o'r Ddeunawfed Ganrif*, gol. D. Gwenallt Jones, 4ydd argraffiad (Caerdydd, 1947), t. xxx.

[27] *ALMA*, ii, t. 419.

[28] *The Correspondence of Jonathan Swift*, gol. Harold Williams, iii (Rhydychen, 1963), t. 293.

[29] *LWLM*, tt. 106–12.

[30] *LGO*, t. 116.

Mynegai